현대어본 명주보월빙

현대어본

명주보월빙

5

역주

최길용

이 저서는 2010년도 정부재원(교육부 인문사회연구역량강화사업비)으로 한국연구재단의 지원을 받아 연구되었음(NRF-2010-327-A00283)

This work was supported by the National Research Foundation of Korea Grant funded by the Korean Government(NRF-2010-327-A00283)

서문

텔레비전이나 라디오가 없던 시절, 소설은 우리 선인들에게 무료한 일상을 달래며 인간사의 다양한 문제들에 대한 여러 생각들을 공유하게 해주던 매우 유용한 미디어였다. 아낙네들의 길쌈하던 일자리나 밤 마실 자리에도, 고관대가 귀부인들의 침실이나 근엄한 사대부들의 책상위에서도, 길가는 사람들로 붐비던 남대문이나 종로거리에서도, 소설은 오늘의 TV나 라디오처럼 사람들의 눈과 귀를 사로잡았다. 그리하여 아낙네들은 소설 없는 밤을 견디지 못하여 금반지나 쌀자루를 들고 세책가를 뻔질나게 들락거렸고, 먹고살 길이 막막했던 어느 곱상한 총각은 여자 강독사로 변장을 하고 판서대감댁 마님 방을 드나들며 소설을 읽어주다 불륜사실이 들통 나 죽음을 당하기도 했다. 그런가하면 공청에서 소설 삼매경에 빠져있던 어느 대감님은 갑작스러운 방문객에 화들짝 놀라 공문서로 소설책을 덮어놓고 시치미를 떼기가 다반사였는가 하면, 종로의 한 담뱃가게 점원 녀석은 전기수가 들려주던 삼국지에 팔려 있다가, 악한 조조가 착한 유비를 몰아붙이는 대목에서 화가나, 담배 썰던 칼을 들고 나와 애꿎은 전기수를 찔러 죽이는 살인사건이 일어나기도 했다.

이렇듯 18-19세기 조선사회는 온통 소설열독에 빠져 있었다. 글을 아는 사람이든 모르는 사람이든, 양반이든 평민이든, 남자든 여자든, 노인이든 젊은이든 할 것 없이 삼천리 방방곡곡이 소설열풍에 휩싸여 있었다. 그렇게 될 수 있었던 것은 무엇보다도 소설이란 장르의 문학적 특성 곧 이야기 문학이 갖는 접근의 무제한성에 있다. 우리 모두가 알고 있는 바와 같이, 이야기는 사건의 흐름을 통해서 이해되는 것이지, 꼭 글자를 통해서만 이해되는 것이 아니다. 비록 글자로 쓰인 이야기라 하더라도, 그것을 누군가가 대신 읽어주거나, 먼저 읽은 사람이 읽은 내용을 말해주는 것을 듣고도, 얼마든지 그 이야기의 내용을 이해할 수가 있고 공감을 가질 수가 있다. 이러한 특성 때문에, 당시에는 글자를 모르는 사람이나 책읽기를 고역스럽게 여기는 사람을 위해, 책을 대신 읽어주는 강독사나, 책을 먼저 읽고 그 내용을 구수한 입담으로 풀어 이야기해주는 전기수와 같은 새로운 직업인이 나타나기도 하였다.

그러나 이 시대를 한국문학사에서 소설의 시대로 꽃피우게 한 것은 뭐니 뭐니 해도 한글필사본소설들의 범람이다. 한글필사본소설들은 한글의 쓰기 쉽고 빨리 쓸 수 있다는 장점과, 필사본의 간편하면서도 저렴한 제책 방식이 갖는 장점을 최대한 활용한 것으로서, 가정이나 궁중 세책가 등에서 다투어 소설들을 베껴 돌려가며 읽었었다. 특히 세책가에서는 여러 종의 한글필사본들을 다량으로 확보해 놓고 본격적으로 소설대여업에 나섬으로써, 이 시대 소설열풍에 더 큰 불을 지폈다.

이 작품 〈명주보월빙〉연작 235권(〈명주보월빙〉100권, 〈윤하정삼문취록〉105권, 〈엄씨효문청행록〉30권)은 위에서 말한 바의 18세기 말 한국고소설의 전성시대에 나왔다. 그 작품분량은 원문 글자 수가 도합 332만3천여 자(〈보월빙〉1,475,000, 〈삼문취록〉1,455,000, 〈청행록〉393,000)에 이를 만큼 방대하여, 당대 조선조 소설문단의 창작적 역량을 한눈에 보여주는 대작이다. 이 연작은 한국고소설사상 최장편소설로 꼽히는 작품일 뿐 아니라, 동시대 세계문학사에서도 그 유례를 찾아볼 수 없는 대장편서사체이다. 그 분량이 하루에 3-4시간을 들여 하루 한권씩을 꼬박꼬박 읽어낼 수 있는 아주 성실한 독자라고 할 때, 무려 235일간을 읽어야 다 읽어낼 수 있는 분량이니, 이 작품이 당시 궁중에서도(낙선재본), 일반대중들 사이에서도(박순호본: 이것은 세책본이다) 널리 읽혀졌던 사실을 염두에 둔다면, 당대 우리사회의 소설열독 풍조와 세책가의 활황이 어느 정도였을 지를 가히 짐작하고도 남게 한다.

양식 면에서, 《명주보월빙 연작》은 중국 송나라를 무대로 하여 윤·하·정 3가문의 인물들이 대를 이어 펼쳐가는 삶을 다룬 〈보월빙〉·〈삼문취록〉과, 윤문과 연혼가인 엄문의 인물들이 펼쳐가는 삶을 다룬 〈청행록〉으로 이루어져, 그 외적양식 면에서는 〈보월빙〉-〈삼문취록〉-〈청행록〉으로 이어지는 3부 연작소설이며, 내적양식 면에서는 윤·하·정·엄문이라는 네 가문의 가문사가 축이 되어 전개되는 가문소설이다.

내용면에서 보면, 이 연작에는 모두 787명(〈보월빙〉275, 〈삼문취록〉399, 〈청행록〉113)에 이르는 수많은 인물군상이 등장하여, 군신·부자·부부·처첩·형제·친구 등 다양한 인간관계에서 벌어지는 숱한 사건들을 펼쳐가면서, 충·효·열·화목·우애·신의 등의 주제를 내세워, 인륜의 수호와 이상적인 인간 공동체의 유지, 발전을 위한 선적가치(善的價値)들을 권장하고 있다. 아울러 주동인물군의 삶을 통해 고귀한 혈통·입신양명·전지전능한 인간·일부다처·오복향수·이상향의 건설 등과 같은 사대부귀족계급의 현세적 이상을 시현해놓고 있다.

필자는 이 책 『현대어본 명주보월빙』의 편찬에 앞서 『교감본 명주보월빙』(全5권, 학고방, 2014.2)을 편찬 간행한 바 있다. 이 교감본 명주보월빙』은 〈명주보월빙〉의 두 이본, 곧 100권100책으로 필사된

'낙선재본'과 36권36책으로 필사된 '박순호본'을 원문내교(原文內校)와 이본대교(異本對校)의 2단계 원문교정 과정을 거쳐 각 텍스트의 필사과정에서 생긴 원문의 오자・탈字・오기・연문・결락들을 교정하고, 여기에 띄어쓰기와 한자병기 및 광범한 주석을 가해 편찬한 것으로써, 컴퓨터 문서통계 프로그램이 계산해준 이 책의 파라텍스트(para-text)를 제외한 본문 총글자수는 539만자(낙본 2,778,000자, 박본2,612,000자)에 이른다.

이 책은 위 두 이본 중 선본인 낙선재본 교감본(2,778,000자)을 대본으로 하여 이를 현대어로 옮긴 것으로, 그 총분량은 282만자에 달한다. 앞의 교감본이 연구자를 위한 전문학술도서 국배판 전5권으로 편찬된데 비해, 이 현대어본은 중・고・대학생과 일반대중을 위한 교양도서(소설)로 성격을 전환하고, 그 규격을 경량화 하여 신국판 전10권으로 편찬함으로써, 책의 부피가 주는 중압감과 지나치게 작고 빽빽한 글자가 주는 눈의 피로를 해소하기 위해 노력했다.

이 현대어본의 편찬 목적은 고어표기법과 한자어・한자성어・한문문장체 표현 위주의 문어체 문장으로 되어 있는 원문을, 현대철자법과 현대어법에 맞게 번역하거나, 한자병기, 주석, 띄어쓰기를 가해 가독성(可讀性)이 높은 텍스트로 재생산하여, 일반 독자들에게 '읽기 쉬운 책'을 제공하는데 있다. 그리고 이렇게 함으로써 독자들이 누구나 쉽게 우리의 고전문학에 접근할 수 있게 하고, 일찍이 세계 최고수준의 소설문학을 창작하고 향유했던 민족문학에 대한 이해와 자긍심을 높이 갖도록 하는 데 있다.

아무쪼록 이 책의 출판을 계기로 이 작품이 더 많은 독자들과 연구자,

문화계 인사들의 사랑과 관심을 받게 되고, 영화나 TV드라마 등으로 제작되어 민족의 삶과 문화가 더 널리 전파되어 갈 수 있기를 기대한다. 이 작품들 속에 등장하는 앵혈・개용단・도봉잠・회면단・도술・부적・신몽・천경 등의 다양한 상상력을 장착한 소설적 도구들은 민족을 넘어 세계인들의 사랑과 흥미를 이끌어내기에 충분할 것으로 믿어 의심치 않는다.

끝으로 어려운 출판 여건 속에서도 『교감본 명주보월빙』(全5권)에 이어, 전10권이나 되는 이 책의 출판을 흔쾌히 맡아주신 도서출판 학고방의 하운근 대표님과, 편집과 출판을 맡아 애써주신 직원 여러분께 깊은 감사를 드린다.

2014년 4월 20일

최길용

(전북대학교겸임교수)

●● 일러두기

이 책 『현대어본 명주보월빙』은 필자가 〈명주보월빙〉의 두 이본, 곧 100권100책으로 필사된 '낙선재본'과 36권36책으로 필사된 '박순호본'을, 원문내교(原文內校)와 이본대교(異本對校)의 2단계 원문교정 과정을 거쳐, 각 텍스트의 필사과정에서 생긴 원문의 오자・탈자・오기・연문・결락들을 교정하고, 여기에 띄어쓰기와 한자병기 및 광범한 주석을 가해 편찬한 『교감본 명주보월빙』(全5권, 학고방, 2014.2.)의, '낙선재본 교감본'을 대본(臺本)으로 하여, 이를 현대어로 옮긴 것이다.

그 방법은 원문 가운데 들어 있는 ①난해한 한자어나, ②한문문장투의 표현들, ③사어(死語)가 되어버려 현대어에 쓰이지 않는 고유어들을, 1.현대어로 번역하거나, 2.한자병기(漢字倂記)를 하거나, 3.주석을 붙여, 독자가 그 뜻을 쉽게 이해할 수 있도록 하되, 그 이외의 모든 고어(古語)들은 4.표기(表記)만 현대 현대철자법에 맞게 고쳐 표기하는 방식으로 이 책 『현대어본 명주보월빙』을 편찬하였다.

여기서는 위 1.-4.의 방법에 대해 한 두 개씩의 예를 들어 두는 것으로, 본 연구의 현대어본 편찬방식을 간단하게 밝혀두기로 한다.

1. 번역

한문문장투의 표현이나 사어(死語)가 된 고어는 필요한 경우 현대어로 번역하였다.

㉠ '조디장ᄉᆞ(鳥之將死)ᄋᆡ 기셩(其聲)이 쳐(悽)ᄒᆞ고, 인지장ᄉᆞ(人之將死)의 기언(其言)이 션(善)ᄒᆞ다.' ᄒᆞ니, 슉뫼 반ᄃᆞ시 별셰(別世)ᄒᆞ시려 이리 니르시미니

⇒ '새가 죽을 때면 그 소리가 슬프고, 사람이 죽을 때면 그 말이 착하다' 하니, 숙모 반드시 별세(別世)하시려 이리 이르심이니,

㉡ 그대 집 변고는 불가사문어타인(不可使聞於他人)이라. 우리 분명이 질녀 무사히 돌아감을 보아시니, 그 사이 변괴 있음이야 어찌 몽리(夢裏)의나 생각하리오마는

⇒ 그대 집 변고는 남이 들을까 두려운지라. 우리 분명히 질녀가 무사히 돌아감을 보았으니, 그 사이 변괴 있음이야 어찌 꿈속에서나 생각하였으리오마는

㉢ 안비(眼鼻)를 막개(莫開)'라

⇒ 눈코 뜰 사이가 없더라.

㉣ 성각이 망지소위중(罔知所爲中) 차언(此言)을 듣고

⇒ 성각이 당황하여 어찌해야 할지를 알지 못하는 가운데 이 말을 듣고

㉤ 기불미새(豈不美之事)리오?

⇒ 어찌 아름다운 일이 아니겠는가?

ⓑ 사어(死語)가 된 고어는 필요에 따라 번역하였다.

예)�지우다/처지게 하다 떨어지게 하다　　다ᄅᆡ다/당기다

-도곤/-보다　　아/아우　　아이/아우 동생　　남다/넘다

아쳐ᄒᆞ다/흠을 잡다 싫어하다 미워하다　　ᄲᆡ다/뽑다

무으다/쌓다 만들다　　흉ᄒᆡ(胸海)/가슴　　나/나이

2. 한자병기(漢字倂記)

어려운 한자어 가운데 한자만 병기하여도 그 뜻을 쉽게 이해할 수 있는 말은 구태여 주석을 붙이지 않고 한자만 병기하였다.

㉠ 신부의 화용월ᄐᆡ(花容月態) 찬연쇄락(燦然灑落)ᄒᆞ여 챵졸의 형용ᄒᆞ여 니르지 못ᄒᆞᆯ디라.

⇒ 신부의 화용월태(花容月態) 찬연쇄락(燦然灑落)하여 창졸에 형용하여 이르지 못할지라.

3. 주석(註釋)

한자병기만으로 뜻을 이해할 수 없는 한자어나, 사어(死語)가 된 고어는, 주석을 붙여 그 뜻을 밝혀 두어, 독자가 쉽게 이해할 수 있게 하였다.

㉠ 윤태위 ᄇᆡᆨ의소ᄃᆡ(白衣素帶)로 죄인의 복ᄉᆡᆨ을 ᄒᆞ여시나, 화풍경운(和風慶雲)이 늠연쇄락(凜然灑落)ᄒᆞ여 농미봉안(龍眉鳳眼)이며 연함호뒤(燕頷虎頭)오 월면단슌(月面丹脣)이니

⇒ 윤태우 백의소대(白衣素帶)1)로 죄인의 복색을 하였으나, 화풍경운(和風慶雲)이 늠연쇄락(凜然灑落)ᄒᆞ여, 용미봉안(龍眉鳳眼)2)이며 연함호두(燕頷虎頭)3)요 월면단순(月面丹脣)4)

이니

주) 1) 백의소대(白衣素帶) : 흰 옷과 흰 띠를 함께 이르는 말로 벼슬이 없는 사람의 옷차림을 말함.

2) 용미봉안(龍眉鳳眼) : '용의 눈썹'과 '봉황의 눈'이란 뜻으로, 아름다운 눈 모양을 표현한 말.

3) 연함호두(燕頷虎頭) : 제비 비슷한 턱과 범 비슷한 머리라는 뜻으로, 먼 나라에서 봉후(封侯)가 될 상(相)을 이르는 말.

4) 월면단순(月面丹脣) : 달처럼 환하게 잘생긴 얼굴에 붉고 고운 입술을 가짐.

ⓛ 촌촌(寸寸) 젼진ᄒᆞ여 걸식 샹경ᄒᆞ니, 대국 인물의 셩ᄒᆞᆷ과 번화ᄒᆞ미 번국과 ᄂᆡ도ᄒᆞᆫ디라.

⇒ 촌촌(寸寸) 전진하여 걸식 상경하니, 대국 인물의 성함과 번화함이 번국과 내도한지라1).

주) 1)내도하다 : 매우 다르다. 판이(判異)하다.

ⓒ ᄌᆞ녀를 셩취(成娶)ᄒᆞ여 영효(榮孝)를 보미 극히 두굿거오나 내 스ᄉᆞ로 ᄆᆞ음이 위황 (危慌)ᄒᆞ니

⇒ 자녀를 성취(成娶)하여 영효(榮孝)를 봄이 극히 두굿거우나1) 내 스스로 마음이 위황(危慌)하니

주) 1) 두굿겁다 : 자랑스럽다. 대견스럽다.

4. 현행 한글맞춤법 준용

고어는 그것을 단순히 현대철자법으로 고쳐 표기하는 것만으로도 그

90% 이상이 현대어로 전환된다. 따라서 현대어본 편찬 작업의 중심은 고어를 현대철자법으로 바꿔 표기하는 작업에 있다 할 것이다. 이 책에서의 현대어 전환표기 작업은, 번역을 해야 할 말을 제외한 모든 고어 원문을, 현행 한글맞춤법을 준용하여, 현대 철자법으로 고쳐 표기하는 방식으로 진행하였다. 그리고 그 작업에는 다음의 몇 가지 원칙이 적용되었다.

① 원문의 아래아 (·)는 'ㅏ'로 적음을 원칙으로 한다.
(ᄌᆞ녀⇒자녀, 잉ᄐᆡ⇒잉태, 영ᄋᆞ⇒영아, 이 ᄀᆞᆺᄒᆞᆫ⇒이 같은, 예외; 업거ᄂᆞᆯ⇒ 없거늘)

② 원문의 연철표기는 현대어법을 따라 분철표기를 원칙으로 한다.
(므어시⇒무엇이, 본바들⇒본받을, 슬프믈⇒슬픔을, 고으믈⇒고움을, 아라⇒알아)

③ 원문의 복자음은 현행 맞춤법 규정을 따라 표기한다.
(ᄡᅣᆼ뇽⇒쌍룡, ᄯᅳᆺ⇒뜻, ᄡᅩ아⇒쏘아, ᄭᆡᄃᆞᆺ디⇒깨닫지, ᄲᆞᆯ니⇒빨리, ᄯᆞᆯ오더니⇒따르더니)

④ 원문의 표기가 두음법칙·구개음화·원순모음화·단모음화 등의 음운변화로 인해 달라진 말들은 현행 맞춤법 규정을 따라 표기 한다.
(뉴시⇒유씨, 녕아⇒영아, 텬죠⇒천조, 뎐상뎐하⇒전상전하, 믈⇒물, 쥬쥬⇒주주)

5. 종결·연결·존대어미 등의 원문 준용

문어체 위주의 원문 문장은 구어체 위주의 현대문장과 현격한 문체적 차이를 갖고 있다. 특히 문장의 종결어미나 연결어미, 존대어미는 글의 문체적 특성을 드러내는 매우 중요한 요소들이기 때문에 역자가 이를 현대문의 문체로 고쳐 표현하는 것은 한계가 있을 수밖에 없다. 그것은 문어체 문장이 갖고 있는 장중(莊重)하고도 전아(典雅)하면서 미려(美麗)하고 운률적(韻律的)인 여러 미감(美感)들을 깨트려놓음으로써, 원전의 작품성을 크게 훼손할 수가 있기 때문이다. 따라서 이 책에서는 원문의 종결・연결・존대어미들을 원문의 형태를 준용하여 옮기되, 앞의 원칙(4. 현행 한글맞춤법 준용)에 따라 철자법만 현대 철자법으로 고쳐 옮겼다. 다만 연결어미의 반복적 사용으로 문장이 매끄럽지 못하거나 지나치게 길어진 경우에는 이를 적절히 교정하였다.

목차

ȣ

명주보월빙 권지사십일

화설 금평후 양공의 허락을 엇고 대열하여 가로되,

"세아로써 과격다 나무라 하여 천흥만 못하게 여겨, 동상(東床)을 삼음을 깃거 아니하거니와, 원래 천흥으로부터 여러 아해 하나도 가취지사(加取之事) 없으나, 세애 종시 용이튼 않으리니, 형이 구태여 택서를 잘못하든 않을 것이오. 친옹(親翁)[1]으로 일러도 형이 나 같은 이는 천하를 다 돌아도 쉽지 않으리니, 만일 영녀(令女) 기특하면 겹겹 인아지의(姻婭之義)[2]를 맺음이 어찌 아름다운 일이 아니리요."

양공이 대소 왈,

"내 먼저 할 말을 형이 하는지라. 창백의 오형제는 형에게 비할진대, 연작(燕雀)이 봉황(鳳凰)을 낳으며 우마(牛馬)가 기린(麒麟)을 생함이니, 영윤(令胤) 등의 기특함 곳 아니면 형으로 더불어 친옹이 되고자 않으리라."

빈주(賓主) 이처로 담소하며 주배를 날려 즐길 새, 이윽고 정학사 세흥이 출번하여 돌아와, 부전의 배알하고 양공께 예를 마치고 장형을 향하여 절하고 말석에 시좌하니, 이 날 양평장이 정학사를 유의하여 보건대, 오사(烏紗)[3]는 월액(月額)에 비꼈으며, 자포(紫袍)는 옥산(玉山)[4]

---

1) 친옹(親翁) : 바깥사돈.

2) 인아지의(姻婭之義) : 혼인으로 맺어진 사돈(査頓)의 의리(義理).

3) 오사(烏紗) : 오사모(烏紗帽). 관복을 입을 때 머리에 쓰던 검은 사(紗)로 만든

에 엄연하고, 옥대(玉帶)는 일요(逸腰)에 나직하여, 염슬위좌(斂膝危坐)하여 숙숙(肅肅)한 격조(格調)와 앙앙(昻昻)[5]한 태도 창해에 유룡(有龍)이요, 신기로운 품질이 단산(丹山)[6]의 봉황(鳳凰)이라. 추월명광(秋月明光)은 남전(藍田)[7]의 백벽(白璧)이 티끌을 씻었으며, 추수봉안(秋水鳳眼)[8]은 징청발월(澄淸發越)[9]함이 일월(日月)의 정기(精氣)를 거두고, 양미강산(兩眉江山)[10]은 건곤(乾坤)의 조화를 앗아, 준순늠연(俊純凜然)한 기상은 추천이 의의(儀儀)[11]한 듯, 안모(眼眸)의 찬연이 고은 빛은 영롱(玲瓏) 쇄락(灑落)하여, 홍일(紅日)이 산두(山頭)에 거닐고 명월이 광휘를 팔황(八荒)에 흘리는 듯, 늠름 쇄락하여 체체(棣棣)[12]한 위의 가운데나, 발호한 기운과 암암(巖巖)[13]한 기상이 발양하기를 겸하였으니, 팔척 신장과 육척 신비(伸臂)[14] 언건장숙(偃蹇壯肅)하여 대장부의 미진함이 없으니, 양공이 전자에는 정학사로 대인의 틀이 부족함이 흡연치 못하여 동상(東床)을 유의치 않다가, 금평후의 말씀으로 좇아 돗[15] 위

모자.

4) 옥산(玉山) : 외모와 풍채가 뛰어난 사람을 비유적으로 이르는 말.

5) 앙앙(昻昻) : 높고 빼어난 모양.

6) 단산(丹山) : 중국 복건성(福建省) 북부(北部) 무이산(武夷山) 안에 있는 산 이름. 벽수단산(碧水丹山)의 수려한 경치로 유명하다.

7) 남전(藍田) : 중국(中國) 섬서성(陝西省)에 있는 산 이름으로 옥의 명산지.

8) 추수봉안(秋水鳳眼) : 가을 물처럼 맑고 봉황의 눈처럼 가늘고 길며 붉은 기운이 있는 눈.

9) 징청발월(澄淸發越) : 맑고 훤칠함.

10) 양미강산(兩眉江山) : 아름다운 두 눈썹.

11) 의의(儀儀) : 의용을 갖추어 덕이 있는 모양.

12) 체체(棣棣) : 위의가 있는 모양. 예의에 밝은 모양.

13) 암암(巖巖) : 산이 높은 모양.

14) 신비(伸臂) : 팔을 아래로 곧게 뻗음.

15) 돗 : 돗자리. 여기서는 어떤 일이 벌어진 바로 그 자리, 곧 '앉은자리'를 뜻한다.
*돗자리 : 왕골이나 골풀의 줄기를 재료로 하여 만든 자리.

에서 친사(親事)를 뇌약(牢約)하고, 신랑을 대하여 이렇듯 특이하니, 사랑하는 정이 가득하여 흔연 집수 왈,

"전일은 예백으로써 친우의 자제로 봄이 잇거니와, 금일은 옹서지의(翁壻之義)로 보매, 나의 눈이 다르지 않았으며 너의 풍신이 또 다를 것이 아니로되, 새로이 기이 황홀함을 이기지 못하나니, 내 이제 영엄으로 더불어 친사를 뇌약함이, 비록 화촉의 예를 이룸이 없으나, 어찌 종내에 변할 리 있으리오."

금평후 가로되,

"사귀신속(事貴迅速)이니 쉬이 성례(成禮)케 하라."

양공 왈,

"형의 말이 옳으나 예백은 십삼이로되, 장대하여 미진한 곳이 없으나, 소녀는 유충 미약하여 치아(稚兒)를 면할 날이 멀었으니, 영윤(令胤)같이 세찬 대군자의 건기(巾器)를 받들기 어려울까 염려하나니, 소제 마음인즉 수삼 년을 기다림이 옳을 것이로되, 윤보의 철없이 촉혼(促婚)함이 여차(如此)하니, 부득이 성례하리로다."

평후 소이답왈(笑而答曰),

"소제 어찌 돈아(豚兒)의 치년(稚年)을 생각지 않아 그리 바쁘리오마는, 당(堂)의 편친이 간절히 기다리시니 노친의 뜻을 받들고, 세애(兒) 소소(小小) 서생이 아니라 이러므로 바빠하나이다."

양공이 돌아가 택일하여 보냄을 이르고 이윽히 한담하다가 돌아갈새, 남후 등이 하당 배송(拜送)하니, 양공이 좌수로 남후의 손을 잡고 우수로 학사의 팔을 어루만져 문득 탄식하여 가로되,

"예백으로써 동상을 정하매, 전자의 장녀와 정혼하여 쾌달이 즐기던 일을 헤아리니, 이제 문득 옛 일이 되었는지라. 감창한 심회를 참기 어렵도다."

남후 위로하여 가로되,

“이 도시 명야(命也)요, 천야(天也)라. 사람의 힘으로 할 수 있는 일이 아니요, 슬퍼하여 무익하니, 실인의 사생 거처를 인사(人事)로 이를진대 살아있기 쉽지 못하오나, 하늘이 마침내 살피시리니 악장은 과도히 슬퍼 마소서.”

양공이 추연 탄식하고 거륜(車輪)에 올라 돌아가니, 남후 등이 들어와 부공을 모셔 내헌에 문안하고, 태부인께 양가에 정혼함을 고하니, 태부인이 양소저의 성화(聲華)를 익히 들었던 고로, 가장 기뻐하여 가로대,

“세흥은 인중영걸(人中英傑)이요, 어중룡(魚中龍)[16]이라. 풍채용화(風采容華)와 문장기절(文章氣節)이 제형에 아래 되지 않으리니, 노모의 손부 죄는 마음이 윤·양 같은 이를 구하는 바라. 친사(親事)를 그곳에 정함이 어찌 기쁘지 않으리오. 모름지기 쉬이 성례케 하라.”

금후 복수 대왈,

“소자 양씨의 성화를 자세히 듣자온 고로, 양공이 세아로 사위 삼고자 않는 것을 소자 스스로 청하여 굳게 정혼하였나이다.”

태부인이 크게 두굿기며 다행하여, 학사 양씨나 바삐 취하여 자기 안전에 이씨와 기화(奇花)를 삼고자 하더라. 양공이 돌아가 택일하여 정아(鄭衙)에 보하니 길일(吉日)이 촉박하여 겨우 일삭이 가렸더라.

정·양 양가에서 혼구를 성비하더니, 문득 장사로 좇아 시녀 노복과 이곽이 올라와 취운산에 이르니, 금평후 부자가 대경하여 바삐 소저의 안부를 물으니, 이곽이 전후 수말(首末)을 일일이 고하고 시녀 등이 소

---

16) 어중룡(魚中龍) : ‘물고기류 가운데 용(龍)’이란 뜻으로 동류 가운데서 가장 뛰어나다는 것을 비유적으로 표현한 말.

저의 상서를 올리니, 금후 놀란 것을 진정하여 여아의 봉서를 떼어 들고 내루에 들어와 태부인께 뵈오며, 진부인을 돌아보아 왈,

"여아 총명이 과인하고 지모 여차하니 수화중(水火中)에도 위태함이 없을지라. 이곽과 시녀 등을 다 올려 보내고 홍선만 데려 남장(男裝)으로 있으니 반드시 염려 없는지라. 저는 참참(慘慘)한 화액(禍厄)을 한(恨)치 아니하고 자전(慈殿)[17]과 우리의 염려를 근심하여 만편서사(滿篇書辭)에 가득한 말이 다 존당과 우리 부부를 영모하는 정리(情理)니, 그 인효 성행이 남다른 연고라. 우리 부질없이 저를 염려함이 가치 않으니, 타일 무사히 환쇄(還刷)함을 기다려, 구구 비척치 말 것이니이다."

부인이 여아의 서간을 보매 금수주옥(錦繡珠玉) 같은 필획이 안저(眼底)에 현란하니, 그 얼굴 용화를 대한 듯, 반갑기를 이기지 못하여, 추연히 그 적소도 보전치 못하여 시녀 노복의 무리 돌아옴을 슬퍼하여 심사여취(心思如醉)[18]하나, 태부인 슬퍼하심을 돕지 않으려 강인(强忍) 사색(辭色)하고, 남후는 매제의 참참한 화액을 슬퍼하나 비열(悲咽)함을 나토지 않아 조모와 부모를 위로하며, 장사(長沙)[19]로서 온 시녀 등을 불러 소저의 목인(木人)을 만들어 상강(湘江)[20]에 띄운 바를 물으며, 남장으로 홍선을 데리고 나가던 바를 물어 그 행지(行止) 처사(處事)의 남다름을 크게 칭선하여 부전에 고 왈,

"소매는 천신(天神)이라. 수화의 급함을 당하나 신기히 피화하리니,

---

17) 자전(慈殿) : 임금의 어머니를 이르던 말. 여기서는 어머니를 높여 이르는 말로 쓰임.

18) 심사여취(心思如醉) : 마음이 취한 듯 경황이 없음.

19) 장사(長沙) : 중국 호남성의 동부 곧 동정호(洞庭湖) 남쪽 상강(湘江) 동쪽 하류에 있는 도시. 수륙 교통의 요충지이며 호남성의 성도(省都)이다.

20) 상강(湘江) : 소상강(瀟湘江).

그 사생(死生)을 염려할 바 없사온지라. 존당과 부모는 소매를 위하시어 우려치 마시고, 타일에 융복(隆福)이 제미(齊美)함을 두굿기소서."

태부인이 서간을 어루만져 눈물을 뿌려 가로되,

"혜주의 성행숙덕이 마침내 복을 받으며 수(壽)를 향(享)할 바로되, 초년의 기구참난(崎嶇慘難)[21]이 사람의 견디지 못할 바요, 약질이 남방 만리(南方萬里)에 자닝[22]치 않으리오."

금후 좋은 말씀으로 자위를 위로하여 여아의 재모를 기특히 여기나, 그 액회(厄會) 비상하여 적소(謫所)도 보전치 못함을 크게 자닝하여, 즉시 윤태우를 청하여 여아의 피화한 곡절을 이르고, 시녀 노복이 왔음을 이른데, 태우 미미히 웃어 가로되,

"실인(室人)이 소생 같은 용우한 자의 처실 됨을 탄돌(歎咄)하여 여자 됨을 한하다가, 이제 좋이 장사에 나아가 여화위남(女化爲男)하여 건복(巾服)[23]으로 동서에 거칠 것이 없이 다님이, 이 여자의 얻기 어려운 팔자라. 악장이 오자(五子)를 부족하여 실인을 마저 아들을 삼으시고, 이렇듯 깃거 소생을 급히 불러 이르시니, 가히 합하의 자궁(子宮)[24]을 유복(有福)다 하려니와 소생은 가장 무류(無聊)하도소이다."

금후 역(亦) 소왈,

"너는 여아의 화란을 자닝하여 않고 이렇듯 비소(誹笑)하나, 여아 곧 아니면 전후 화란에 보전할 이 없을까 하노라."

---

21) 기구참난(崎嶇慘難) : 세상살이가 순탄치 못하고 참혹한 어려움이 많음.

22) 자닝하다 : 애처롭고 불쌍하여 차마 보기 어렵다.

23) 건복(巾服) : ≒옷갓. 남복(男服). 웃옷과 갓을 아울러 이르는 말. 흔히 예전에 남자가 정식으로 갖추던 옷차림을 이른다.

24) 자궁(子宮) : 점술에서 쓰는 십이궁의 하나. 자손에 관한 운수를 점치는 별자리이다. ≒남녀궁.

태우 함소(含笑) 대왈,

"영녀(令女)의 장수함은 족히 백세를 기약하리니, 헛되이 죽는 변은 없을지라. 유죄무죄 간 살인죄명이 오히려 면사(免死)하였으니, 그 여화위남하는 거조가 없으나 경이(輕易)히 사화(死禍)에 미치지 않으리이다."

금평후 태우의 늠연한 신위와 상쾌한 기상을 볼 적마다 흠애(欽愛) 경복(敬服)함을 마지않으나 , 여아의 화란이 어느 때에 진정할지를 모르니, 그 부부 좋이 화락할 시절을 보지 못할까 슬퍼하더라.

차시 교지(交趾)[25] 참정이 부상(父喪)을 만나 경사로 돌아오니, 조정이 신관(新官)을 보내려 할 새, 교지참정은 책임이 중대한 고로 인물을 가리는지라. 평남후 정병부가 윤추밀의 변심 상성(喪性)함이 유부인으로 말미암은 것임을 탄하여, 가만히 태우를 보아 이르되,

"내 보건대 영존숙(令尊叔)의 변심하심은 실로 내당에 침닉(沈溺)하신 연고라. 만일 집을 떠나지 않으신 즉 백년이라도 옛 마음이 나지 못하시리니, 사원 등의 이측하는 정리 비록 슬프나, 영존숙으로 하여금 교지참정을 수천(守薦)[26]하여 나가시면 어떠하뇨?"

태우 저두(低頭) 사량(思量)에 추연 탄 왈,

"사숙의 환후(患候) 오래 신음하시어 지금 낫지 못하신 고로 외당이 번거하여 내당에 들어 계시거니와, 집을 떠나시므로 나으실 바 아니오. 하물며 교지(交趾)는 정도(程道) 요원하고 예사 장임(將任)과 달라 대단한 사고 아니면 삼년 전에 돌아오지 못하는 곳이라. 봉로지하(奉老之下)의 어찌 능히 떠나시리요."

---

25) 교지(交趾) : 중국 한(漢)나라 때에, 지금의 베트남 북부 통킹, 하노이 지방에 둔 행정 구역. 전한(前漢)의 무제가 남월(南越)을 멸망시키고 설치하였다.

26) 수천(守薦) : 새로이 무과에 급제한 사람 가운데서 수문장이 될 만한 사람을 천거하던 일. 여기서는 '천거(薦擧)'를 뜻하는 말로 쓰임.

병부 미미히 웃으며 왈,

"영존숙 합하의 변심 상성(喪性) 하심이 점점 더해 아주 인사를 잃어계시니, 사원이 또한 영존숙의 신관[27]을 뵈올지라. 안광이 정기를 잃으시고 면모에 한 점 혈기 없을 뿐아니라, 거지(擧止) 실조(失措) 하시니, 원간 근맥(筋脈)[28]이 굳세지 못한 연고로 요얼(妖孼)에 상하심이라. 삼년 이정(離情)을 결연하여 차마 이측(離側)지 못하다가, 환후 세월로 좇아 침중(沈重)하여 위태하기에 미친즉, 천방백계(千方百計)로 구호하나 회춘함을 얻지 못할 것이요, 뉘우쳐도 미치지 못하리니, 내 이 말을 사빈더러 의논코자 하되, 대인자제(對人子弟)[29]하여 내당(內堂) 침닉지사(沈溺之事)를 드놓음이[30] 불가한 고로, 사원더러 이름이라. 적은 사정(私情)의 결흠(缺欻)[31]함을 참고, 추밀 합하의 환후 차성(差成)하여 기운이 소쾌(蘇快)[32]하매, 부운의 옹폐(壅蔽)한 흐림을 회차(回差)[33]하고 전일 총명이 다시 일어나, 행신(行身) 처사(處事)가 광풍제월(光風霽月) 같기에 이를진대, 자질의 큰 경사(慶事)라. 교지 삼년을 이별한 즉 장수하시려니와, 불연 즉 사빈의 망극지변(罔極之變)이 머지않을까 하노라."

태우 또한 이 뜻이 없지 않던 바라. 하물며 가변의 망극함이 계부로 하여금 가중에 있으나 악악한 조모를 감화치 못하며, 유부인의 간흉을 금치 못하여 전후 변고를 이룸이 실로 남이 알까 두려우니, 차라리 계부 멀리 나가시면 가간(家間)에 아무 일이 있어도 계부의 허물은 되지 않을

27) 신관 : '얼굴'의 높임말.
28) 근맥(筋脈) : 힘줄과 핏줄을 아울러 이르는 말.
29) 대인자제(對人子弟) : 남의 아들을 마주 대하여.
30) 드놓다 : 말하다. 발설하다.
31) 결흠(缺欻) : 무엇인가를 잃은 것 같은 서운한 마음이 일어남.
32) 소쾌(蘇快) : 완쾌(完快). 병이 완전히 나아 다시 기운을 차림.
33) 회차(回差) : 회복(回復).

지라. 수성(數聲) 탄식 왈,

"형의 말이 너무 괴이하거니와 조당(朝堂)[34] 공론(公論)이 사숙으로 교지참정을 수천하면 아등(我等)이 어찌 사정을 거리껴 국사를 막자르리까?"

병부 소왈,

"추밀합하가 전일 같으면 뉘 교지참정을 수천하리오. 지금의 환후 떠나지 않으시니, 사람이 내당의 침닉한 질환임을 알지 못하고 진정 병만 여기고, 교지참정을 시킬 뜻이 없으려니와, 삼종숙 태사공을 내가 찾아보고, 영존숙을 천거하여 묘당에 여럿이 의논하여 영숙으로 교지참정을 삼으시게 하리라."

태우 다시 말을 않으나 실로 병부의 말을 깨달아 교지참정 수천함을 말리지 않더라. 정병부 영태사(領太史) 정공을 보고 윤추밀로써 교지참정 수천함을 고하니, 정태사 왈,

"현질의 말이 옳으나, 윤추밀이 유질하여 찰임 못한지 오래된지라. 만리(萬里)에 보내기 가치 않은가 하노라."

병부 왈,

"윤추밀이 병들었거니와 대단치 아니하고, 위인이 교지참정을 하심 직하니 어찌 그 사정을 염려하여 아끼리오. 소질이 윤추밀이 처숙(妻叔)이나 조당(朝堂) 공의(公議)를 잡고 그 가간(家間) 사정을 보지 아니하나이다."

정태사 그러히 여겨 차일 묘당에서 상의하여 윤추밀로 수천하고, 상달(上達) 왈,

"추밀사 윤수 비록 노모 있사오나 그 재주 족히 교지를 다스릴지라.

---

34) 조당(朝堂) : 조정(朝廷).

국가 중사(重事)로 사정을 쓰지 못하올지니, 조정 공론을 좇아 수천하였사오니, 비록 제 사직(辭職)하오나 듣지 마소서."

상이 의윤하시고 수일 내 치행하여 교지로 가기를 재촉하시고, 태우 윤광천은 이미 병부와 맞춘 일이요, 학사 윤희천은 비록 알지 못하나, 가변(家變)을 염려하여 대인의 병이 집을 떠나지 않은 전은 나을 길이 없음을 앎으로, 사정을 주하여 왈,

"신부 병세 침중(沈重)하오니 신이 원컨대 삼년 말미를 얻사와 교지의 따라가 구병하여지이다."

상이 불윤 왈,

"경의 사정은 따라가고자 하나, 직사(職事)는 폐치 못하리니, 이런 일을 다시 청치 말라."

학사 진정으로 회청(回請)[35]하여 삼삭(三朔) 말미를 얻어 아비를 교지까지 데려다 두고 옴을 청하니, 상이 그 효의를 연애(憐愛)하시어 특지로 의윤(依允)하시어, 윤추밀을 교지까지 호행(護行)하고 즉시 돌아와 행공함을 하조(下詔)하시니, 학사 사은하고 퇴조(退朝)하여 환가하매, 벌써 교지참정 호행할 하리 군관이 구름같이 모였으니, 태부인은 공을 붙들고 원별을 슬퍼하고, 유씨는 악연(愕然) 비도(悲悼)하여 합문(闔門)[36]이 슬픈 빛이 일어나니, 태우 좌의 있어 조모를 위로하며 계부의 행거를 차리고, 추밀은 주견이 없음 같아서 위·유의 슬퍼함을 보면 눈물을 흘리기를 금치 못하고, 자질의 위로함을 당한즉, 눈물을 거두고 역시 모친을 위로할 뿐이라. 학사 부공의 환후 오래지 않아 나으실 바를 행열하고, 가변(家變)에 참예치 아니실 바를 중심에 기뻐하여, 또한 유

35) 회청(回請) : 여러 번 청함.
36) 합문(闔門) : 문을 닫는다는 뜻으로, '전가(全家)'곧 '온 가족'을 이르는 말.

열(愉悅)한 사색(辭色)과 부드러운 성음으로 조모의 슬퍼함을 위로하고, 교지까지 모셔 행하랴 할 새, 하원수 부인 현애 야야의 만리 행도를 결연(缺然)하여, 구고께 사정을 고하고 친당에 돌아와 이측(離側)하는 하정을 아뢰어, 교지에서 훌훌[37]히 세월을 보내어 기약이 찬 후 무사히 돌아오실 바를 청하나, 효녀의 이친지회(離親之懷) 차아(嵯峨)하여, 자기 촉지에서 돌아온지 오래지 않아서 야야 교지로 행하시니, 일일도 하정을 펴 종용이 모시지 못함을 슬퍼하더라.

훌훌히 수일(數日)이 얼핏 사이에 지나니, 정히 이발일(離發日)이라. 윤공이 교지로 행할 새, 모자의 떠나는 정이 참연 비절함을 참지 못하고, 태우는 가변으로 말미암아 계부의 원별(遠別)이 됨을 더욱 슬퍼하여, 자기 등이 대행(代行)치 못함을 결연(缺然)하여 그 슬픔이 형상키 어렵되, 추밀은 마음이 아무런 상을 몰라 으뜸은 유씨 떠남을 결연하고, 자질의 이별은 그대도록 악연함을 알지 못하는지라. 일색이 반오(半午)에 공이 위태부인 슬하에 배례할 새, 위태[38] 붙들고 체읍오열(涕泣嗚咽) 왈,

"너를 일시 상리(相離)함을 결연하던 바로, 이제 삼사년 아득한 원별(遠別)을 당하니, 어찌 모자가 산 낯으로 봄을 얻으리오."

추밀이 추연 대왈,

"원(願) 자위(慈闈)는 소자로써 염려치 마시고, 타일 슬전(膝前)에 배알함을 기다려 만수(萬壽) 안강(安康)하소서."

청하고, 양부(兩婦)와 이녀(二女)를 다 어루만져 길이 무양(無恙)하라 하며, 총총이 모전에 배사(拜辭)하고 밖으로 나가매, 학사는 존당 자위

---

37) 훌훌 : ①눈, 종이, 털 따위가 가볍게 날리는 모양. ②시간 따위가 빨리 지나감.
38) 위태 : '위홍' '위노' 등과 같이 악격인물인 '위태부인'을 비하하여 이르는 말.

와 이매(二妹)로 재배 분수하여, 총총이 부자가 궐하에 사은 하직하온데, 상이 교지참정 윤수의 하직함을 들으시고, 즉시 편전에 인견(引見)하시어, 돈유 왈,

"경의 재주로 교지를 무사히 진무(賑撫)함을 가히 알 것이오. 경자(卿子) 희천이 경의 행거를 호행하니 모름지기 수이 돌아보내라."

하시고 어온(御醞)을 반사(頒賜)[39]하시어 위무하시고 학사를 사주(賜酒)하시어 수이 돌아와 행공(行公)하라 하시니, 윤공 부자 재배 사은하여 성은을 숙사(肅謝)하고, 날이 늦음을 주하여 용루(龍樓)에 팔배대례(八拜大禮)로 하직하고 퇴조(退朝)하매, 윤공의 친붕제우(親朋諸友)와 만조거경(滿朝巨卿)이 별장(別章)을 지으며 주호(酒壺)를 이끌어 문외(門外)에 전별(餞別)할 새, 윤참정이 후의를 사사(謝辭)하고 배주(盃酒)를 거우를 새, 금평후 참정의 손을 잡고 길이 탄 왈,

"남아의 사환(仕宦)이 즐겁고 영화롭되, 형이 만리에 가기를 당하여 소제 마음이 결연 비절함은 골육을 상리(相離)함과 다르지 않은지라. 하물며 형이 근간 괴이한 질환(疾患)을 얻어 오래 신음하매, 시러금[40] 상견(相見)이 쉽지 못하던 바로, 금일 원별하니 세월이 비록 '백구(白駒)의 틈 지남'[41] 같으나, 그 사이 인사를 알지 못하니, 형의 회환시의 능히 이렇듯 반김을 어이 기필 하리오."

하공이 말을 이어 가로되,

"소제는 더욱 촉(蜀)으로 좇아 돌아온 후, 여러 달이 되지 못하여서 형이 교지로 향하니, 상리지정(相離之情)을 펴지 못하였는지라. 어찌 훌

---

39) 반사(頒賜) : 임금이 녹봉이나 물건을 내려 나누어 주던 일.

40) 시러금 : 이에, 능히

41) 백구(白駒)의 틈 지남 : 백구과극(白駒過隙). 흰 망아지가 빨리 달리는 것을 문틈으로 본다는 뜻으로, 인생이나 세월이 덧없이 빨리 흘러감을 이르는 말.

홀[42] 비절(悲絶)함을 참으리요. 모름지기 만리에 무사히 득달하여 삼년 기약(期約) 찬 후 영화로이 모임을 기다리나이다."

추밀이 정・하 이공의 손을 잡고 역시 의의(依依)[43] 비절(悲絶)함을 이기지 못하여 동기를 상리함으로 다르지 아니하더라.

차일 정병부 삼 곤계 부공을 모셔 또한 교외의 나왔는지라, 병부 참정을 향하여 만리 원로에 무사히 득달함을 청하며, 삼세(三歲) 원별이 아득함을 일컬으니, 윤공이 추연 장탄 왈,

"장부 몸을 나라에 허하매, 동서에 사환하여 집에 들지 못하기는 괴이치 않거니와, 나의 편친이 연로하시어 한낱 안항(雁行)[44]이 없으니, 위로하여 모실 이 없이 봉로봉사(奉老奉祀)[45]를 다 질아(姪兒)에게 맡기는 바요, 만리 임소에 나아가는 외로운 정리와 슬픔을 이기지 못하나니, 광천의 부부 화락하여 자녀 층층함을 얻지 못하고, 영매는 적소도 보전치 못하여 익수지환(溺水之患)을 만나 살았음을 기필치 못하고, 진씨는 벌써 세상을 바린 바라. 광애 한낱[46] 유자(乳子)를 거느리지 못하여 실리하니, 저의 신세 환부(鰥夫)의 괴롭기를 겸하여 내사(內事)를 도울 처실이 없으니, 누대봉사(累代奉祀)를 받드는 바로 이런 불행이 없고, 더욱 참연한 받자는 질녀를 내 데려오다가 중로에서 잃어 지금 사생 거처를 모르니, 만일 명맥이 끊기지 않아 후래에 혹자 숙질이 상봉하면, 나의 유한이 풀리려니와, 불연즉 죽기 전에 잊기 어려운 슬픔이요, 구천타일(九泉他日)에 선백(先伯)께 뵐 면목이 없으리로다."

---

42) 홀홀 : 눈이나 낙엽 따위가 가볍게 날려 사라지듯 덧없음.
43) 의의(依依) : 헤어지기가 서운하다.
44) 안항(雁行) : 형제. 기러기의 행렬이란 뜻으로, 남의 형제를 높여 이르는 말.
45) 봉노봉사(奉老奉祀) : 늙으신 어버이를 봉양하고 조상의 제사를 받드는 일.
46) 한낱 : 한 개. 기껏해야 대단한 것 없이 다만.

남후 호언(好言)으로 관위(款慰)하고 윤태우 등으로 담화하나, 태우가 계부를 원리(遠離)하는 심사 베는 듯하여, 스스로 눈물을 금치 못하니, 정예부(禮部) 곤계 윤태우의 심약함을 이르고, 학사를 향하여 추밀공을 모셔 만리에 무사히 행함을 이르니, 학사 그덧 사이나 무양(無恙)함을 이를새, 만조공경과 일가친척이 면면(面面)[47] 작별하여 일색이 늦으매, 참정이 수레에 오르니, 이 가운데 정・하 이공의 결훌(缺欻)[48]함은 동기를 이별함 같고, 윤태우는 계부를 모셔 수십리를 더 행할 새, 학사 곤계와 참정을 옹호하는 하리 추종과 군관의 무리 수를 헤기 어렵고, 옥부절월(玉斧節鉞)[49]이 앞을 인도하여 장한 위의 대로에 덮었으니, 위권(威權)과 작록(爵祿)인즉 사람이 부러워할 바로되, 윤태우의 정사가 남과 다른 연고로, 마지못하여 참정공을 나가게 하나, 비절한 회포 만첩(萬疊)하여 형용키 어렵더라.

윤학사 옥화산이 이곳에서 가까움으로 총총이 모친께 하직을 고하매, 조부인이 어루만져 무사히 다녀옴을 이르고, 구파는 추밀이 아득히 나감을 결훌하되, 낯으로 보아 이별치 못함을 더욱 슬퍼하더라. 학사 모부인께 그 사이 안강하심을 청하고, 바삐 부친의 수레를 따라 행하니, 참정은 조부에 잠깐 다녀오므로 알더라.

태우의 계부 원리(遠離)하는 심사 차아(嵯峨)[50]하여, 수십 리를 호행

---

47) 면면(面面) : 각각(各各).

48) 결훌(缺欻) : 무엇인가를 잃은 것 같은 서운한 마음이 일어남.

49) 옥부절월(玉斧節鉞) : 절(節)과 옥으로 만든 부월(斧鉞). 절부월(節斧鉞). 절월(節鉞). 조선 시대에, 관찰사・유수(留守)・병사(兵使)・수사(水使)・대장(大將)・통제사 들이 지방에 부임할 때에 임금이 내어 주던 물건. 절은 수기(手旗)와 같이 만들고 부월은 도끼와 같이 만든 것으로, 군령을 어긴 자에 대한 생살권(生殺權)을 상징하였다.

50) 차아(嵯峨)하다 : 아득하다. 산이 높이 솟아 아득하게 높다.

하였다가 하직을 고할 새, 참정이 비록 변심 상성하였으나, 숙질의 떠나는 정리 의의(依依) 참연(慘然)하여 집수타루(執手墮淚)함을 면치 못하는지라. 태우는 계부께 존후(尊候) 길이 안강하시어 삼년을 임소(任所)에서 무사히 지내심을 청하며, 참정은 태우를 어루만져, 모친을 모시며 내외 가사를 살펴, 삼년 사이에 대단한 사고 없을 것을 일러, 길이 보중함을 당부할 새, 한 잔 술을 부어 주며, 가로되,

"우숙이 금일 일배주(一杯酒)로써 숙질의 떠나는 정을 펴나니, 네 존당(尊堂)을 받들며 봉사(奉祀)를 영(領)하여[51] 삼년을 안과(安過)할진대, 우숙이 돌아오는 날 또한 이 잔을 권하여 즐거움을 이르리라."

태우 연망(連忙)이 받자와 마시고 봉안에 추수(秋水) 동(動)함을 깨닫지 못하여 배사 왈,

"유자(猶子) 불초무상하여 계부대인 명령을 준행치 못하려니와, 대인은 만리에 나가 봉사(奉仕)하시매 가사를 염려하실 바 아니라. 국사를 선치하시고 기한에 돌아오심을 당하여, 유자가 만일 내려가 모셔오지 못할 형편이면, 이 문에 다시 나와 행거(行車)를 맞으리이다."

공이 점두하고 차마 손을 놓지 못하니, 군관 등이 참수(站數)[52] 멂을 고하매, 마지못하여 태우의 손을 놓고, 학사 형을 떠나는 정을 일컫고 길을 날새, 이에 태우는 도성으로 들어오니라.

차설 유씨 정·진 등을 없애며 태우의 유자(乳子)를 없애고, 간계를 운동하여 현인을 차례로 서릊음이[53], 자기의 능한 수단에서 비롯함이

---

51) 영(領)하다 : 종통이나 제사 따위를 이어 받다.

52) 참수(站數) ; 역참(驛站)과 역참 사이의 거리. 역참(驛站); 조선 시대에 역로(驛路)에 세워 국가가 경영하던 여관. 대개 25리마다 1참(站)을 두었다.

53) 서릊다 : 제거하다. 거두어 치우다. 정리(整理)하다.

되니, 스스로 재주 남다르고 지혜 과인함을 자랑하며, 하·장을 마저 없애 거리낀 근심이 없게 하고자 하나, 당차시(當此時)하여는 어진 딸이 경사에 올라와, 비록 자주 귀근치 않으나, 모친을 매양 고요히 대하면 악을 멀리하고 인을 숭상하라 간권하며, 조부인 거처 없음을 일컬어 불행하고 비절함이 이 밖에 없음을 진정으로 탄하여 슬퍼하니, 유부인이 차녀를 내외함이 극진하여, 현아 보는 데는 악(惡)을 감추고 현(賢)을 나토나, 소제 어찌 모친의 심사를 모르리오. 하물며 조부인이 옥화산 조부에 있으되, 감히 살았음을 통치 못하여 죽은 듯이 숨어 있음을 하소저로 인연하여 들은 바요, 자기 경사에 올라온 후 벽옥 등 비자를 가만히 화산에 보내어 조부인과 구파를 문후하며, 지극한 정성이 친녀에 감치 않으니, 조부인이 또한 애중하여 서간을 보면 심곡에 정을 펴 답간을 이뤄 보내되, 소제 가변을 헤아리매, 조모와 모친의 악착함이 자기 구설(口舌)이 무익하여 효험이 없고, 조부인의 살아있음을 들으매 더욱 급히 해코자 할 것이므로, 백모의 거처를 아득히 모르는 듯이 하는 고로, 유씨 친생 여아나 범사를 기이고 바로 이르지 않으며, 누년을 떠났던 바로되 종요로이 심곡을 펴지 않아, 여아 보는 데는 은악양선(隱惡佯善)을 힘쓰니, 소제 모친의 행사를 절박이 근심하되, 간하여 듣지 아니하고, 자기 매양 잊지 못하여 서어한 빈객 같이 어렴풋이 다녀가니, 모친의 악사를 막자를 길이 없는지라.

야야를 만 리 밖에 원별코자 옥누항에 수삼일 머물더니, 윤공이 교지 발행 후 정국공이 교외에 나가 윤공을 송별하고 돌아오는 길에 들러, 거교(車轎)를 차려 식부의 가기를 재촉하니, 소제 모친께 일언을 종용히 못하고 즉시 취운산으로 돌아가니, 유부인이 비록 결연(缺然)하나[54] 현

54) 결연(缺然)하다 : 섭섭하다. 서운하다. 무엇인가 모자라거나 빠진 것이 있는 것

아가 와 있은 즉, 자기 간악을 나는 대로 부리지 못하여 크게 굼거이[55] 여기다가, 돌아간 후는 극악 간음을 한없이 발하는지라. 하물며 추밀이 만 리에 나가니 음황(淫荒)한 정을 펼 길이 없어 더욱 심화 되니, 분한이 태우와 하・장에게 다 못겨[56], 곁에서 태부인을 도도와 태우를 못 견디도록 보채며, 자기는 하・장을 날마다 질욕 난타하여, 여러 이목이 보지 못하는 곳에는, 하・장을 협실에 몰아넣고 쇠와 돌을 헤지 않아, 손의 잡히는 족족 그 만신을 짓두드리되, 오직 그 면모를 상해오지 않음은 행여 여아 알까 염려함이라.

하소저와 장소저의 만단고경(萬端苦境)이 정・진 등이 연원정에 갇힌 바 도곤[57] 더하여, 혈육지신이 견디지 못하게 되었으되, 천성의 인효(仁孝)함이 갈수록 온순 나직하기를[58] 주하여 조금도 원하는 사색을 나토지 않을 뿐 아니라, 내심에도 질원지심(疾怨之心)[59]을 머무르지 아니하니, 시호(豺虎)라도 족히 감화하며, 생철(生鐵)이라도 거의 녹일 것이로되, 유씨의 극악요사하며 위씨의 궁흉시험(窮凶猜險)함이 조금도 감동할 의사 없어, 날로 사람의 못할 말과 견디지 못할 도리로 질타(叱打) 구욕(詬辱)함이 일일층가(日日層加)하고, 유씨 매양 교아절치(咬牙切齒)하여, 하씨더러 왈,

"너의 악악요사(惡惡妖邪)[60]함을 정국공과 조부인은 오히려 모르고,

같아 섭섭하고 서운하다.

55) 굼거이 : 궁금히, 궁금하게.

56) 못겨 : 모여, *못기다: 모이다.

57) -도곤 : -보다.

58) 나직하다 : 겸손하다. ①위치나 소리 따위가 꽤 낮다. ②남을 존중하고 자기를 낮추거나 내세우지 않는 태도가 있다.

59) 질원지심(疾怨之心) : 미워하고 원망하는 마음.

60) 악악요사(惡惡妖邪) : 몹시 악하고 요망하며 간사함.

우리를 인자(仁慈)치 못하게 여기니, 너를 좋이 거느리지 못하는 연좌(緣坐)로, 여아를 일분이나 불평케 함이 있을진대, 한갓 너를 만 조각으로 찢어 분을 풀 뿐 아니라, 하진이 보는 곳에서 자문이사(自刎而死)하여 하진으로 하여금 친옹의 부인 죽인 죄를 무릅쓰게 하여, 아들 원경 등같이 흉사(凶死)케 하리라."

하소저 부친께 욕이 이에 미치되 감히 한 마디 불공(不恭)한 말을 못하고 사기(辭氣) 온화하여 들을 따름이라. 존고의 극악이 날로 심하여 이렇듯 함을 크게 절민(切憫) 초황(焦惶)하여, 혹자 아름답지 않은 소문이 부모께 갈까 두릴 뿐 아니라, 그 거거(哥哥)의 성정을 헤아리건대, 유씨의 악악(惡惡) 간험(姦險)함을 들을진대, 결단하여 윤씨를 좋이 대접치 않을 것이요, 가친(家親)께 즐욕이 비상함을 알면, 존고를 원수같이 미워할 것이므로, 혹자 타일 거거(哥哥)가 자연 들음이 될까 근심하여, 시녀 등을 볼 적마다 엄히 당부하여, 태부인 고식(姑媳)의 부덕을 입 밖에 내지 말라 하므로, 하부에서는 윤부 변고를 자세히 알지 못하더라.

남주 추관 오세웅이 장사겸관으로 정소저의 수사(水死)함을 계문(啓聞)[61]하온데, 상이 가장 참절이 여기사 금평후께 중사(中使)[62]를 보내시어 참척(慘慽) 봄을 치위(致慰)하시고, 힘써 시신을 찾아 윤가 묘산(墓山)에 묻으라 하시니, 금평후 성은을 불승황공(不勝惶恐)하여 백배 사은하고 회주 왈, '여식이 비록 죽었으나 분명히 죽음을 모르므로 복제(服制)[63]를 차리지 못하는 바를' 주하온대, 상이 그리 여기시더라.

---

61) 계문(啓聞) : 조선 시대에, 신하가 글로 임금에게 아뢰던 일. ≒계품(啓稟). 계달(啓達).

62) 중사(中使) : 왕의 명령을 전하던 내시(內侍).

63) 복제(服制) ; 상례(喪禮)에서 정한 복식제도(服飾制度). 참최(斬衰), 재최(齋衰),

이러구러 정학사 세흥의 길일이 다다르니, 정부에서 대연을 개장(開場)하여 신랑을 보내며 신부를 맞을 새, 진부인이 태부인을 모시며 공주와 소이씨를 거느려 빈객을 접대하매, 부인의 연기(年紀) 사순(四旬)이 넘었으되 기려한 풍용(風容)과 보벽(寶壁) 같은 품격이 높고 맑아, 추수(秋水) 빙옥(氷玉) 같은 기운과 삼엄한 예모며, 행동 언어가 자유법도(自有法度)[64]하니, 관인(寬仁)한 기상이 여자 가운데 유유도자(唯有道者)[65]라. 보는 이 경복함을 마지않더라.

또 소이씨(小李氏)의 추월명광(秋月明光)과 백련용안(白蓮容顔)의 기이함이, 보고 고쳐 볼수록 눈 옮기기 아까워, 만좌의 홍장분대(紅粧粉黛)[66] 수풀 같되, 이소저를 따를 자가 없는지라.

존당과 진부인이 두굿기며 아름다워 하나, 윤・양 양부(兩婦)의 일월광휘(日月光輝)와 화옥기질(花玉氣質)을 생각하고, 만좌를 고면(顧眄)하여도 현부 윤씨와 여아에 대두(對頭)[67]할 이 없음을 차탄하여, 윤・양・이 삼부와 혜주의 자취 없고, 자리가 비었음을 크게 슬퍼 연석의 기쁨을 알지 못하고, 탄식하루(歎息下淚)함을 면치 못하니, 친척 부인네 태부인과 진부인을 위로하여, 윤・양・이 삼인과 숙렬의 전정이 매몰치 않을 바를 일컬으니, 일색이 반오(半午)에 금평후 제자를 거느려 내루(內樓)에 들어오니, 친척 부인네는 만좌에 있고, 연인가(連姻家)[68] 부인네는 장 안으로 들어가, 평남후 곤계(昆季) 오인을 엿보고 새로이 기이함을

대공(大功), 소공(小功), 시마(緦麻)를 이른다.

64) 자유법도(自有法度) : (하는 일들이 다) 절로 법도에 맞음.

65) 유유도자(唯有道者) : 천도(天道) 곧 '하늘의 도'를 갖춘 사람.

66) 홍장분대(紅粧粉黛) : '붉게 연지를 찍고 분을 바른 얼굴과 먹으로 그린 눈썹'이란 뜻으로, 화장한 아름다운 여자를 비유적으로 이르는 말

67) 대두(對頭) : 대적(對敵). 맞서 겨룰만한 상대.

68) 연인가(連姻家) : 혼인으로 맺어진 친척.

이기지 못하더라.

금평후 예부(禮部)[69]를 명하여 학사의 길복을 입혀 전안지례(奠雁之禮)를 습위(習爲)하라 하니, 학사 늠름한 풍신에 길복을 갖추고 존당 부모께 뵈올 새, 태부인이 습례(習禮)하라 하니, 학사 참지 못하여 고 왈,

"소손이 용우하오나 군전(君前)에도 팔배대례(八拜大禮)를 익힌 일 없이 실례함이 없사온데, 이제 전안지례를 습례토록 하리까?"

금평후 정색 왈,

"구태여 실례할 것이 아니로되, 인인(人人)이 입장지시(入丈之時)에 습의(習儀)함이 예사요, 존당이 보고자 하시는 바를 네 도리 아무 기괴한 일이라도 사양치 못 할 것이거늘, 어찌 군전에 그릇 않음을 자랑하여 노친(老親)의 보고자 하시는 바를 받들지 않느뇨?"

학사 부공의 말씀에 가장 황률(惶慄)하여, 즉시 기운을 낮추어 전안지례(奠雁之禮)를 습의(習儀)하니, 동탕(動蕩)[70] 수려(秀麗)한 기상이며, 늠연 엄웅(嚴雄)한 정신이 더욱 새로우니, 교야(郊野)의 기린(麒麟)이요, 창해유룡(蒼海有龍)이라. 화풍경운이 안모(顔貌)에 어리었으니, 춘일이 다사한 데 일만 화신이 다투어 웃는 듯, 언건(偃蹇)한 체지(體肢)와 거여(巨餘)[71]온 격조(格調) 표표(表表)히 뛰어나니, 조모의 한없는 사랑이 웃음을 주리지 못하되, 금후 부부는 그 방일(放逸)함을 기뻐 않아, 그윽이 두굿기나 사랑하는 정을 나토지 않더라.

학사 존당 부모께 하직하고 허다 위의를 거느려 양부에 나아가, 옥상(玉床)에 홍안(鴻雁)을 전하고 천지께 배례를 마치매, 양한림이 읍양(揖

69) 예부(禮部) : 예부상서 정인홍을 가리킴.
70) 동탕(動蕩) : 얼굴이 두툼하고 잘생김.
71) 거여(巨餘) : 크고 넉넉함.

讓)하여 좌에 드니, 양공이 또한 대연을 개장하여 신부를 보내며 신랑을 맞는지라. 평일 학사의 방탕 호일(豪逸)함을 꺼려 동상을 유의치 않다가, 천연(天緣)이 지중(至重)하여 금후의 청혼함을 좇아 금일 예(禮)를 이루매, 신랑의 용봉(龍鳳) 같은 자질과 천일지표(天日之表)[72]가 태산 제월지위(泰山霽月之威)[73]를 겸하여 만좌의 솟아남을 보매, 만심 흔열함을 이기지 못하여, 가로되,

"만생이 장녀로써 죽청 같은 대군자를 맞으매 분(分)에 과하여, 여식(女息)의 화란이 참참(慘慘)하매, 결하여 일개 단사(端士)를 얻어 여서(女壻)를 삼아, 가득하매 터지는 환(患)이 없고자 하였더니, 천연이 기구하여 정형이 우생(愚生)의 용우함을 나무라지 아니하고, 겹겹 친옹 되기를 청함으로 마지못하여 이 혼인을 성전(成全)하매, 신랑의 걸출뇌락(傑出磊落)함이 소망의 과의라. 녈위(列位) 제공은 나의 서랑을 어떠타 하시느뇨?"

만좌가 연성(連聲) 치하 왈,

"예백은 치년(稚年)에 계지(桂枝)를 꺾어 청현(淸賢)에 오유(遨遊)하여 경악(經幄)에 근시(近侍) 되매, 면절정쟁(面折廷爭)[74]이 한갓 보과습유(補過拾遺)에 비치 못할 것이요, 정충직절(貞忠直節)이 이윤(伊尹)[75] 여망(呂望)[76]에 내리지 않으며, 경륜대재와 문장재화가 낭묘(廊廟)[77]의

---

72) 천일지표(天日之表) : 사해(四海)에 군림할 인상(人相). 곧 임금의 인상을 이르는 말이다.

73) 태산제월지위(泰山霽月之威) : 비가 갠 밤하늘의 밝은 달빛을 받으며 우뚝 솟아 있는 태산의 위용.

74) 면절정쟁(面折廷爭) : 임금의 면전에서 허물을 기탄없이 직간하고 쟁론함.

75) 이윤(伊尹) : 중국 은나라의 전설상의 인물. 이름난 재상으로 탕왕을 도와 하나라의 걸왕을 멸망시키고 선정을 베풀었다.

76) 여망(呂望) : 중국 주(周)나라 초기의 정치가. 태공망(太公望)의 다른 이름. 여

큰 그릇이요, 국가의 고굉(股肱)이라. 위로 상총(上寵)이 융융(融融)하시고, 아래로 만조의 칭앙(稱仰)하는 바라. 영아(令兒) 소저로 예백 같은 준걸을 맞으시니, 전정의 쾌하실 바를 보지 않아 알리니, 존합하(尊閤下)의 문란(門欄)의 광채 배승하고, 아등 제객이 치하하매 말씀이 빛이 있고, 성연(盛宴)에 참예하매 눈이 유광(有光)하도소이다."

양공이 소수(小手)로 장염(長髥)을 어루만져 만안 소색(笑色)이 영자(盈藉)[78]하여 배작(杯酌)을 날려 만좌중빈(滿座衆賓)이 다 취한 빛을 띠었고, 정병부와 예부 아우를 데려와 이에 있는 고로, 양공이 취후에 상감(傷感)함을 이기지 못하여, 남후의 손을 잡고, 추연 탄식 왈,

"전자에 창백으로써 이 당 가운데서 신랑으로 맞을 즈음에, 이때에 의절한 서랑(壻郞)이 될 줄은 생각지 않은 바라. 영제(令弟)로써 동상을 삼으매 창백으로써 신랑으로 보던 바는 의연한 옛 일이 되고, 참상(慘喪)한 여식은 거처도 없으니 어찌 통박(痛迫)지 않으리오."

평남후 안색을 화(和)히 하여 호언으로 위로하며 연석지간(宴席之間)에 슬퍼하심이 유익치 않음을 고하니, 양공이 길이 탄식하고, 남후를 취중 과애함과 학사를 애경함이 측량없더라. 일색이 늦으매 신부의 상교를 재촉하여, 양소저 뎡에 들으매 학사 봉교하기를 마쳐, 허다 위의를 휘동하여 돌아올 새, 생소고악(笙簫鼓樂)[79]은 하늘을 드레고, 공경열후(公卿列侯)는 위요(圍繞)[80] 되어 전차후옹(前遮後擁)하니, 위의 일로에

(呂)는 그에게 봉해진 영지(領地)이며, 상(尙)은 그의 이름이다. 강태공(姜太公). 여상(呂尙) 등의 다른 이름으로도 불린다.

77) 낭묘(廊廟) : 조정의 정무(政務)를 돌보던 궁전(宮殿. 의정부(議政府)를 달리 이르는 말.

78) 영자(盈藉) : 가득하다.

79) 생소고악(笙簫鼓樂) : 생황(笙篁)과 통소(簫), 북 등의 악기.

80) 위요(圍繞) : 혼인 때에 가족 중에서 신랑이나 신부를 데리고 가는 사람. ≒상객

덥혔으니 견자가 칭찬불이(稱讚不已)[81]하더라. 행하여 부중에 돌아와 양 신인이 화촉(華燭)에서 교배(交拜)[82]할 새, 남풍여모(男風女貌) 발월(發越)하여 고은 빛을 자랑하니, 그 광채 명주와 보옥이 빛을 다투고, 일월이 천중(天中)에 밝아있는 듯 한지라. 천고의 희한한 숙녀요, 백세가우(百世佳偶)라. 좌객이 정혼을 잃고 칭복 갈채하니, 존당 구고 희동안색이러니, 신랑이 예필에 외당으로 나가고, 신부 존당 구고께 조율(棗栗)을 받들어 이현구고(以見舅姑)[83]하고, 팔배대례(八拜大禮)를 일울 새, 행동예모 자유법도(自有法度)하여, 굽히며 펴는 절차가 규구와 법도 있어, 진퇴 예절이 규구응묵(規矩應墨)[84]하여 유법하니, 좌객과 존당 구고 눈을 다시 들어 자세히 살피매, 반월천정(半月天庭)[85]의 팔자춘산(八字春山)[86]은 강산의 수출한 기운을 거두었으며, 양안(兩眼)은 일월 정기 조화를 오로지 품수하였고, 홍순(紅脣)은 단사(丹砂)를 먹음은 듯, 만태광염(萬態光艶)[87]은 일륜은섬(日輪銀閃)[88]이 벽산(碧山)에 떨어지고, 명월(明月)이 보름을 만난 듯, 화열 온유(溫柔)한 기운은 태양이 만물을 부휵(扶慉)하는 듯, 맑은 기상은 추천(秋天)이 의의(猗猗)하고 망

(上客), 요객(繞客).

81) 칭찬불이(稱讚不已) : 칭찬하기를 그치지 아니함.

82) 교배(交拜) : 전통 혼인례에서, 신랑과 신부가 서로 맞절을 함.

83) 이현구고(以見舅姑) : 현구고례(見舅姑禮). 전통혼인례에서 신부가 시집에 와서 신랑의 부모에게 처음 뵈는 예(禮)를 행하는 의식. 이 때 신부는 신랑의 부모에게 8번 큰절을 올려 예(禮)를 표한다.

84) 규구응묵(規矩應墨) : 법도가 먹줄에 맞듯 조금도 어긋남이 없음.

85) 반월천정(半月天庭) : 반달 모양의 이마. 천정(天庭)은 관상(觀相)에서 양 눈썹의 사이, 또는 이마의 복판을 이른다.

86) 팔자춘산(八字春山) : 화장한 눈썹.

87) 만태광염(萬態光艶) : 만 가지의 어여쁜 자태.

88) 일륜은섬(日輪銀閃) : 저무는 해의 은빛 햇살.

월(望月)이 교교(皎皎)한 듯, 늠연한 위의와 어위찬[89] 도량이 발어외모(發於外貌)하여, 의연이 사군자(士君子)의 틀이 있으니, 아름다운 거동이 흐억[90] 쇄락하여, 천고 숙녀오 만고명완(萬古明婉)이라. 잠깐 의논하건대, 윤부인과 정숙렬의 한없이 어위참과 남달리 신성한 거동은 신부 잠깐 불급하나, 얼핏 보매는 또한 차등치 않고, 기형(其兄) 대(大)양씨와 소(小)이씨에게 비하여는 신부가 삼사층이 승(勝)할지라. 금평후 만면에 희색이 혜풍(惠風)을 이끌어, 스스로 웃는 입이 열리고 즐기는 미우(眉宇)가 요동함을 이기지 못하여, 좌를 떠나 자전(慈殿)에 고 왈,

“신부의 성화를 전일 익히 듣자왔으나 이다지도 기이함은 생각지 못한 바라. 금일 그 성모기질(性貌氣質)[91]을 보오매 진실로 망외(望外)라. 세아의 과람(過濫)한 처실이요, 소자의 박덕으로 불감(不堪)한 며느리라. 이 도시 자위의 적덕여음(積德餘蔭)이 멀리 흘러, 들어오는 자부마다 이렇듯 기특함이로소이다.”

태부인이 신부의 기이함을 만심 환열하여, 양소저의 옥수를 잡고 운환을 어루만져, 금후더러 왈,

“세흥은 천고 영걸이라. 혹자 상적(相敵)한 배우를 만나지 못할까 근심하더니, 금일 신부를 보매 소망에 과의(過矣)라. 세흥의 처궁이 유복하여 명문 숙녀를 취하매, 용모 기질이 저에게 승(勝)함이 있으니 문호의 영행이라. 선군(先君)의 재천지령(在天之靈)의 도우심을 힘입어, 자라는 손아와 들어오는 며느리마다 이렇듯 출인함이거니와, 오늘날 연석을 당하고 신아의 영현함을 대하매, 손부 양인의 일월 같은 안모와 손녀

---

89) 어위차다 : 넓고 크다. 너그럽다. 넉넉하다. =어위다.

90) 흐억 : 흐벅짐. 풍만함. 탐스러움. *흐억하다 : 흐벅지다. ①탐스럽게 두툼하고 부드럽다.②푸지거나 만족스럽다.

91) 성모기질(性貌氣質) : 성품, 외모, 기운, 체질 등을 함께 이르는 말.

의 춘풍화기(春風和氣)를 생각하매, 연석의 대흠(大欠)이라. 차시 어느 곳에 유락하여 능히 보명(保命)함이 있으며, 운기 등 아소(兒小)의 자취 묘연하니, 슬픔과 참절한 회포를 어이 능히 금억(禁抑)하리오."

언파에 상연하루(傷然下淚)하니, 금평후와 병부 등이 화열한 말씀으로 태부인을 위로하고, 만좌 빈객이 연성하여 신부의 특이함을 일시의 치하하나니, 자못 요요분분(擾擾紛紛)하여 이루 응접하기 어렵되, 태부인이 좌수우응(左酬右應)[92]에 일호 사양치 아니하고, 금후 부부 사사(謝辭)하더라.

빈주(賓主) 낙극단란(樂極團欒)하여 일모도원(日暮途遠)하매 내외 빈객이 취한 것을 붙들려 각산기가(各散其家) 하고, 신부의 숙소를 선삼정에 정하여 돌려보낸 후, 태원전에서 촉을 이어 금후 부자가 태부인을 모셔 말씀할 새, 태부인이 신부의 천향아질(天香雅質)이 윤씨와 방불하고 대양씨의 위임을 일러, 기쁨을 이기지 못하나, 윤·양과 혜주를 생각하여 상연 하루(下淚)함을 마지아니하고, 진부인이 탄 왈,

"금일 신부를 보매 얼핏 윤현부와 방불한 풍용이 있으나, 오히려 윤씨의 건곤(乾坤)의 오롯한 정기와 산천의 수이(秀異)한 기운을 가져, 창해의 깁기와 중산(重山)의 무거운 대량(大量)은 바라지 못하리니, 원간 윤씨와 혜아의 방불한 자도 없으니, 이러므로 홍안지해(紅顔之害)를 봄이라. 진실로 여자의 색광이 불관(不關)함을 알과이다[93]."

남후 웃음을 띠여 고 왈,

"매제는 천고이래(千古以來)의 희한한 인물이라. 참화 중에도 대단히 염려할 바 아니라. 그 상모에 화기와 가득한 부귀가 후적(后籍)의 존귀

---

92) 좌수우응(左酬右應) : 좌우 모든 사람의 요구에 응함.

93) -과이다 : -었/았습니다. '-과라; -었/았다'의 '하소서'체 어미.

를 기필(期必)하오리니, 누명이 부운 같고 위란이 춘몽 같아서, 자연 길시를 만날 것이요, 윤·양 등이 또한 조요(早夭) 박복(薄福)할 상격이 아니오니, 위태로운 가운데 하늘의 도우심을 힘입어 살아날 도리 없지 않을지라. 어찌 매양 소매와 윤·양 등을 위하여 과도히 우려하시나니까? 금일 신수(新嫂)의 기특하심이 세제(弟)의 외람한 부인이라. 일로 좇아 아우의 가도 창성하며 자손이 만당함을 보지 않아 알려니와, 원간 여자의 색광(色狂)이 너무 수발한 후는, 초년 액회 없지 아니하오니, 신수 또한 소소 액경이 없지 않으리이다."

태부인이 경아 왈,

"노모 혜주와 윤·양 등 화란을 본 후는, 들어오는 며느리와 자라는 손녀 등을 염려하여, 팔자 비록 남달리 유복치 못하나 일생이 안한무사(安閒無事)하기를 바라나니, 신부 어떻관데 액경을 면치 못하리라 하느뇨?"

남후 함소 대왈,

"신수 이미 세흥의 처실이 된 후는 생계 안한할 리 없을 것이요, 광객(狂客)의 처실로 괴로움이 없지 않을 것이므로, 면모에 어른거리는 염광(艶光)이 너무 찬란하여 초년의 홍안지해(紅顔之害) 있을 듯하나, 복덕이 완전하시고 수한이 장원할 골격이시니, 일시 곤액(困厄)이야 현마[94] 어찌 하리까?"

태부인이 불열 왈,

"네 초년 액경을 관계치 않은 줄 알거니와, 마침내 아니 당함만 같지 못하고, 세세 약질이 능히 명철보신(明哲保身)이 어찌 그리 흔하리오. 너희 어미는 색광이 수출하되, 아시로부터 호치 중 생장하여 연기 십칠에 정문에 속현(續絃)하매, 숙덕현행이 일가의 칭복하는 바 되고, 여부

94) 현마 : 설마, 차마.

의 중대를 받아 안전(眼前)에 한낱 적인이 없고, 여등 칠남매를 생하여 개개히 비속(非俗)하니, 나는 손부 등의 복을 원함을 타인을 이르지 않고 여모(汝母) 같음을 원하노라."

남후와 예부 등이 웃음을 띠어, 고 왈,

"대인과 자정의 높으신 복록은 인인의 흠앙하는 바라. 자손여부(子孫女婦)[95] 항(行)의 어찌 감히 우러러 바라리까?"

태부인이 소왈 ,

"너희 형제의 풍채와 위인을 이를진대 가히 승어부(勝於父)라 할 것이요, 너희 어미 비록 기특하나 오히려 윤씨를 불급(不及)하리니, 복록이 위인으로 갈진대 너희가 아비에서 더욱 유복할 것이로되, 망망한 천수를 도망키 어렵고, 윤・양 등의 화란과 현기 등을 실리함이 노모의 심사를 베는 듯하도다."

이렇듯 말씀하여 야심하매, 금평후 모친의 취침하심을 청하여 태부인이 상요(床褥)[96]에 나아간 후, 병부 등이 야야를 모셔 밖으로 나오매, 학사가 부명을 듣잡지 못하였으므로, 신방에 나아가지 못하여 이제(二弟)로 더불어 청죽헌을 떠나지 못하니, 금평후 학사를 나아오라 하여 경계 왈,

"너와 신부 다 십삼 충년(沖年)[97]이라. 구상유취(口尙乳臭)를 겨우 면하였으니, 부부 동거할 때 아님을 알되, 신방을 비움이 예(禮) 아닌 고로 들어감을 허하고, 차후 선삼정 왕래를 금치 않을 것이니, 규내 출입을 네 마음대로 하여 제가를 임의로 하려니와, 신부의 기질과 동용(動

95) 자손여부(子孫女婦) ; 아들・손자・딸・며느리를 함께 일컫는 말.
96) 상요(床褥) : 침상에 편 요라는 뜻으로, '잠자리'를 말함.
97) 충년(沖年) : 열 살 안팎의 어린 나이.

容) 예절이 사군자의 풍을 가졌으니, 너의 외람한 처실이라. 모름지기 공경중대하여 가내 화평하고 법도 착난치 않음이 옳으니, 네 비록 광망(狂妄)하고 불인무식(不仁無識)하나 미세한 척동(尺童)과 같지 않아, 옥당명환(玉堂名宦)이요, 사람의 가장(家長)이라. 행실을 삼가고 화홍 관대하기를 주하여, 광망(狂妄) 패려(悖戾)한 거조가 없게 하라."

학사 부복 문교(聞敎)에 일어나 재배 수명이요, 감히 말씀을 못하니, 금후 심리에 그 영풍준골(英風俊骨)을 두굿기나, 그 기운이 넘남을 근심하여 사랑하는 빛을 나토지 않더라.

어시에 학사 부명을 이어 선삼정에 이르러 부부 동서로 좌를 분하매, 학사의 양소저 바라보는 눈이 전도(顚倒)함을 면치 못하여, 명촉하(明燭下)에 자세히 살피매, 봉관화리(鳳冠花麗)[98] 가운데 승절한 태도와 자약한 염광(艶光)이 암실(暗室)에 조요(照耀)하니, 팔광(八光)[99]이 휘휘(輝輝)[100]하여 천고의 희한한 명염(名艶)이요, 만대에 대두(對頭)할 이 없을 듯, 영복(榮福) 다남자(多男子)할 상(相)이 가득하고, 임사(姙似)[101]의 너른 양(量)과 이비(二妃)[102]의 청결함을 갖추 가졌으니, 정학사 평생 원하는바 색덕이 가즉한 숙녀를 구하여, 스스로 헤오되,

"여자가 비록 임강(任姜)[103] 마등(馬鄧)[104]의 덕이 있다 하나, 무염

---

98) 봉관화리(鳳冠花麗) : 신부가 쓰던 봉황 모양으로 장식한 관과 꽃을 수놓아 만든 얼굴 가리개.

99) 팔광(八光) : 눈썹의 광채. 팔(八)은 눈썹의 모양을 나타냄.

100) 휘휘(輝輝) : 광채가 매우 아름답게 빛남.

101) 임사(姙似) : 중국 주(周)나라 현모양처(賢母良妻)인 문왕의 어머니 태임(太姙)과 무왕(武王)의 어머니 태사(太姒)를 함께 일컫는 말.

102) 이비(二妃) : 중국 순(舜)임금의 두 왕비이자 요(堯)임금의 두 딸인 아황(娥皇)과 여영(女英).

103) 임강(任姜) : 중국 주(周) 문왕(文王)의 모친 태임(太姙)과 주(周) 선왕(宣王)의 비(妃) 강후(姜后)를 함께 이르는 말. 모두 어진 덕으로 유명하다.

(無艶) 박색(薄色)이면 장부 비위 눅눅하여 차마 대치 못할 것이요, 서자(西子)[105] 왕장(王嬙)[106]의 색이 있다 하여도, 성덕(性德)이 온순치 못한즉 군자의 화락할 바 아니라. 각별이 화월(花月)의 색과 숙녀의 덕을 구하여, 눈으로 그 얼굴을 보고 귀로 그 성화를 들은 후 취하리라."

주의를 정하였더니, 양소저로 정혼하매, 양소저는 백씨의 처제요, 성화를 들음이 출류(出類)함을 본 듯이 알았으므로, 미혼 전에 보고자 뜻을 않았다가 금일에 백량(百輛)[107]으로 맞아 일실에 상대하매, 용화기질(容華氣質)과 성덕문맥(盛德文脈)이 의연이 성리도학(性理道學)이라. 뜻에 차고 마음에 족하니, 비로소 숙녀를 바라던 바에 합당함을 환열하여, 이에 흔연히 말씀 올려 가로되,

"생은 연소부재(年少不才)로 백사에 일컬음 즉하지 아니하거늘, 영존대인의 후의를 입어 외람히 소저로 부부지의(夫婦之義)를 이루니, 생이 행심(幸心)하나, 혹자 숙녀의 평생을 욕할까 두렵나이다."

---

104) 마등(馬鄧) : 중국 동한(東漢) 명제(明帝)의 후비 마후(馬后)와 동한(東漢) 화제(和帝)의 후비(后妃) 등후(鄧后)를 함께 이르는 말. 둘 다 후궁 가운데 덕이 높았다.

105) 서자(西子) : 중국 춘추시대의 월(越)나라의 미인 서시(西施). 오나라에 패한 월나라 왕 구천이 서시를 부차에게 보내어 부차가 그 용모에 빠져 있는 사이에 오나라를 멸망시켰다.

106) 왕장(王嬙) : 왕소군(王昭君). 중국 전한 원제(元帝)의 후궁. 이름은 장(嬙). 자는 소군(昭君). 기원전 33년 흉노와의 화친 정책으로 흉노의 호한야선우(呼韓邪單于)와 정략결혼을 하였으나 자살하였다. 후세의 많은 문학 작품에 애화(哀話)로 윤색되었다.

107) 백량(百輛) : '백대의 수레'라는 뜻으로, 『시경(詩經)』 「소남(召南)」 편, 〈작소(鵲巢)〉시의 '우귀(于歸) 백량(百輛)'에서 유래한 말이다. 즉 옛날 중국의 제후가(諸侯家)에서 혼례를 치를 때, 신랑이 수레 백량에 달하는 많은 요객(繞客)들을 거느려 신부집에 가서, 신부을 신랑집으로 맞아와 혼례를 올렸는데, 이 시는 이처럼 혼례가 수레 백량이 운집할 만큼 성대하게 치러진 것을 노래하고 있다.

소제 수용정금(修容整襟)[108]하여 묵연부답하니, 아리땁고 기려한 풍용 가운데 오채상운(五彩祥雲)이 어른거려 광휘 조요하니, 가히 눈 옮기기 아까운지라. 정세홍 같은 풍류영걸(風流英傑)이 절색숙완(絶色淑婉)을 일실의 대하여 어찌 은정의 유출함을 참을 바이리오. 이에 금침을 포설하고 촉을 물린 후 연망(連忙)이 소저를 붙들어 상요에 나아가매, 은정의 진중함이 여산약해(如山若海)하여 하야심단(夏夜甚短)[109]함을 한하더라. 계명에 학사 관소하고 외헌으로 나아가고, 소제 새로 단장을 이뤄 존당 구고께 문안할 새, 양소저 비록 연소 충년이나 그 가부의 호일방탕함이 남다름을 모르리오. 그윽이 행지의 종용치 못함을 차탄하여, 정인군자 아님을 깨달아 탄석할 따름이더라.

존당이 소이씨와 양씨를 안전에 두어 두굿기나[110], 매양 윤·양·이와 현기 등의 자취 묘연(杳然)함을 세월이 오랠수록 잊지 못하여 슬퍼하니, 금평후 부재 위로함을 마지않으나, 또한 윤·양의 거처 없음을 참연하고, 현기 등을 잃음을 통석하여, 그 부모지심으로써 남후의 신세 괴로움이, 전자에 여러 처실을 모아 번화를 취코자 하던 바가, 당차시하여는 요악한 공주 밖에 다른 부인이 없는지라. 경씨를 불고이취(不告而娶) 하여 벌써 기린 같은 아들을 낳았음을 알지 못하고, 대객(對客)의 번극(煩劇)함과 의복 한서를 맞출 이 없음을 도리어 불쌍히 여김이 되어, 원래 남후 일찍 문양궁에 머무는 일이 없는 고로, 빈객이 다 상부로 모여 윤·양·이 삼인이 없는 후는 대객의 주찬을 진부인이 기렴하는[111] 바 되었는 고로, 공주 금수나릉(錦繡羅綾)으로 부마의 의복을 못 미칠 듯이 받

---

108) 수용정금(修容整襟) : 얼굴빛을 고치고 옷깃을 여밈.
109) 하야심단(夏夜甚短) : 여름밤이 심히 짧음.
110) 두굿기다 : 자랑스러워하다. 대견해하다. 기뻐하다.
111) 기렴하다 : 보살피다. 유의하다. 걱정하다.

드나, 남후의 성정이 빛난 깁과 고운 비단을 부인 여자도 입지 못하게 함으로, 자기 더욱 문양궁 금수의복(錦繡衣服)을 어찌 입으리오. 절세로 좇아 공주는 금의화복(錦衣華服)으로 외헌에 보낸즉, 부마는 친척 붕우의 궁곤한 자를 나누어주고, 자기는 부친 여벌 헌 옷과 상서의 의복을 얻어 입는지라.

진부인이 도리어 궁상(窮狀)맞음을 이르나, 남후의 뜻이 철석같아서 문양궁 의식을 가까이 아니하고, 술을 즐기되 문양궁의 물 같은 주찬을 구(求)치 아니하더라.

학사의 처 양소저 인하여 구가(舅家)에 머물러 효봉구고(孝奉舅姑) 하고 승순군자(承順君子) 하여 일마다 초출 기이하여, 임하(林下) 사군자(士君子)의 풍이 있어, 아녀자의 거동이 없고, 천연비약(天然卑弱)[112]하여 온순 겸공하는 덕이 지우하천(至愚下賤)에 다다라도 교오(驕傲)하는 빛이 없어, 자존자중(自尊自重)하는 버릇을 두지 아니하되, 숙숙한 위의 한월(寒月)이 설상(雪上)에 바앰[113] 같아서, 사람이 설만(褻慢)하며 가벼이 여기지 못할 바라. 이른바 강약(强弱)이 득중(得中)하며 성행이 진선진미(盡善盡美)하여 당세의 철부명염(哲婦名艶)이니, 존당구고의 만금 사랑이 아들의 위요, 일가친척과 인리(隣里) 향당(鄕黨)의 칭예(稱譽)하는 소리 원근에 훤자(喧藉)하니, 학사 황홀한 은정이 천상과 인간을 통하여 다시 없는 듯, 견권(繾綣)하는 뜻이 수유불리(須臾不離)코자 하되, 천성의 엄숙함이 비록 부부지간이나 위의를 잃지 않으려 제어함을 각별히 하고, 양씨 범사를 자기 뜻을 세우지 못하게 할 뿐 아니라, 평생 주의(主義) 여자 가부의 명이 내린즉, 아무 어려운 일이라도 승순하기를

---

112) 천연비약(天然卑弱) : 생긴 그대로 조금도 꾸밈이 없으며, 스스로를 낮추고 자신의 뜻을 드러내어 주장하지 않음.

113) 바애다 : ≒밤븨다. 빛나다. (눈이) 부시다.

못 미칠 듯이 하며, 가부 비록 그른 일이 있어도 처자(處子)[114]가 감히 허물을 이르지 못하며, 여자는 온순 인자하여 부드럽고 나직함이 소리를 높이지 말며, 불공한 사색을 뵈지 말아 시비곡직을 다투지 않는 것이 옳다 하여, 양소저를 비록 애중하는 가운데나 천만사(千萬事)에 자기 뜻을 세우고, 감히 사사로이 뜻을 어기오지 못하게 하니, 양소저는 청한고결하고 유한정정(有閑貞靜)한 여자라. 가부의 황홀탐혹한 은애를 실로써 깃거 않으니, 어찌 온유 나직하고, 낭정(狼情)[115] 혜힐(慧黠)[116]한 빛을 지어 학사의 은총을 요구할 리 있으리오.

학사의 자취 매양 내실을 떠나지 아니하여, 밤을 당한즉 술을 취하고, 소저를 이끌어 천만은애(千萬恩愛)와 만종풍류(萬種風流)가 불가형언(不可形言)이라. 방탕 무례한 거동이 풍류화사(風流花士)가 창루에 다니며 미녀를 탐혹함 같으니, 소저 그 행사를 불복하여 점점 냉렬(冷烈)한 낯빛과 숙묵(肅默)한 위의로, 학사의 은정을 몽리(夢裏)에도 가납(嘉納)치 아니하되, 춘풍이 화란(和暖)하매 미개화(未開花) 부치임을[117] 면치 못하니, 소저 진정으로 학사의 호일한 정의를 깃거 아니하나, 시러금 학사의 구정(九鼎)[118]을 가벼이 여기는 힘을 방차(防遮)하여 떨치지 못하여, 능히 자기 집심(執心)을 세울 길이 없으니 괴롭고 통완하며, 신혼성정(晨昏省定)에 저로 더불어 언어를 수작(酬酌)함을 부끄럽게 여겨, 일월이 바뀌되 입을 닫고 묻는 바를 대답지 않으나, 시키는 바 있으면 승순

114) 처자(處子) : =처녀. 여기서는 '여자'의 의미.
115) 낭정(狼情) : 어지러이 정을 폄.
116) 혜힐(慧黠) : 슬기롭고 영리함.
117) 부치이다 : 바람에 불려 날리거나 펴지거나 함.
118) 구정(九鼎) : 중국 하(夏)나라의 우왕(禹王) 때에, 전국의 아홉 주(州)에서 쇠붙이를 거두어서 만들었다는 아홉 개의 큰 솥. 주(周)나라 때까지 대대로 천자에게 전해진 보물이었다고 한다.

할 따름이니, 학사 매양 '언어를 수작(酬酌)치 않는다.' 준절히 책하여 그 옥음낭성(玉音朗聲)을 듣고자 하되, 소제 경이(輕易)히 호치(皓齒)를 여러 언어를 통치 아니하더라.

차시 문양공주 윤·양 이부인과 현기 등 삼아를 없이하여 거리낀 근심이 하나도 없으나, 남후 운영을 총애하는 바 없으되 오히려 적인(敵人)[119]의 명호(名號)가 있음으로 가만히 없애고자 묘랑으로 의논하니, 묘랑이 가로되,

"운영을 없애기는 어렵지 아니하고 바쁘지도 아니하되, 옥주 남후 노야의 은애를 얻지 못하심이 절박한 근심이라. 빈도 마땅히 천지신명께 옥주의 수복을 축원하여 크게 설제(設祭)하고, 명산대천에 두루 빌어 옥주의 장옥(璋玉)[120]이 선선(詵詵)[121]하기를 축원코자 하나이다."

공주 홀연 수루(垂淚) 탄 왈,

"정군은 남다른 사람이라. 세월(歲月)로 간장만 허비할 따름이요, 재물만 없이할 뿐이니, 서어(齟齬)한[122] 꾀와 옅은 계교는 아예 시작치 않는 것이 옳으니, 사부는 익히 헤아려 보라. 내 마침내 정군의 철석같은 마음을 돌이켜 화락케 할 양책(良策)이 업느냐? 많은 재물과 허다 심력을 허비하여 겨우 윤·양·이 삼녀를 절제하고, 요추(夭雛)[123] 등을 무찔렀으나, 생각컨대, 정군은 본성이 호방한 남자니 다시 변화를 구치 않을 줄 어찌 알리오."

---

119) 적인(敵人) : ①원수. ②남편의 자기 이외의 처(妻)나 첩(妾).
120) 장옥(璋玉) : '자식'을 달리 이르는 말.
121) 선선(詵詵) : 수가 많은 모양.
122) 서어(齟齬)하다 : 어설프다. ①틀어져서 어긋나다. ②하는 일이 익숙하지 못하고 엉성하고 거친 데가 있다.
123) 요추(夭雛) : 어린 병아리. 여기서는 윤·양·이 삼부인의 어린 아이들을 말함.

묘랑이 공주의 말을 들으매 제 아직 재물을 탐하여 전후 흉계를 베풀었으나, 진실로 군자 숙녀의 원복(元福)[124]을 저의 요술로써 임의로 하기 어려우니, 침음하여 생각다가 눈썹을 찡기고 왈,

"부마 노야는 전신이 상계(上界)의 진군(眞君)[125]이요, 금세의 영걸이라. 자가의 수복(壽福)은 족히 남산북해(南山北海)에 비길 바요, 처궁의 번화함과 자손의 번성함은 가히 주(周) 문왕(文王)[126]을 부러워 않을 바니, 만복이 무흠하거니와 목전의 점사가 괴이하니, 옥주의 염려하시는 가운데 이 말씀을 고함이 어려울까 하나이다."

공주 남후의 팔자 기리는 것을 깃거 않음이 아니로되, 여러 처첩을 두기에 다다라는 번연이 깃거 않아 낯빛을 변하고, 묘랑의 토설치 않아 지지(遲遲)하는 바를 무르니, 묘랑의 공교함이 사람의 팔자 길흉과 처첩 수를 반드시 아는 고로, 부마의 처궁이 벌써 그윽한 가운데 부인을 두어 생남까지 하였는지라. 저의 점사(占辭)가 전후에 그르지 않음으로 가장 놀라, 공주를 향하여 가로되,

"상공의 첩희(妾姬)는 혹자 그 수를 알지 못하심은 괴이치 아니하되, 의법한 정실은 옥주 모르시지 않을 바라. 빈도의 점사가 괴이하여 상공이 윤・양・이 삼인 밖에 또 부인을 두어 계실 듯하니, 이런 괴이코 수상한 일이 없는지라. 하물며 생남까지 한 듯싶으니, 옥주는 이로 좇아 소문을 널리 듣보아[127] 알아내소서."

공주 차언을 들으매 놀랍고 분함이 비길 대 없어 하더라.

---

124) 원복(元福) : 본지 타고난 복(福).

125) 진군(眞君) : '신선(神仙)'의 높임말.

126) 문왕(文王) : 중국 주나라 무왕의 아버지. 이름은 창(昌). 주나라 건국의 기초를 닦았고 고대의 이상적인 성인군주(聖人君主)의 전형으로 꼽힌다.

127) 듣보다 : 듣기도 하고 보기도 하며 알아보거나 살피다.

ꕥ

명주보월빙 권지사십이

화설 문양공주 묘랑의 말을 들으매 놀랍고 분한(憤恨)함이 미처 경씨 있음을 알지도 못하여서 온 몸이 떨려 하염없이 눈물을 뿌려 가로되,

"윤·양·이 삼녀를 겨우 절혼이이(絶婚離異)하여, 윤·양을 아주 없애고 현기 등을 강수(江水)에 버리매, 남은 근심이 운영 같은 것을 마저 없애고자 함이러니, 또 어디에 부인이 있다 하느뇨? 만일 사부의 말 같을진대 내 생전에 적인을 다 없이할 길이 없으니, 나는 속절없이 심간(心肝)만 사르다가, 청춘에 조사(早死)한 원귀 되리로다."

묘랑이 웃고 위로 왈,

"옥주는 빈도를 믿으시고 과도히 염려치 마소서. 비록 재주 없으나 족히 옥주의 적인이 백이라도 헤어가며 없이 하리이다."

공주 슬퍼 왈,

"내 전혀 사부를 믿거니와, 원간 팔자 어떠하여 그러하며, 윤·양 등은 생환함이 다시는 없으랴?"

묘랑이 죽지 않았음을 어찌 모르리오마는 오히려 활인사에 있음은 모르고, 아직 공주의 마음을 깃겨[128] 금은을 낚으려 함으로, 윤·양 이

---

128) 깃기다 : 기뻐하게 하다. 마음을 즐겁게 만들어주다.

부인을 영영 죽다 하며, 공주는 팔자 대귀함을 이르되, 부마의 다른 부인이 분명이 있다 하니, 공주 분분 통해하여 묘랑으로 하여금 그 부인의 성씨와 있는 것을 알아오라 하니, 묘랑이 온 가지로 공주의 마음을 깃겨 맞추려 하는 고로, 차후 화(化)하여 나는 짐승이 되어 다니며, 혹 십여 세 된 아이도 되어, 매양 정병부의 조참하러 왕래하는 때와 출입지시(出入之時)를 다 알아, 감히 가까이 나아가지 못하나, 멀리서 볼 수 있을 만큼 따라 뒤를 좇아다니며, 도성 대로상의 수없는 사람 가운데 따라 섞여 다니니, 뉘 알 리 있으리오.

이같이 하기를 사오 순(旬)에, 병부 일일은 파조하고 궐문 밖에 나오며, 하리를 명하여 '적은 덧[129] 경부의 나아가 아병(兒病)이 나은가 알아 오라.' 하고, 자기는 바로 취운산으로 나아오니, 묘랑이 아환(兒患)을 알아 오라 하니, 의심을 발하여 적은 새 되어 경부의 가는 하리를 따라 이르니, 하리 경참정께 남후의 전어로 아환을 물으니, 회답하여 아환이 낫지 못함을 이르거늘, 묘랑이 제 몸이 새 되었음으로 두려워할 것이 없어 안으로 말미암아 내루에 날아 들어가니, 일위 중년의 부인이 소부인으로 더불어 고당화루(高堂華樓)에 안거하여 어린 아이를 비단이불에 싸 뉘고, 자주 그 몸을 만지며 머리를 짚어 이르대,

"어린 것이 어찌 하여 여러 날을 낫지 못하뇨?"

하며, 소부인은 유아가 서열(暑熱)에 몸이 달아 그러하다 하는지라. 소부인의 색모(色貌) 염광(艷光)이 화월(花月)을 우이 여기며, 명주(明珠) 보벽(寶璧)을 더러히 여길 바니, 백태미질(百態美質)이 눈에 부실 뿐 아니라, 영복이 어렸으니, 묘랑이 놀라 즉시 밖으로 나와 니고(尼姑)의 복색을 하고 경부 하리를 대하여 길흉화복을 추점(推占)하라 하니, 묘랑

129) 적은 덧 : 잠깐. 얼마 되지 않는 매우 짧은 동안에.

의 얼굴이 백설 같고 거동이 신기로우니, 하천 무지한 안견으로 요악(妖惡)을 어찌 알리오. '보살이 강임하다' 하여 일시에 문수(問數)[130] 추점하니, 묘랑이 과거 미래사를 본 듯이 이르고 신기하니, 시녀 양낭이 경희함을 이기지 못하여, 니고의 신통함을 부인께 고하여, '불러 보소서' 한대, 경소저의 유아가 수십 일이나 유병하여 낫지 못하니, 부인이 아환(兒患)을 근심하여 불러 보고 아이의 병을 묻고자 하더니, 소저가 모친께 간하여 가로되,

"사람의 전정과 길흉화복이 정한 수(數) 있사온지라, 어찌 저 무리 산간 요리(妖尼)의 공교로운 말과 요괴로운 방술(方術)에 물으리까? 무지(無知) 하천(下賤)의 길흉을 짐작하오나, 어찌 상문후택(相門侯宅)까지 안을 임의로 통하여 다니며, 제 어찌 방자 무례히 여기 들어오리까? 하물며 대인이 매양 승니(僧尼)[131]의 무리를 보시면 괴려(乖戾)히 여기시어, 바로 봄이 아니꼽다 하시던 바라. 혹자 내루에 불러 문복(問卜)함을 들으시면, 가장 불관(不關)이 여기시어 인청(引請)한 비복을 중치(重治)하여, 비배(婢輩)로 급히 끌어 내치시리니, 원컨대 자위는 고요한 가내를 소요케 마소서."

부인이 소왈,

"내 역시 무복(巫卜)의 허탄(虛誕)함을 믿지 않으나, 이승(異僧)이 왔다 함으로 불러 보고자 하였더니, 네 이렇듯 막으니 구태여 안에 들일 일이 아니라. 여등은 니고를 그저 돌려 보내라."

양낭이 밖에 나와, 저희끼지 이르대,

"부인은 불러 보고자 하시는 것을 소저가 막으시니 그저 보내라 하시

---

130) 문수(問數) : ≒문복(問卜). 점쟁이에게 길흉(吉凶)을 물음

131) 승니(僧尼) : 비구와 비구니를 아울러 이르는 말.

나, 금은을 쌓아두고도 이런 생불(生佛)을 얻어 보기 어려우니, 우리 약간 문수하는 값을 내어 대노야와 자사 내외를 다 추점하리라."

하거늘 묘랑이 웃고 왈,

"문수하는 값을 내지 않아도 사람의 생년일시와 부부의 성명 곧 알면 길흉화복을 거의 추점하리라."

여러 시녀 등이 다 모아 문수의 값을 내고, 먼저 경참정 부부의 생년월일시를 일러 팔자를 묻고, 버거 소저의 생년과 병부의 생년을 이르거늘, 묘랑이 이윽히 추점하다가 홀연 몸을 흔들어 진저리[132]를 치고 이르되,

"소부인 팔자 어이 그리 순치 못하시뇨? 참혹, 참혹하고, 아깝도다! 심사는 어지신데 명수(命數)는 괴이하여 세상이 오래지 못 할 것이요, 한낱 골육도 지니지 못하여 오래지않아 없애리로다."

시녀 등이 대경하여 변색 왈,

"우리 소부인의 팔자 어찌하여 그대도록 괴이하시뇨? 아지못게라! 수륙치재(水陸致齋)[133] 하면 액회(厄會) 소멸하시랴?"

묘랑이 눈썹을 모으고 손을 꼽작거려 산통(算筒)[134]을 던져 이윽히 사량(思量)하다가 머리를 흔들어 왈,

"만금을 들여도 부인의 팔자는 고치지 못하리니, 원간 혼사에 연분을 잘 만나지 못하시어, 정노야와 인연이 없어 수화(水火) 상극(相剋) 같아서, 아니할 혼사를 하여 계시니, 천인 같으면 정병부를 배반하고 타성

---

132) 진저리 : 차가운 것이 몸에 닿거나 무서움을 느낄 때에, 또는 오줌을 눈 뒤에 으스스 떠는 몸짓.

133) 수륙치재(水陸致齋) : 수륙재(水陸齋). 물과 육지의 홀로 떠도는 귀신들과 아귀(餓鬼)에게 공양하는 재. ≒수륙굿

134) 산통(算筒) : 점쟁이가 점을 칠 때 쓰는, 산가지를 넣은 통.

(他姓)을 섬기면 나으련마는, 상부 대가에 이런 일은 없을 것이요, 정부마의 살기 끔찍하여 처실로 삼긴[135] 이와 자녀로 난 이는 다 없이하고 말 것이니, 소저가 가뜩 단수(短壽)하신데 정병부를 만나신 고로 수를 더 감한 바 되어 계시니 불행하도다."

하니, 양낭 시녀배 경해차악 하여 면면이 서로 돌아보고, 그 가운데 언경(言輕)한 유(類)는 혀 차, 왈,

"우리 노야와 자사 노야의 마음을 실로 측량키 어려운지라. 우리 소부인 같은 색광미질(色光美質)의 규수를 두시고, 하늘같은 기구(器具)와 뫼같이 장한 재물을 사람마다 장(壯)히 여길 바요, 상문후백가(相門侯伯家)에서 구혼하는 수를 헤지 못하거늘, 정노야의 제사부실을 허하시고, 동서 구친(求親)을 다 물리치사, 정노야로 동상을 삼으시매, 풍채는 만고에 희한하시거니와, 성정은 남달리 엄격하시어 소부인의 행사를 나쁘게 여기실 적이 많고, 호령이 생풍하여 저적 후정에 옮으심을 인하여, 유랑과 시녀를 다 중장을 가하시고, 소부인을 여차여차 곤욕하시니, 소부인이 어찌 마음이 편하실 적이 있으리오."

하니, 묘랑이 이미 경소저가 병부의 부인임을 분명이 알매, 쟁그라움[136]이 가려온 데를 긁는 듯하여, 공주를 보아 이 말을 전함이 바쁜 고로, 경부 시녀를 작별하고 표연히 문양궁으로 돌아오니, 공주와 최상궁이 협실에 있다가 묘랑을 보고 그 감춰놓은 부인의 성씨와 있는 곳을 알아 온가 바삐 물으니, 묘랑이 손바닥을 두드리며 머리를 끄덕여 왈,

"과연 빈도의 말이 한 일이나 그름을 들어 계시니까? 빈도 겨우 여차

---

135) 삼기다 : 없던 것이 새로 있게 되다. '생기다'의 옛말.
136) 쟁그랍다 : 장그럽다. 마음이 간질간질할 정도로 깜찍하고, 치사스러울 정도로 다라운 데가 있다.

여차 하여 알아내니, 도위 노야 여차여차 취처하여 계시고 벌써 옥동을 생하여 계시더이다."

공주 이 말을 들으매 가슴에 불이 일어나 오장을 태우는 듯, 노하고 분하며 애달프고 미움을 이기지 못하여, 오래 말을 못하다가 이윽고 정신을 정하여 손으로 창전(窓前)을 치고 왈,

"나의 아는 바는 윤·양·이 삼녀와 운영뿐이더니, 뉘 생각 밖 경가 요물이 미친 정군의 아내 되었음을 헤아렸으리요. 믿고 바라나니 사부는 수고를 다하여 경녀의 모자를 다 없이 하여 나의 분을 풀게 하면, 사부의 대은이 하늘이 낮고 땅이 좁을지라. 내 공경하여 섬기기를 모비 낭랑과 달리 아니하리라."

묘랑이 공주의 이같이 빌기에 당하여는 가장 존대한 체하며, 유공(有功)한 체하여[137] 소리를 가다듬고 안색을 정히하여 왈,

"빈도는 심산에서 도행과 선술을 배울 뿐이요, 불의악사는 듯도 보도 않았더니, 경사의 올라와 여러 곳에서 청함을 인하여 자취 번거히 세상의 다녀, 투기하는 부인과 괴이한 여자들을 사귀어, 그 지성으로 간걸(懇乞)함을 차마 물리치지 못하여, 괴악(怪惡)한 거조를 많이 하고, 낭랑과 옥주의 후의를 감격하여, 하고자 하는 바를 비록 이르지 않으시나, 빈도 진심극력하나니, 윤·양 등과 그 자녀를 다 없애며 빈도 경씨 거처를 알아 생남까지 하였음을 귀주께 고함이, 빈도의 총명지식(聰明之識)이 남다른 연고라. 낭랑과 옥주를 위하여는 내 몸이 수고롭고 어려움을 알지 못하나니, 공주의 적인을 개개히 없이 하랴 정하였고, 금일 경씨를 보매 범연한 여자는 아니거니와, 빈도 옥주를 위하여 이 같은 정성이 현마 상천(上天)의 어여삐 여기시믈 얻지 못하리까?"

---

137) 유공(有功)건 체하다 : 어떤 일에 공을 세운 체하여 생색내다.

인하여, 경부에 가 시녀로 추점하던 문답사와 시금(時今)의 아환(兒患)이 있음을 일일이 고하니, 공주 묘랑을 향하여 두 번 절하여 왈,

"사부 아니면 나의 원(願)을 이룰 도리 없을지라. 이제 날을 위하여 높은 몸이 수고를 돌아보지 않아, 궁극히 경녀의 모자(母子) 있음을 알아내어 나의 강적을 없애고자 하니, 차는 미사지전(未死之前)에 다 갚지 못 할 바라. 생전에 모 낭랑과 같이 섬기다가, 사후(死後)에 '구슬을 머금어 갚기를'138) 기약하노라."

묘랑이 연망(連忙)히 붙들어 황공함을 일컫고, 종용이 경씨를 없애기를 의논할 새, 묘랑 왈,

"경씨를 보니 범용한 여자 아니라. 좀 술법으로는 없애기 어렵고, 생월일시를 이르거늘 팔자를 추점하매 크게 길하되, 짐짓 그 집 양낭을 대하여 여차여차 함은 경씨를 없애 나의 말이 맞게 함이라. 빈도가 경씨를 후려다가 죽임은 후일을 보아 가며 패루(敗漏)치 않게 하고, 유자(乳子)는 삼사일 내에 없애리다."

공주 대열하여 천만 칭사하고, 경씨 모자를 쉬이 없이 하여, 남후의 화락하는 길을 끊고, 천륜자애(天倫慈愛)를 펼 곳이 없게 하라 하니, 묘랑이 언언이 응낙하더라.

시(時)에 평남후 만금보옥같이 귀중하는 유자(乳子)의 병이 여러 날 낫지 못함을 염려하여, 일일은 관부의 들어감을 고하고 바로 경부에 와

---

138) 구슬을 머금어 갚기를 기약하노라 : 구슬을 물어다 주어 은혜를 갚는다는 뜻으로 '함환이보(銜環以報)'를 번역한 말. 즉, 옛날 중국의 양보(楊寶)라는 소년이 다친 꾀꼬리 한 마리를 잘 치료하여 살려 보낸 일이 있었는데, 후에 이 꾀꼬리가 양보에게 백옥환(白玉環)을 물어다 주어 보은했다는 고사를 이르는 말이다. '남에게 입은 은혜를 꼭 갚겠다' 뜻을 나타내는 말로, 남북조 시대 양(梁)나라 사람 오균(吳均)이 지은 『續齊諧記』의 고사에서 유래하였다.

유아의 병을 보며, 경씨를 보려할 새, 마침 참정의 종매 강시중 부인이 여부(女婦)를 거느려 다니러 왔음으로, 남후 비편(非便)하여 들어가지 못하고, 시녀를 명하여 유아를 안아 내어오라 하여 외루에서 보더니, 때마침 금평후 정히 경공을 보고자 하여 거륜(車輪)을 몰아 경아(衙)[139]에 이르러, 문 밖에 평남후의 하리 추종이 가득히 있음을 괴이히 여기나, 말을 않고 다만 자기 왔음을 고하니, 경공이 크게 반겨 들어옴을 청하고, 부마 정히 유아를 어루만져 그 병을 살펴 약을 쓰고자 하더니, 천만 기약치 않은 부공의 행거(行車)가 이에 임하심을 들으매, 번연 경동하여 유아를 치우도 못하고, 연망(連忙)이 나아가 맞아 부친을 붙들어 들어오매, 경공이 금후로 예필 좌정 후, 빈주(賓主)가 근간 보지 못하던 바를 이르고, 금후 눈을 들어 좌우를 살피매, 경공의 곁에 한낱 유아가 누었으되 작인(作人)이 비상하여, 와잠용미(臥蠶龍眉)는 천창(天窓)[140]을 떨쳤고, 성안(星眼)에 영기(靈氣) 당당하여 가을 물결을 헤치며 햇발이 비친 듯하거늘, 면모 두렷하여 추월(秋月)이 천공(天空)에 걸린 듯, 높은 코와 붉은 양협(兩頰)이며 넉사[141] 자 주순(朱脣)의 상격(相格)이, 복록이 가즉할 뿐 아니라, 완연이 자기의 잃은 손아 운기의 풍용(風容)과 방불하여, 대소가 다르나 병부의 면모와 같은 곳이 많으니, 혈맥의 유동(流動)하여 그윽한 가운데나 조손의 정이 각별함이 있는지라. 스스로 몸을 움직여 경공의 곁에 나아가 유아의 손을 잡고 눈을 옮기지 않고 보기를 양구(良久)히 하다가, 경공을 향하여 문 왈,

"형이 천유를 계후하여 옥수신월(玉樹新月)[142] 같은 손아(孫兒)가 쌍

---

139) 경아(衙) : =경부(府).

140) 천창(天窓) : '눈'을 달리 표현한 말.

141) 넉사 : '四' 자(字)의 훈(訓)과 음(音)을 이른 말.

142) 옥수신월(玉樹新月) : 옥으로 조각한 나무나 초승에 뜨는 달처럼 빛나고 아름

쌍함을 알았거니와, 이 아해는 아직 수삼 삭도 차지 못하였는가 싶으니, 천유가 어찌 임소로 데려가지 않고 형의 슬하에 두었느뇨? 그 작인한 바 기골이 세간에 희한하니, 진실로 소제의 경해(驚駭)하는 바라. 형이 비록 아들을 낳지 못하였으나, 천유 같은 어진 명령(螟蛉)[143]을 정하여 문호를 흥기하고, 또 이 같은 손아를 두어 타일 장성할진대, 한갓 경씨의 천리구(千里駒)일 뿐 아니라, 송조(宋朝)의 명신(名臣)이 되리니, 어찌 기특하지 않으리오."

경공이 금평후의 아득히 모르고 이 같이 함을 대하니, 심중에 가소롭기를 이기지 못하여, 유아가 남후의 아들임을 쾌히 설파하고 친옹이 된지 삼년이 다 되었음을 이르고자 하되, 금평후의 자제 훈교(訓敎)가 엄숙하여 평남후 같은 충천장기로도 부전(父前)을 임하면, 황공 송률함을 감추지 못하는지라. 하물며 금평후의 성도가 열일(烈日) 단엄(端嚴)하여, 반점 불법을 용납지 않아, 추호를 관사(寬赦)치 않음을 아는 고로, 다만 미미히 웃고 가로되,

"돈아(豚兒)[144]가 임소로 갈 제, 아손이 유질(有疾)하여 천리 원로에 득달치 못할 고로, 유모를 맡겨 우리 슬하의 두었으나, 질양(疾恙)이 떠나지 아니하니 정히 우민하는 바라. 타일 장성하여 문호를 흥기함은 기필치 못하고 병이나 없기를 바라되, 질양이 장[145] 있으니 가장 민울하더니라."

답다는 뜻으로 재주가 뛰어나고 아름다운 사람을 이르는 말.

143) 명령(螟蛉) : 나나니가 명령(螟蛉)을 업어 기른다는 뜻으로, 타성(他姓)에서 맞아들인 양자(養子)를 이르는 말. ≒명사14(螟嗣).

144) 돈아(豚兒) : 남에게 자기의 아들을 낮추어 이르는 말. ≒가아(家兒)・가돈(家豚)・돈견(豚犬)・우식(愚息).

145) 장 : (구어체로) 언제나 늘, 계속하여 줄곧.

금평후 유아의 손을 놓지 못하여 사랑하는 정이 샘솟듯 하니, 홀연 감상함을 이기지 못하여 탄식하고, 왈,

“우제(愚弟)의 잃은 손아와 차아가 많이 방불한지라. 일가 족친이 아니로되 이 아해 운기와 추호 다르지 않으니, 남으로 이 같음이 이상하도다.”

경공이 본디 사람 속임을 깃거 않음으로 금후의 이렇듯 알지 못함을 실로써 불안이 여겨, 타일 병부의 남사(濫事)를 앎이 있은즉 죄책이 적지 않을 바를 근심이 많은지라.

이 때 남후는 자기 관부에 감을 고하고 이에 왔다가 부친을 만나니, 행여 경공이 말을 그릇하여 자기 남사가 드러날까 경황송구(驚惶悚懼)하여 한한(寒汗)146)이 첨의(沾衣)함을 면치 못하되, 다만 봉안을 낮추고 사기(辭氣) 화열자약(和悅自若)하여 공수정좌(拱手正坐)147)러니, 금후 양안을 기우려 오래 보다가 문 왈,

“네 관부의 감을 일컫고 성내에 들어오더니 어찌 이에 있더뇨?”

병부 복수 대왈,

“관부의 공사를 처결하라 들어왔삽더니, 마침 동관(同官)과 하당제관(下堂諸官)이 연고 있어 관부에 모이지 못하였으므로, 도로 취운산으로 돌아가옵더니, 경합하 아병(兒病)을 잠깐 보아 증정을 알아 명약(命藥)148)함을 간청하여 부르시므로 이에 들어왔나이다.”

금후 비록 총명하나 아자가 경공의 사위가 되었음은 몽리에도 생각지

---

146) 한한(寒汗) : 식은땀. 몹시 긴장하거나 놀랐을 때 흐르는 땀.

147) 공수정좌(拱手正坐) : 두 손을 앞으로 모아 포개어 잡고 바르고 단정하게 앉아 있음. *공수(拱手); 절을 하거나 웃어른을 모실 때, 두 손을 앞으로 모아 포개어 잡음. 또는 그런 자세. 남자는 왼손을 오른손 위에 놓고, 여자는 오른손을 왼손 위에 놓는다. 흉사(凶事)가 있을 때에는 반대로 한다.

148) 명약(命藥) : 약을 쓰게 하거나 약을 지어 줌.

못하는 고로, 병부가 의리에 밝으니 경공이 아병을 물어 증정을 알고자 부름인 줄 헤아려 구태여 책치 않으니, 원래 경공에게 딸이 있음은 아득히 알지 못하고, 다만 명령(螟蛉)으로 경춘기 일인만 두었음을 알 따름이니, 어찌 유아가 자기 손아임을 생각하였으리요. 운기와 이상히 같음을 보매 속절없이 슬퍼할 뿐이라. 경공이 금후의 전혀 의심치 않음을 도리어 답답히 여겨 여아는 구고 모르는 사람이 되었음을 애달아하더라.

이윽고 금후 돌아갈 새, 경공이 수일 후 회사함을 일컫고 남후를 잠깐 머물기를 청하여 아병을 보아 달라 한대, 남후 행여 부공의 의심을 이룰까 두려워 오직 명약(命藥)하고 부공을 모셔 돌아가니, 경참정이 공주의 포악함을 두려 병부의 왕래를 깃거 않으나, 즉시 돌아감을 심리에 결울(結鬱)[149]함이 없지 아니하되, 평후더러는 진정으로 이르지 않아 오지 않을수록 깃거하더라.

신묘랑이 경씨의 유자를 마저 없애고자 하여, 몸을 화하여 나는 짐승이 되어 경사로 왕래하며, 경부 가사(家舍)를 내외로 돌아 동정을 살펴 요술을 행하려 할새, 차시 일기 엄열(嚴熱)하여 사람이 서증(暑症)에 상할 이 많은 고로, 혹자 경소저 아이 병이 더할까 염려하더니, 아해 잠깐 나으매, 소저가 또 서열(暑熱)에 신고(辛苦)하여 수삼 일 고통 하니, 공과 부인이 소저 침소를 떠나지 않아 곁에서 구호하며, 유자를 화부인 침소에 두어 유모로 밤낮 데리고 있게 하더니, 일야는 소저 잠깐 나으므로, 공은 외헌의 나가고 부인은 소저와 한가지로 잠들매, 여름이 혼곤(昏困)하여 쉬이 깨지 못하니, 유아는 유모가 부인의 침전에서 여러 양낭(養娘) 차환(叉鬟)으로 조심하여 잠드니, 묘랑이 때를 엿보는지라. 현

149) 결울(結鬱)하다 : 섭섭하거나 보고 싶거나 하여 마음이 탁 트이지 못하고 답답한 상태에 있다.

기 등을 후려갈 적같이 제인이 깨지 못하게 작법(作法)[150]하고, 앙연(昂然)히[151] 들어가 유아를 둘러업고 내달아, 한 번 몸을 솟구치매 아아히 나라 문양궁으로 오니, 공주 최상궁으로 더불어 묘랑이 경부에간 지 여러 날이 되어도 기척이 없으니, 가장 궁금히 여겨 경씨 모자 없애기를 하늘에 축원하더니, 묘랑이 한 날 옥동을 업고 와 방중에 들여 놓으매, 공주와 최상궁이 빨리 눈을 드니 이 불과 수삼삭(數三朔) 된 해자(孩子)로되, 발췌(拔萃)[152] 특이(特異)한 거동이 난봉(鸞鳳)의 새끼요, 기린(騏驎)의 아해(兒孩)라.

백년 대척(大隻)[153]과 삼대 원수라도 유아의 비상하고 어여쁜 용화를 보매, 차마 해코자 마음이 나지 않을 것이로되, 공주의 극악 흉참함이 사갈(蛇蝎)의 모질기와 이리의 사나움을 겸하여, 여후(呂后)[154]의 조왕(趙王)[155]을 짐살(鴆殺)하며 척희(戚姬)[156]를 인체(人彘)[157] 만들던 대

150) 작법(作法) : 술법을 씀.

151) 앙연(昂然)히 : 머리를 들고 당당하게. 거리낌 없이.

152) 발췌(拔萃) : =발군(拔群). 여럿 가운데에서 특별히 뛰어남.

153) 대척(大隻) : 그게 척(隻)을 진 사이. 서로 크게 원한을 품어 반목하는 사이.

154) 여후(呂后) : BC241-180. 중국 한고조의 황후. 성은 여(呂). 이름은 치(雉). 고조를 보좌하여 진말(秦末)·한초(漢初)의 국난을 수습하였으나, 고조가 죽은 뒤 실권을 장악하여, 고조의 애첩인 척부인(戚夫人)과 척부인 소생 왕자 조왕(趙王)을 죽이는 등 포악을 일삼아, 측천무후(測天武后), 서태후(西太后)와 함께 중국의 3대 악녀로 꼽힌다.

155) 조왕(趙王) : 이름 유여의(劉如意). 중국 한(漢)고조(高祖)와 척부인(戚夫人) 사이에 난 아들. 고조가 후계자로 삼고자 했을 만큼 그의 사랑을 받았으나, 고조 사후 여후(呂后)에게 독살을 당했다.

156) 척희(戚姬) : 척부인(戚夫人). 중국 한 고조의 후궁. 고조의 사랑을 받아 아들 조왕(趙王)을 두었으나, 고조가 죽은 뒤, 여후(呂后)에게 조왕은 독살당하고, 그녀는 팔다리를 잘리고 눈을 뽑히는 악형을 당하고 '인간돼지(人彘)'로 학대를 받으며 측간에 갇혀 지내다 죽었다.

157) 인체(人彘) : '인간돼지'라는 뜻으로 중국 한(漢) 고조(高祖) 비(妃) 여후(呂后)

악 투심이 있는지라, 어찌 유아 죽임을 꺼림이 있으리오. 발연이 달려들어 유아의 머리를 잡아 벽에 부딪히며, 만면이 푸르러 떨며 왈,

"요악한 년이 생각 밖에 삼겨 기다리지 않는 자식은 퍼뜨려 나의 근심을 삼고, 사부의 수고를 허비하느뇨? 현기 등은 수삼세(數三歲)[158]나 한 것이매 여환을 맡겨 죽였거니와, 이런 것이야 열인들 못 죽이랴."

이리 이르며 죽이기를 급히 하니, 해아가 처음은 크게 울더니 나중은 소리를 못하고 숨을 쉬지 못하여 거의 진할 듯한지라. 묘랑이 공주의 노를 멈추어 왈,

"빈도 차후는 정성과 힘을 다하여 갚으리니, 비록 사오 삭 유아인들 옥주 어찌 인명 처살(處殺)을 자임하리까? 여환을 주어 멀리 가져다가 물에 넣어라 함이 옳도소이다."

공주 아해를 놓고 묘랑의 팔을 어루만져 왈,

"사부는 나의 은인이라 범사에 가르침이 이 같아서 날로 하여금 백행이 온전한 사람이 되게 코자 하니 어찌 감사치 않으리오."

즉시 은자 일백 냥을 봉하여 여환을 상사하고 유아를 멀리 가져가 죽이라 하니, 여환이 최상궁더러 아해 근본을 물으니, 여환은 최씨 심복이라 의심치 않고 전후 곡절을 자세히 이른데, 여환이 아해를 받아 밖으로 나오며 생각하되,

"저 적 한관인이 양 공자와 소저를 구호하여 데려가고 나를 금은을 주어 이런 소문을 내지 말라 하던 것이니, 내 이제 아공자를 부질없이 죽이지 말고 한관인께 보내고 금은을 얻으리라."

가 고조의 애첩 척부인(戚夫人)을 팔다리를 자르고 눈을 뽑는 혹형을 가한 후, 측간에 처넣고 그녀를 지칭해 부르게 한 이름.

158) 수삼세(數三歲) : 두서너 살. 수삼(數三); 그 수량이 두서너 개임을 나타내는 말.

하여, 아해 머리를 싸매고 피를 씻으며 수족을 만져 아주 죽지 않았음을 다행하여 바삐 외루에 이르니, 이 날 한충이 궁에서 자는지라. 본디 잠이 적고 용기가 남달라 월야를 당하면 무거운 돌을 운전하여 힘을 시험하느라, 당차시(當此時) 하여는 정히 다른 궁노들이 다 잠들고 관인이 홀로 난간 밖에 앉았거늘, 여환이 나아가 귀에 대고 곡절을 해비(賅備)히 베푸니, 충이 경왈,

"아공자를 죽였다가는 네 살지 못하리니, 새벽을 기다려 내 집으로 데려 가려니와, 너의 헤아림이 심원(深遠)하여 불의를 멀리 하고 날더러 이르니, 차는 너의 식견이 심원함이라. 내 비록 궁곤하나 너의 어진 공을 크게 갚으리라."

원래 여환의 극악 흉패함이 못할 일이 없으되, 이미 현기 등을 죽이지 아니하고 일백냥 은을 받았으매, 무한한 욕심이 아공자를 마저 파라 금은을 취하려 하더니, 한충의 이르는 말이 이 같아서 '저의 공을 알아주마.' 하니, 만심 환열하여 흉한 눈을 끔적이며,

"범연한 원수 사이라도 사람을 간대로 못 죽이려든, 하물며 도위(都尉) 노야의 만금 귀공자 그 어떠하관데 한갓 옥주의 명령만 순수하여 인명을 처살하고, 수사난속(雖死難贖)[159]의 중죄를 지으리오. 차고로 아공자를 마저 관인에게 드려 기르시게 하나니, 관인은 후래에 일이 발각하여도 노야께 내 죄 없음을 고하소서."

한충이 언언이 점두 응낙하고, 평명(平明)에 아해를 여환의 품에 품겨 제 집에 돌아와, 그 처(妻) 양씨더러 공주의 사나움과 유아의 참참함을 일러 극진이 보호하여 사경(死境)을 면케 하라 하고, 여환을 금은필백(金銀疋帛)을 주어 욕심이 차도록 하니, 환이 사례하고 돌아가거늘, 충

---

159) 수사난속(雖死難贖) : 죽도록 갚아도 다 갚지 못함.

이 경씨의 유자를 자세히 보매 운기와 다름이 없어 기이하나, 참혹히 상한 거동이 차마 보지 못할지라. 한충과 양씨 유도(乳道) 풍족한 여자를 얻어 젖을 먹이고, 의치(醫治)를 극진히 하니, 유아의 상처 나아, 현기 등과 한가지로 한충의 집에서 기름이 되었더라.

여환이 공주께 아해 죽였음을 회주(回奏)하니, 공주 환열하여 언필칭(言畢稱) 충노(忠奴)라 하니, 뉘 도리어 죽은가 여기던 바 공자와 아소저가 한충의 집에서 자라남을 알리오. 공주 신묘랑 대접함을 조금도 산간 승니 같게 하지 않아, 사제(師弟)의 도를 다하여 한 탑(榻)[160]에서 잠자고, 한 상에 밥 먹음을 염(厭)치 않으니, 묘랑은 그 외람함을 알지 못하고 더욱 업신여겨, 희학(戱謔)하기를 평교(平交)같이 하며, 공주의 생산 길을 도모코자 하나, 병부 윤・양・이 삼부인이 절혼이이(絶婚離異)한 후는 발자취 궁문에 임하지 않아, 작위(作爲)하던 언소(言笑)와 화기(和氣)도 없으니, 어디로 좇아 자녀를 생산하리오. 공주 애달프고 통한함이 흉금에 맺혀 만일 생세에 정병부로 화락지 못하면 사후에 원혼이 되어 지하에서도 명목(瞑目)치 못 할 듯한지라.

무궁한 노분(怒忿)을 풀 곳이 없어 주야 가슴이 미어지는 듯, 병부의 풍채 기상이 안중에 삼삼하여 그리움이 미칠 듯할 적은, 상부 신혼성정(晨昏省定) 시에 그 얼굴을 본즉, 염치를 잃고 눈이 뚫어질듯이 바라보아, 반가운 듯, 노한 듯, 슬픈 듯, 애달은 듯, 모양하여 지향치 못하는 거동이 자연 중목에 보임이 되니, 금후 이따금 공주의 기색을 보고 한심통해하여, 다시 남후의 문양궁 왕래를 아는 체 아니하더라.

어시에 경부에서 유모 깨어 곁에 누었던 아해를 보려 한즉, 간 곳이 없으니, 혹자 부인이 소저 침소로 데려 간가 하여, 소저 침소의 이르러

160) 탑(榻) ; 길고 좁게 만든 평상. 여기서는 '침상(寢床)'을 말함.

아해를 찾은즉, 데려온 일이 없고, 야래지간(夜來之間)에 거처 없음을 실색 경악하여 당사(堂舍)를 두루 얻어 보라 하매, 합문(闔門)이 자연 소요하여, 여러 차환이 두루 당사마다 얻으나, 추풍의 낙엽과 대해의 평초(萍草)를 어데 가 얻으리오. 참정과 부인의 참절한 심사는 이르지도 말고, 소저의 놀라며 슬퍼함이 목전에 주검을 놓았음 같아서, 오열체읍(嗚咽涕泣)함을 마지않고, 경소저 차악비도(嗟愕悲悼)하여 식음을 물리쳐 자리에 일어나지 못하니, 공의 부부 잃은 손아도 아깝고 차악하거니와 오히려 목전에 시신을 놓지 않았으니, 혹자 천신이 보호함이 있을까 일분 믿음이 있으나, 소저의 과상(過傷)함을 더욱 절민하여 공과 부인이 친히 그릇을 들어 음식을 권하고 체루(涕淚)를 드리워 왈,

“유아를 잃음이 차악하나 오히려 죽음을 목전에 보지 않았으니 혹자 아무데나 가 살았음이 있을 듯하고, 제 작인이 비상하니 결단하여 강보(襁褓)[161]에 마치지 않을지라. 이 한갓 네 팔자 괴이함이 아니라 창백의 액회 무궁하여 삼처를 이이절혼(離異絶婚)하고 세 자녀를 먼저 잃었더니 또 유아를 마저 잃으니 전혀 정가 문운이 불행한 연고라. 너의 청춘 녹발이 쇠할 날이 멀었으니 한 자식을 잃은들 장래 몇 자녀를 둘 동 알리오. 모름지기 병을 이루지 말고 심사를 관회(寬懷)하라.“

소저 추연 타루 대왈,

“저적 정군이 자녀 세 아해를 일야지내(一夜之內)에 실리(失離)타 하거늘, 천고(千古) 대변으로 알되, 정군은 태연자약(泰然自若) 함을 괴이히 여겼더니, 이제 유아를 마저 잃으니 적은 화변이 아니라. 필연 간당이 소녀의 일생이 정군께 매었음을 알고, 먼저 유아를 없애고 버거 소녀

161) 강보(襁褓) : 포대기. 어린아이의 작은 이불. 덮고 깔거나 어린아이를 업을 때 쓴다. 여기서는 포대기 속에 감싸여 있는 때. 곧 ‘갓난아기 때’를 말함.

를 해하리니, 이 거의 짐작할 일이라. 사람의 화액은 임의로 못하려니와 원간 유아를 잃기와 소녀를 위태롭게 하기는 정군이 자주 왕래하는 탓이라. 이 말을 정군이 들으면 소녀의 사리 모름을 욕할 것이로되, 소녀 실로 애달프고 한심함을 이기지 못 하옵나니, 정군은 범사(凡事)에 요동이 없으니, 유아를 먼저 잃음을 들어도 놀라든 않으려니와, 소녀는 유아를 데리고 구가에 있다가 잃음과 달라, 우리 집에서 잃었으니, 저는 소녀의 무복(無福)함을 꾸짖으려니와, 아해 잃음을 취운산에 통하시고, 부모는 소녀를 위하여 과려치 마소서. 소녀 차라리 유아가 병들어 죽었으면 이다지도 놀라오리까마는, 일야지내에 후려 가는 요사(妖邪)가 있으니, 심한경해(心寒驚駭)162) 하옵나니, 윤・양의 화란이 소녀에게 멀지 않았음을 탄하나이다."

공의 부부 그리 여기고 여아를 위한 근심이 중하여 호언 관위하고, 경공이 일봉서(一封書)를 닦아 손아를 실리한 연유를 정병부에게 통하니라.

이때 정병부 친우 박신 형제 외임을 구하여 형주 자사와 영천 태수 되어 나감을 보고자, 별장(別章)과 주찬(酒饌)을 가져 박부에 나아가니, 박신 형제와 태학사 여숙과 시어사 화경은 평남후의 문필을 얻어 등과한 유(類)로되, 병부 조금도 사색치 않고, 여・박・화 사인이 자기 글로 등과함을 동기간도 이르지 않으니, 세상이 알 리 없더라. 여・박・화 사인이 감격하여 하더니, 이 날 제인으로 배작(杯酌)을 날려 종일 담화하다가, 분수하여 운산에 돌아오되 가장 취하였음으로, 감히 부전에 뵈지 못하여 사제 유흥으로 하여금 부친이 찾으시거든, 자사를 보라 갔다가 못 먹는 술을 두어 잔 마셔 취하였으므로, 감히 부전에 뵈옵지 못하고 황공하여 함을 아뢰라 하고, 심회 울울함을 인하여 소매를 떨치고 대

---

162) 심한경해(心寒驚駭) : 마음이 떨리고 놀람.

월누에 이르러, 제창을 불러 구희(九姬)를 좌우에 앉히고 친히 현금(玄琴)[163]을 농하여 자란 등 제창으로 노래를 불러 곡조를 맞추라 하니, 구창이 교태를 머금고 가성(歌聲)을 길게 빼 곡조를 맞추니, 요요(夭夭)한 염태(艶態)는 춘화(春花)가 웃는 것 같고, 청화아성(淸和雅聲)은 행운(行雲)을 머물게 하니, 남후 만사를 파락(擺落)[164]하고 구창(九娼)으로 병와(竝臥)하여 술을 거우르고, 현금(玄琴)을 농(弄)하여 호기 발양하니, 제창이 남후의 청천백일지상(青天白日之相)과 태산제월지풍(泰山霽月之風)을 우러러, 백년(百年)에 느꺼운[165] 정이 있어, 매양 이같이 열락치 못함을 애달아 하니, 윤태우의 유정자(有情者) 옥비・순월 등 십창(十娼)은 윤태우 심회 불호하여 일삭에 한 번도 즐길 적이 없으니, 현아 등을 부러워하나, 윤태우의 풍신용화를 사상하여 죽어도 타인은 섬길 뜻이 없더라.

차일 석반 시에 금후 제자를 거느려 태부인 앞에서 진식(進食)할새, 태부인이 남후의 없음을 물으니, 유흥이 형의 가르친 대로 대답하여 고한데, 금후 냉소 왈,

"천흥은 매양 못 먹는 술을 먹었노라 하니, 아예 시작치 말미 옳거늘, 주량(酒量)은 적다고 하며 취키는 그리 자주 하니 괴이한 일이로다."

태부인 왈,

"장부란 것이 일작불음(一酌不飮)이 불가하니 친우 회좌중(會座中) 주배를 거울러 취함이 무슨 허물됨이 있으리오."

금후 말을 않고 석반을 물린 후 외헌으로 나오더니, 서동 연학이 일봉

---

163) 현금(玄琴) : 거문고.
164) 파락(擺落) : 털어 없앰.
165) 느껍다 : 어떤 느낌이 마음에 북받쳐서 벅차다.

서를 손에 들고 후정 쪽으로 가거늘, 금후 명하여 서간을 가져오라 하니, 연학이 만면이 통홍(通紅)하여 아무리 할 줄 모르는 거동이라. 금후 문 왈,

"그 서간이 어디로서 뉘게 온 것이뇨?"

원래 경부 하리 참정의 서간을 가지고 취운산에 나오니, 남후 마침 나가고 없으므로 서동 연학을 맡기며, 이 서간을 다른 노야께 드리지 말고 평남후 노야께 드리라 하였으므로, 연학이 받아 제 집의 두었다가 남후 돌아온 후 즉시 드리고자 하나, 금후께 사후(伺候)함으로 틈을 얻지 못하였다가, 금후 내루(內樓)의 간 때를 타, 남후께 전하려 하나, 여러 곳 서실이 다 비어 아무도 없고, 남후의 있는 곳을 알지 못하다가, 노자 경필이 대월누에 가보라 하거늘, 후정으로 가다가 금후께 들킨바 되니, 경황함을 이기지 못하여 잠깐 꾸며 보고자 하여 대왈,

"자사 노야 남후 노야께 부친 서간이라 하더이다."

금후 경자사 서간으로 알아 학사를 명하여 서간을 달라 하여 보라 하니, 학사 연학의 가진 서간을 받아 손에 쥐고 부친을 모셔 청죽헌 방중에 들어가매, 금후 서동으로 촉을 켜고 경자사 서간을 읽으라 하니, 학사 봉서를 떼어 잠깐 본즉 경자사 서간이 아니요, 경공의 서찰이로되, 자기는 아득히 모르던 일이라. 분명이 백씨의 행사 능려하여 불고이취(不告而娶)[166]하여 생남(生男)까지 하였다가, 유아(乳兒)를 실리함인 줄 깨달아, 부친이 아시면 형의 몸에 죄책(罪責)이 중할까 두려, 경자사의 사어(私語)로 읽어 조금도 의심치 아니케 하고, 날이 어둡고자 함으로 멀리 앉아 읽으니, 수필(手筆)을 보지 않을까 함이라. 금후의 자상함이 범연한 사람과 같지 않은지라. 연학의 거동과 학사의 처음은 봉서를 떼

166) 불고이취(不告而娶) : 부모의 허락을 얻지 않고 장가를 듦.

어 보고 잠깐 지정이다가 읽으나, 몸을 굽혀 수필을 가림을 괴이히 여겨 학사더러 왈,

"경춘기 학문이 유여(裕餘)하고 필법이 당세에 일컫는 바라. 너의 형제 수필이 저에게 못함은 아니로되, 유흥의 글씨 아직 체격이 늘지 못하였으니, 유명한 서서(書書)를 많이 보게 함즉 한지라. 춘기 서간의 번화한 말이 없으리니, 서집(書集)에 붙여 유흥을 줄 것이라."

학사 대왈,

"하교 마땅하시나 양형(兩兄)의 필체 경자사를 묘시(藐視)하오리니, 어찌 구태여 그 서간을 주어 수필을 삼게 하리까? 거년에 경춘기 소자에게 병풍서(屛風書)를 환수하여 소자의 수필은 경부에 가고 춘기의 필획은 백형에게 있삽나니, 부디 그 자체를 본받고자 하시면 그 병풍서를 주어 본받으라 하시어이다."

금후 우왈,

"전일의 내 경춘기 수필을 보지 못하였으니 그 서간을 보고자 하노라."

학사 절민하여 고왈,

"이 서간이 하리배의 대서(代書)한 글씨요, 춘기의 서체 아닌가 싶으오니, 자세히 보시랴 하시면 이제 병풍서를 얻어내리이다."

금후 학사의 거동이 수상함을 더욱 의심하여 정색 왈,

"비록 하리 대필한 것이나 내 보고자 하거늘, 네 어찌 괴로이 막느뇨? 춘기 천흥으로 지심친우(知心親友)니 다사하여 대필하여 부쳐도 허물치 않으려니와, 긴급히 통할 말이 없고 예사 서찰을 구태여 남의 손을 빌어 바쁜 왕래에 보내지 않으리라."

학사 부공의 말씀이 이에 미치고 서간을 보시려 하시니, 차라리 처음에 바로 읽었던들 자기에게나 죄책이 없을 것을, 백형의 허물을 무사케 하고자 하다가, 자기 여러 가지로 기망한 죄를 면치 못하게 되었으니,

불승황민(不勝惶憫)하나 어디 가 칭탈(稱頉)[167]하리오. 학사의 능활함이나 말이 막히고 변색함을 깨닫지 못하여, 쌍수로 서간을 받들어 부전의 놓고 이석(離席) 청죄 왈,

"그 서중사어(書中辭語)가 괴이하여 해아 등도 알지 못하옵는 일이오매, 먼저 형더러 물어 곡절을 알고자 하여 옳은 대로 읽지 못하였사오니, 기망(欺罔)한 죄를 청하나이다."

금후 귀로 학사의 말을 들으며 눈으로 서간을 보니, 경공이 남후에게 부친 바로 작야에 손아를 실리(失離)하되, 구태여 도적이 들어 요란이 지저귄 일도 없고, 괴이한 짐승이 왕래한 일도 없이 부지거처(不知去處)하니, 여아의 참통비절함이 질(疾)을 이루게 되었음과, 남후의 액회 괴이하여 반년지내(半年之內)에 네 자식을 죽인 일 없이 실리(失離)함을 일컬어, 불행차악(不幸嗟愕)함을 탄하여 만편사의(滿篇辭意) 정의 지극한 옹서간(翁壻間)임을 불문가지(不問可知)라.

금후 견필(見畢)에 대로대분(大怒大憤)하여 봉안(鳳眼)이 둥글고 면색이 한숙(寒肅)하여, 춘양화기(春陽和氣) 변하여 추풍상설(秋風霜雪)이 되니, 미우에 묵묵한 노기 참엄(斬嚴)하여 견자로 하여금 불감앙시(不敢仰視)할지라. 이윽히 침음 정좌하여 묵연불어(默然不語)라. 예부와 공자들은 곡절을 모르고, 이윽히 부친의 엄렬하신 노기를 살펴 경황송구하되, 예부는 오히려 형의 불고이취(不告而娶)함을 거의 알았으므로, 일이 발각함을 짐작하되, 아질(兒姪) 마저 실리함은 알지 못하더라.

금후 태원전에 들어가 모부인의 취침(就寢)하심을 청하고, 혼정지례(昏定之禮)를 이룰 새 예부와 이공자는 부친을 모셔가고, 학사는 안연이 의관을 갖추어 혼정(昏定)에 참예치 못하여, 관영(冠纓)을 해탈(解脫)하

---

167) 칭탈(稱頉) : 무엇 때문이라고 핑계를 댐.

고 청죽헌 당하에 꿇었으나, 부공의 노기를 헤아리매 형의 몸에 죄책이 아무 지경에 미칠 줄 알지 못하여, 근심이 가득하더라.

금후 혼정을 파하고, 외헌의 돌아와 좌우 서동으로 하여금 평남후의 심복노자 등을 잡아오라 하여, 계하의 이르니, 금후 문 왈,

"천홍이 경참정의 동상(東床)이 어느 때에 되었으며, 어찌하여 동상이 되었느뇨? 내 이미 알았으니, 여등이 불초자(不肖子)를 일시도 떠나지 않고 따라다녔으니, 모르지 않을지라. 만일 바로 고치 않음이 있으면 즉각에 처참하여 설분(雪憤)하리라."

금후 침정단묵(沈靜端默)하여 과도히 노를 발할 적이 없으나, 금일 병부의 남사를 분완통해하여 분노가 격발하매, 늠름한 위풍이 석년에 안률도를 베던 기습이 돌아왔는지라. 노복이 황황송구하여 만신을 떨기를 이기지 못하고, 남후의 불고이취한 바를 이미 알고 묻는 바에, 은닉하였다가는 사죄를 면치 못하고, 남후에게도 유익치 않을지라. 경필이 먼저 부복 주왈,

"남후노야 경부인 취하심은 운남정벌 회환시(回還時)에 절강에 이르러 성혼하신 바거니와, 구혼세밀지사(求婚細密之事)는 소복(小僕) 등이 진실로 알지 못하옵나니, 이 밖에 죽어도 아뢸 말씀이 없나이다."

금후 우왈,

"경시 취한 밖에는 다른 남사가 없관데 몰라라 하는다? 소항주(蘇杭州)[168] 인읍(隣邑) 주현(州縣)이 창악(娼樂)으로써 그 마음을 즐기니, 창녀는 얼마나 실어 왔느뇨?"

제노(諸奴) 주왈,

168) 소항주(蘇杭州) : 중국의 도시인 소주(蘇州)와 항주(杭州)를 함께 이르는 말. 소주는 강소성(江蘇省)에, 항주는 절강성(浙江省)에 있다.

"노야 각읍에 한낱 창물(娼物)도 사후(伺候)케 않으시어 여악(女樂)을 물리치시니, 인인이 고집함을 이르던 바이오니, 어찌 창물을 실어오리까? 절강 고대랑이란 창기가 얻어 기른 여자 사인을 데려 오시니이다."

금후 듣는 말마다 어이없고 통완하나 제노를 물리치고, 필공자로 하여금 천흥이 어디 있는가 보고 오라 하니, 필흥이 수명하여 여러 당사와 진부 하부까지 가 찾되 없으니, 대월누에 있음은 알지 못하고 돌아와 보지 못함을 고하니, 금후 이미 한 끝을 들어 의심이 동하매 예부 등을 향하여 서헌에 있으라 하고, 친히 후정 화월누의 나아가니, 원래 대월누와 화월누가 마주 있어 대월누는 창녀의 무리 들었고, 화월누는 이따금 완경처(玩景處)니 화월누에 오르면 대월누를 굽어 볼 수 있는지라.

이때 남후는 주안(酒顔)이 방타(放惰)하고 희기(喜氣) 영농(玲瓏)하여 금현을 어루만져 곡조를 맞추며, 구창은 좌우에 벌여 천교아태(千嬌雅態)로 병부의 은애를 요구하니, 즐기는 흥이 바야흐로 높아, 명촉(明燭)이 휘황하나, 남후의 찬란한 광휘로 비컨대 촉영(燭影)이 쇠잔(衰殘)하고 망월(望月)이 천지를 통낭(通朗)[169]하나, 오히려 남후의 미려한 용화와 수앙(秀昻)한 골격을 미칠 길이 없으니, 당당한 상모와 준매(俊邁)한 거동이 영영발월(英英發越)[170]하여 그 풍류신채(風流身彩)를 우연한 남이 보아도 기특하며 아름다움을 이기지 못하려든, 하물며 천륜자애(天倫慈愛) 지극함으로써 두굿기고 기이함을 모르리오마는, 그 남활 방탕함이 전후의 부모를 기망하여 호주기색(好酒嗜色)이 남다르고 능려신기(凌厲神奇)함이 내외(內外)를 달리하며, 행지(行止)를 변하여 자기 면전에는 종용안서(從容安舒)[171]하며, 부인여자의 온중나약(穩重懦弱)함을

---

169) 통낭(通朗) : 두루 속속들이 비치어 환함.
170) 영영발월(英英發越) : 용모가 헌걸차고 빼어남.

가졌다가도, 자기 앞을 떠나면 방약무인(傍若無人)함이 이 같아서, 온가지로 자기를 속임이 되었으되 자기 능휼한 아자의 행사를 알지 못하여, 엄절히 금단(禁斷)치 못함을 애달아 할 뿐 아니라, 남후의 방자함이 범연(凡然)이 잡죄어서는 정도에 나아가미 어려움을 깨달아, 이윽히 서서 그 거동을 찰시하더니, 야심하매 남후 대취하여 졸음이 몽롱한 고로, 금현을 물리고, 인하여 그곳에서 현아의 무릎을 베고, 채란의 손을 잡고, 녹빙 명월로 다리를 두드리라 하며, 향매 녹영 세요 부용 비화 등 오창은 곁에 눕기를 명하여 유희 방탕하니, 금후 자기는 평생 단엄정대하여 여색을 멀리하며, 다만 조강결발(糟糠結髮)[172]로 진부인을 취하매, 부인의 숙뇨(淑窈)[173]함이 군자의 호구(好逑)라. 이른바 관저(關雎)[174]는 낙(樂)하되 음(淫)치 않으며 애(愛)하되 공경함이, 금후와 진부인 같은 이를 이름이라. 여러 세월에 부부 한 번 낯도 바꾼 일이 없이, 한 낱 소희도 둠이 없고, 부인께 은정이 온전할 따름이요, 선화(仙花)[175] 같은 미인을 보아도 유의하는 일이 없으므로, 남후가 여차한 거동을 보매 해연망측(駭然罔測)하여 자탄 왈,

"군자(君子) 비례물청(非禮勿聽)하고 비례물시(非禮勿視)라. 내 이제 탕자(蕩子)의 음황방일(淫荒放逸)한 거동을 오래 서서 보는 것이 욕되고 마음에 측하니[176] 돌아가리라."

하고 소매를 떨쳐 청죽헌에 이르니, 예부와 학사 등이 정히 부공을 기

---

171) 종용안서(從容安舒) : 마음이 차분하고 조용함.

172) 조강결발(糟糠結髮) : 고생을 함께 해온 아내와 관례(冠禮)를 행하고 처음 맞은 아내를 함께 이르는 말로, '본처(本妻)'를 비유적으로 표현한 말.

173) 숙뇨(淑窈) :행실이 맑고 정숙함.

174) 관저(關雎) : 『시경』〈주남(周南)〉 '관저(關雎)'장의 군자숙녀(君子淑女)를 말함.

175) 선화(仙花) : 봉선화(鳳仙花). 또는 선녀처럼 아름답고 꽃처럼 아리따운 미녀.

176) 측하다 : 언짢다. 거북하다. 마음이 어색하고 겸연쩍어 편하지 않다.

다리다가 연망이 하당영지(下堂迎之)하여 침전(寢殿)에 듦에, 금후 옷을 그르지 아니하고 죽침(竹枕)을 나와 광수(廣袖)로 면차(面遮)[177]하고 누우며, 분개한 소리로 탄 왈,

"욕자(辱子)의 흉음방탕(凶淫放蕩)함이 사람으로 하여금 차마 보지 못할 바니, 한갓 저의 무상함이 아니라, 으뜸은 나의 훈교(訓敎) 불엄한 연고요, 전혀 생휵(生慉)하기를 잘 못한 탓이라. 내 결단하여 욕자로 더불어 천륜의 정을 베어 가내에 용납지 않으리라."

예부와 공자 등이 부공의 말씀을 듣고, 백형을 위하여 자기 각각 몸에 죄를 지음 같아서 아무리 할 줄을 모르고, 금후 옷을 그르지 않음으로 예부 등이 감히 자지 못하여 부친 곁에 시좌(侍坐)하였으니, 반야(半夜) 되도록 금후 자리의 나아가지 않으니, 예부가 절민함을 이기지 못하여 취침하심을 나직이 청하되, 금후 들은체 아니하더니, 하야(夏夜) 심단(甚短)함으로 오래지 않아 효계(曉鷄) 창명(唱鳴)하니, 금후 비로소 일어나 관소하고 태원전에 신성(晨省)하려 하니, 평남후는 대월루에서 구창으로 열락하다가 계성을 듣고 의관을 수렴하여 먼저 청죽헌에 들어온즉, 당하에 학사 대죄하여 밤을 지낸 거동이라. 경악하여 학사 무슨 죄를 지었는가 하고, 자기 득죄한 연고로 저러한 줄을 모르고, 방중에 들어와 신성하고 야래(夜來) 존후를 묻자올 새, 온순한 낯빛은 춘양화기(春陽和氣)와 동일지애(冬日之愛)[178]를 겸하여, 나직이 조심하며, 지극단중(至極端重)하여, 유유도자(唯有道者)[179]의 풍(豊)이 있고, 작야 구

177) 면차(面遮) : 얼굴을 가림.

178) 동일지애(冬日之愛) : 겨울 햇살처럼 따뜻한 사랑.

179) 유유도자(唯有道者) : 천도(天道) 곧 '하늘의 도'를 갖춘 사람. 『노자(老子)』 77장에 나오는 말. 有餘者損之 不足者補之 天之道, 人之道則不然 損不足以奉有餘. 孰能有餘以奉天下 唯有道者.(하늘의 도는 여유가 있는 것을 덜어내어 부족

창으로 병와(竝臥)하여 탄금작가(彈琴作歌)하며 언소희학(言笑戱謔)이 낭자하여 호호방탕(浩浩放蕩)하던 바 없고, 부드러운 성음으로 인심을 눅이고 노를 풀 것이거늘, 눈을 옮기고자 뜻이 없고, 경근(敬謹)하는 예절로 가득한 것을 받들며, 황공한 사색(辭色)과 방탕한 기색이 없어, 석목(石木)을 요동할 것이로되, 금평후 강맹열일(强猛烈日)함이 자기를 사사(事事)에 속임을 통완하여, 문후(問候)하기를 당하여는 안색이 참엄(斬嚴)하여 뼈 시리고 마음이 떨려 동절(冬節)을 만남 같으니, 남후 불감앙시(不敢仰視)하나, 자기를 미온(未穩)하심을 모르고, 경황상심(驚惶喪心)하여 아무 연고인 줄을 알지 못하나, 본디 작죄(作罪)함이 많은 고로 좌와숙식간(坐臥宿食間)에 방하(放下)치 못 하던지라. 제제(諸弟)를 대하여 곡절이나 묻고자 하되, 부친이 들으심으로 감히 말을 못하고, 금후 의대를 수렴하여 태원전으로 향하매, 일시에 모셔 안흐로 들어오되 학사는 신성에 참예치 못하더라.

금후 태원전의 들어가 모친께 야래 체후를 묻자오니, 태부인이 일양 평안하여 작석과 같음을 일컫고, 진부인이 식부를 거느려 존당에 모였으니, 금후 태부인께 남후의 행사를 고하려 함으로 화기 자연 전자와 같지 못하여 사색이 불평하니, 태부인이 문 왈,

“근간 일기 엄열(嚴熱)하나 네 구태여 서열(暑熱)에 상치 않더니, 신기(神氣) 불안한가, 사색이 전일과 같지 못하뇨?”

금후 아픈 대 없음을 고하고, 태부인 식상을 드려 진식하신 후 금후 해의대(解衣帶)하고 중계(中階)의 내려 청죄하니, 병부 등이 일시의 당

한 것을 보충하는데, 사람의 도는 그렇지 않아서 부족한 데서 덜어 내어 여유가 있는 데에다 바친다. 누가 능히 여유가 있어서 천하를 받들 수 있겠는가? 오직 도(=하늘의 도)를 갖춘 사람일 뿐이다.

하의 내리고, 진부인과 이·양 등이 안연이 당상에 있지 못하여 계하의 내리니, 경색이 괴이한지라. 태부인이 경왈,

"너희 무슨 일이 있관데 이 거조를 하느뇨?"

금후 절하고, 고왈(告曰),

"소자 불초하오나 일찍 몸소 작죄함은 없사옵더니, 불초패자(不肖悖子) 천흥의 흉음무식(凶淫無識)함과 호주탐색(好酒貪色)하는 행실이 백사(百事)에 해연망측(駭然罔測)할 뿐 아니오라, 아비를 없는 것 같이 여기고, 잠깐 집을 떠나면 대사(大事)를 행하오되, 소자로써 잔암불명(殘暗不明)케 하옴이, 저 같은 난자(亂子)를 제어치 못하리라 하여, 천 가지로 속이며 만 가지로 업신여겨, 장차 집을 망할 것이요, 조선(祖先)에 욕이 멀지 않을지라. 제 이미 소자를 아비로 알지 아니하오니, 소자 저를 또한 자식으로 알지 아니하오리니, 소자 자위께 청죄하옴은, 천흥같은 욕자를 두어, 문호에 불행을 일으킴을 한심차악하여, 교자(教子) 못한 죄를 받잡고, 버거 욕자를 아주 부자윤의(父子倫義)를 베어 생사존망(生死存亡)을 모르고자 하나이다."

태부인이 대경변색(大驚變色) 왈,

"천흥이 무슨 대죄를 지었관데 너의 말이 이다지도 과도하뇨? 모름지기 죄의 경중곡직(輕重曲直)을 이르라."

금후 즉시 수중(袖中)[180]으로서 경공의 서간을 내어, 모친께 드려 왈,

"천흥이 운남을 정벌하고 돌아올 적 경참정의 여(女)를 불고이취(不告而娶)하고 사창(四娼)을 실어오니, 비록 남자의 풍류호신(風流豪身)이 변괴라 이르지 아니하오나, 원간 처첩 모으기도 곡절이 있사옵나니, 욕자는 출정시에 연기(年紀) 겨우 이팔(二八)이 넘었고, 윤·양·이 삼처

180) 수중(袖中) : 소매 가운데.

를 두어 저의 내사를 빛내고, 삼부 요조숙완(窈窕淑婉)이니 과람(過濫)한 아내라. 탐욕이 무상하여 또다시 잡 마음이 없을 것이거늘, 매사(每事) 과분함을 알지 못하고, 미녀성색을 모으고자 하여 경씨를 넷째 부실로 취하되, 인륜대사(人倫大事)를 제 임의로 결단하여 존당에 고치 아니하고, 소자더러 이르지 않아, 혼례를 이루고 경사의 올라와 다시 문양공주의 하가(下嫁)함을 당하니, 이미 경씨를 버리지 못할 지경에 은닉하온 거조가 더욱 불가하온지라. 저의 도리 소자더러 즉시 이르고 황상께 아뢰어 네 아내 있음을 주하는 것이 마땅하거늘, 한결같이 소자를 속이고 경가에서 옛집의 올라온 후, 거짓 경춘기를 찾아 보노라 하고, 또 관부(官府)의 감을 이름하며, 경씨와 구차히 화락하기를 요구하고 경가 동상이 된지 삼재(三載)에 자식을 낳아 오륙삭(五六朔)이 되도록 마침내 기망(欺罔)키를 위주하고, 수삼일전(數三日前) 천흥이 관부에 감을 일컫사옵거늘, 소자는 구태여 허언임을 알지 못하고 그리 여겼삽더니, 그날 마침 경참정을 보려 경부의 가온즉 천흥이 그곳에 있고, 경공의 곁에 한낱 유아가 뉘어있거늘, 보매 의형이 운기와 많이 같은지라. 소자 천흥의 자식임은 몽리에도 생각지 못하고, 남으로써 이상히 같음을 이르고, 천흥더러 마을[181]에 가지 않고 경부에 있음을 무르니, 욕자(辱子)가 흐르는 듯이 대답하여 아비 속임을 극한 능사로 알다가, 천흥의 음패무상(淫悖無狀)함을 천도 벌하여, 아비 모르게 취한 경씨 골육도 보전치 못하고 일야지간의 잃으니, 행실이 부정참측(不正僭仄)한 후는 신명의 미움을 받음이 괴이치 아니하거늘, 조금도 조심할 줄을 알지 못하고, 요음(妖淫)한 창녀로 유희방탕하며 음주단란(飮酒團欒)하는 거동을 차마 고치 못하올지라. 소자 전후에 저를 대하여 주색을 경계하옴이 한두 번이 아

---

181) 마을 : 관청(官廳). 관아(官衙).

니오되, 욕자가 아비 말을 홍모(鴻毛)같이 여기고, 범사를 제 뜻대로 자행자지(自行自止)하오니, 하물며 그 작녹(爵祿)과 병권(兵權)이 크게 태과(太過)하여, 타일 망신멸문지화(亡身滅門之禍)를 취하기 쉽고, 조선을 첨욕(添辱)할 아해라. 소자 당차시(當此時)하여 부자지의(父子之義)를 끊어 타일에 연좌(連坐)가 미치는 화를 피하려 하나이다."

태부인이 귀로 들으며 눈으로 경공의 서간을 보매, 남후의 남사를 어이없이 여기는 중, 유자를 마저 잃음을 알고 차석발비(嗟惜發悲)하여 함루(含淚) 왈,

"너는 천흥의 과실을 이르나, 경씨의 소생 유자를 잃음이 실로 이상코 괴이한 변이라. 천흥의 자궁(子宮)[182]이 머흚이[183] 괴이함을 노모는 우려하나니, 아해 연소하여 일시 삼가지 못하고 경씨를 불고이취함이 비록 그르나, 종용이 경계하는 것이 옳으니 어찌 과도한 말을 하느뇨?"

금후 부복 대왈,

"소자 자교(慈敎)를 거역함이 아니라, 천흥을 가내에 머무른 후는 소자의 비위로 참고 견디지 못할 뿐 아니라, 제 또한 소자를 아비로 아는 일이 없삽나니, 불초 패자는 아비 앞을 떠날수록 시원히 여길지라. 자위는 천흥 욕자를 성념(聖念)의 거리끼지 마시고 아예 없는 이로 아소서."

태부인이 예부로 하여금 금후의 의관을 주어 평신하라 하고, 이에 해유(解諭) 왈,

"천흥이 일시 호신으로 경씨를 취하고 너더러 즉시 이르지 못함은, 진실로 두려운 연고로 발설키를 난안(赧顔)하여 이르지 못하였고, 이왕지

---

182) 자궁(子宮) : 점술에서 쓰는 십이궁의 하나. 자손에 관한 운수를 점치는 별자리이다. 여기서는 자식의 운수를 말함.

183) 머흘다 : 험하고 사납다.

사(已往之事)요, 지금 유자(乳子)를 또 잃어 그 심사 차악하리니, 노모의 천흥 사랑함을 돌아보아 과도히 책하지 말라."

금후 대왈,

"소자 비록 천륜자애 지극하지 못하오나, 천흥이 한 일이나 가내에 용납하여 부자의 도를 온전히 하올 것 같으면, 어찌 자교를 거역하리까마는, 욕자를 가내의 두는 날은 자라는 제아를 다 못쓰게 만들 것이니, 소자 화를 취하오미 쉬울지라. 아주 부자윤의를 폐절하여 세상이 다 소자와 천흥으로 남같이 되었음을 알게 하고, 면목(面目)을 불상견(不相見)하여, 혹자 타일 욕자가 화를 봄이 있어도, 소자는 그 연좌를 받지 않으리니, 아비를 없는 것으로 알아 우습게 여기는 것이 곧 난자(亂子)니, 집의 난자와 나라에 역신(逆臣)을 치죄(治罪)하매 고하(高下)가 없을 것이오나, 자정이 패자를 과도히 편애하시는 바를 생각하여, 오직 부자지정을 끊고 제 뜻대로 자행케 하리이다."

태부인이 과도함을 이르되, 금후에 정심이 풀릴 길이 없어 재배 고 왈,

"욕자가 원간 소자를 아비로 알지 아니 하옵나니, 부자윤의는 끊을수록 깃거하오리니, 소자 또한 저를 자식으로 책망하올 일이 없사오니, 자위는 과려치 마소서."

인하여 외헌으로 나가니, 금후 평생 오늘날같이 태부인의 말씀을 우긴 적이 없으니, 대강 남후의 행지를 통완할 뿐 아니라, 아주 매몰박절(埋沒迫切)한 거조(擧措)를 보여, 남후로 하여금 부디 정도에 나아가게 하고자 함이라. 태부인도 금후의 뜻을 알아 다시 말을 않고, 남후는 자기 남사가 발각함을 놀라고 유자 실리함을 비로소 들으매, 차악(嗟愕)황공(惶恐)함을 이기지 못하더라.

금후의 처사 하여(何如)오. 차간하회(且看下回)하라.

ဆ

명주보월빙 권지사십삼

익설 정병부 자기 남사(濫事)각됨을 놀라고, 유자(乳子)마저 실리(失離)함을 비로소 들으매, 차악 황공하여 스스로 땅을 파고 들고 싶은지라. 아무리 할 줄 알지 못하고 오직 부공을 따라 나가매, 금후 청죽헌으로 가지 않아 매죽헌으로 가니, 원래 이곳은 청죽헌 뒤요, 손이 모이지 않아 공자 등이 수학(修學)하는 당이니 가장 그윽한지라. 예부와 이 공자 백형으로 더불어 매죽헌 당하에 대좌하매, 금후 서동을 명하여 분수(糞水)를 떠오라 하니, 서동이 즉시 분수 한 그릇을 받들어 앞에 놓은데, 금후 병부를 계하에 꿀리고 탄식하기를 오래 하다가 날호여 왈,

"금일은 너와 내가 부자지륜(父子之倫)을 끊어 남이 되는 날이라. 내 교자(敎子)함이 불명암약(不明暗弱)함이니, 너를 봄이 참괴한지라. 우리 부부 너 같은 불초(不肖) 패자(悖子)를 둔 줄을 애달아하나니, 요순지자(堯舜之子)도 불초하거니와, 너의 무상함은 전혀 나의 교훈치 못한 죄요, 네 모친의 태교 못한 죄라. 어찌 너를 낳은 부모가 벌을 받지 않으리오. 이러므로 자정께 청죄하되, 자정이 나의 죄를 다스리지 않으시니 마지못하여 스스로 벌수(罰水)를 마셔 훈자(訓子) 못한 죄를 속하고, 네 모친이 태교치 못한 죄로 고루(高樓)에 안거(安居)치 못하리라.

이에 사공자 유흥으로 하여금 부인께 전어 왈,

"우리 부부 결발대륜(結髮大倫)[184]으로 만나 화락한지 여러 십년이로

되, 일찍 희로(喜怒)를 요동한 일이 없고, 피차에 예경(禮敬)하더니, 이제 불초 난자(亂子) 천흥을 둔 연고로 중도에 화기(和氣) 손상하니, 생이 벌수(罰水)를 마시는 지경은 부인을 진부로 보낼 것이로되, 자정(慈庭)이 부인의 돌아감을 깃거 않으실 것이므로 출거(黜去)치 못하나, 부인의 도리 고루화각에 평상이 안거(安居)치 못하리니, 모름지기 자식 그릇 나은 죄로 소당(小堂)에 내리소서. 하라."

설파에 멀리 사당을 향하여 꿇어앉아 분수(糞水)를 마시려 하니, 이때 남후 황황 망극하여, 관영(冠纓)을 해탈(解脫)하여 죄수(罪囚)의 모양으로 계하(階下)의 부복하여 체읍애걸 왈,

"불초자의 무상한 죄과는 천사무석(千死無惜)이요, 만사유경(萬死猶輕)이니, 복망(伏望) 대인은 소자로 하여금 천일지하(天日之下)에 있게 하고자 하시거든, 엄히 장책(杖責)을 더하시고 이런 망극한 거조를 그치시어, 불초자(不肖子)의 죄를 더하지 마시면, 소자 비록 토목심장(土木心腸)이나, 금일 이후는 개과천선하여 명을 받들리니, 복원 대인은 벌수를 물리치소서."

금후 병부의 말을 못 듣는 듯, 묵묵히 노를 머금고, 정색단좌(正色單坐)하여 분즙(糞汁)을 마시랴 하니, 예부 또한 체루간걸(涕淚懇乞) 하나, 금후 듣지 아니하고 그릇을 들어 마시려 할 즈음에, 남후 죽기를 그음하고 나는 듯이 당상(堂上)에 치달아 부친이 들고 있는 분수를 앗아 스스로 마시고, 실성통읍 왈,

"불초를 당하에서 죽이셔도 죄를 속(贖)지 못할 것이거늘, 대인이 차

184) 결발대륜(結髮大倫) : 혼인대례(婚姻大禮). 혼인례는 결발을 하고 행하였던 데서 유래한 말. *결발(結髮); 예전에, 관례를 할 때, 또는 조혼으로 관례를 미쳐 행하지 못한 신랑 신부가 혼인례를 올릴 때 상투를 틀거나 쪽을 찌던 일. 또는 그렇게 한 머리

마 어찌 이런 망극한 거조를 하시나니까?"

공이 바야흐로 마시랴 할 즈음에 병부 급히 앗으니, 무심결에 놓아버리고 미처 말을 못하여서 남후 벌써 마시니, 그 냄새 심히 아니꼽되, 남후는 아무런 줄 모르고 천항누수(千行淚水) 옥면을 덮었으니, 그 창황하고 망극한 가운데 보암직한 풍채 더욱 헌앙(軒昂)하여, 출범(出凡)한 골격과 수려한 용모가 만고에 독보(獨步)할 신채(神彩)라. 공이 분노중(忿怒中)이나, 그 작인의 이상함을 그윽이 두굿기나, 분수(糞水)를 들이달아 앗음을 대로하여, 진목(瞋目) 질왈(叱曰),

"불초(不肖) 패자(悖子)가 아비를 업신여김이 갈수록 심하여 감히 내가 들고 있는 바를 우격[185]으로 앗으며, 짐짓 흉휼(凶譎)한 말로 나를 달래어, 스스로 삼세척동(三歲尺童)같이 여기니 어찌 더욱 통완치 않으리오. 금일 부자지륜(父子之倫)을 끊으매 완전히 혐극(嫌隙)을 품은 남과 같으리니, 천흥 패자가 이제란 다시 날더러 아비라 일컫지 말라. 오문(吾門)이 세대로 충신효제(忠信孝悌)하여 관인화홍(寬仁和弘)하여 비록 예의를 삼가는 가운데라도, 사람의 허물을 용납함을 부지런히 하는 바이니, 패자가 한 일이나 가내에 머무름직 하며, 일러 그칠 것 같으면 내 어찌 이러 하리요마는, 전후에 패자를 종용이 이르며 당부하여, 주색을 즐기지 말라 함이 몇 번인동[186] 알리오. 금일이라도 경공의 집에 가 남모르게 얻은 아내로 더불어 화락하며 무흠(無欠)히 즐길 것이니, 네가 만일 물러가지 않으면 내가 너 보는 데서 엎어져 네 마음을 쾌하게 하리라."

정언간(停言間)에 유흥이 나와 모친이 잠이(簪珥)[187]를 빼고 옥패(玉

---

185) 우격 : 억지로 우김.
186) -ㄴ동 : 어간 뒤에 붙어 '-지'의 뜻을 나타내는 어미.
187) 잠이(簪珥) : 비녀와 귀고리를 함께 이르는 말.

佩)를 끌러 소당(小堂)에 내리심을 고하고, 전어(傳語)로 회답 왈,

"첩이 무상(無狀)하여 고인의 태교를 법 받지 못하고, 천흥 같은 불초자를 두어 존문을 추락하며, 상공으로 분수(糞水)를 당하시게 하니, 이다 첩의 자식 그릇 낳은 죄라, 참안황공(慙顏惶恐)함이 욕사무지(欲死無地)로소이다."

하는지라. 남후 듣는 말마다 심담이 떨어지는 듯하여, 자기 출천성효 '그린 떡'[188]이 되고, 부모께 여차 심우를 끼치니, 바야흐로 추회(追悔)하나 어디 가 다시 부공의 노를 범하여 일언이나 하리오. 한갓 고두비읍(叩頭悲泣)할 뿐이러니, 금후 예부를 나아오라 하여 왈,

"천흥 패자가 나의 생전(生前)에 여차 패만포려(悖慢暴戾)하여 일분 기탄함이 없으니, 사후(死後)는 장난이 더욱 비경(非輕)할지라. 여부(汝父) 아직 쇠로(衰老)튼 않았거니와, 혹자 나의 죽은 후, 난자가(亂子) 나의 시신이 말이 없다 하여 발상분곡(發喪奔哭)함이 있어도, 나의 뜻을 아는 자는 패자를 내처 혼백이라도 놀랍지 아니케 하는 것이 효(孝)라. 패자가 만일 내 앞을 떠나지 않으면 내 스스로 피하여 저를 보지 말고자 하노라. 내 이미 부자의 정을 끊었거늘 여등이 형제지정(兄弟之情)을 두는 것이 어찌 옳으리오."

예부(禮部)가 중계에서 부복(仆伏) 청필(聽畢)에 누수여우(淚水如雨)하여 다만 부애자포(父愛慈哺)[189] 하시는 덕을 들이심을 청하나, 금후 불청하고 하리 복부를 명하여 남후의 등을 밀어내어 멀리 내치라 하고, 또 군관류(軍官類)를 불러 왈,

188) 그린 떡 : 그림의 떡. 아무리 소망해도 이룰 수 없거나 차지할 수 없는 경우를 이르는 말.

189) 부애자포(父愛慈哺) : 아버지는 사랑으로 어머니는 젖을 먹여 자식을 기름.

"천흥이 취운산 곡구(谷口) 내에 있으면, 그 붙여두는 자를 사죄를 내리리라.

영(令)하고, 학사를 잡아들여 꿇리고 수죄(數罪) 왈,

"네 비록 인면수심(人面獸心)이나 오히려 아비 눈이 멀지 않았으면 모르지 않으려든, 천흥의 흉음(凶淫)함을 은닉고자, 아비 속임을 못 미칠 듯이 하며, 말을 여러 가지로 하되, 경춘기 서간사를 경각에 지어내어 읽으니, 궁흉함이 천흥의 무상한 행실을 배울지라. 내 실로 자식 없는 사람이 되어 박복을 감수할지언정, 너희 패자는 살려 두고자 마음이 없으나, 골육상잔(骨肉相殘)이 인가의 대변이므로, 다만 부자지륜(父子之倫)을 끊어 천흥을 멀리 내쳤나니, 너를 마저 가내에 용납지 못할 것이로되, 양 식부 갓 들어와 사좌(四座)에 친한 이 없이 너를 가부(家夫)라 하여 의앙함을 생각하여, 약간 장책을 가해 경계하니, 차후 개심수행(改心修行)하여 아비 속임을 능사로 말라."

언필의 사예(司隷)[190]를 호령하여 학사를 결박하고 치기를 시작하니, 사십에 미치매 붉은 피 솟아나 깁 같은 가죽이 미어지나, 조금도 소리하며 들렘이[191] 없으니, 학사는 강맹함으로 일신을 부동하고 점루(點淚)를 머금지 않으나, 예부 차마 보지 못하여 부전에 사(赦)하심을 애걸하니, 금후 이에 학사를 사하고 연학을 잡아들여 말 꾸민 죄를 다스리고, 군관과 하리 수십인을 대월누에 보내어 남후의 유정(有情)한 구창(九娼)을 다 쫓고, 다시 대월누에 두면 사죄를 영(領)하리라[192] 하니, 현아 등

---

190) 사예(司隷) : 중국 주나라 때 추관(秋官; 조선시대 형조를 달리 이르던 말)에 소속된 관리. 여기서 사예(司隷)는 사대부가에서 형리(刑吏)의 역할을 맡은 노복(奴僕)을 일컫는 말로 쓰이고 있다.

191) 들레다 : 야단스럽게 떠들다.

192) 영(領)하다 : ①형벌 따위를 받다. ②종통 제사 따위를 이어받다.

구창이 불시에 난리를 만나 급히 대월누를 떠나되, 머리를 베어도 실절(失節) 개가(改嫁)치 않을 정심(貞心)이 철석같으니, 창물중(娼物中) 열녀(烈女)러라.

남후 부공의 급히 구축(驅逐)함을 당하여 감히 지류(遲留)치 못하고, 바삐 쫓겨 문을 나매, 황황망극한 심사 지향하여 이를 것이 없으니, 자기 일이나 부질없이 불고이취(不告而娶)하여 여차 난안(赧顔)한 변(變)을 만나니 뉘우치고 애다는[193] 한이 무궁하나 하릴없고, 부전(父前)에 정사를 고할 길이 없으니, 심장이 미여지는 듯하여, 아무 곳으로 갈 줄을 알지 못하는 중, 부친이 또 군관을 보내어 취운산 곡중에 머물지 못하게 하는지라. 봉안(鳳眼)에 천항누수(千行淚水) 여우(如雨)하여 왈,

"내 이제 부전(父前)에 내침을 받은 자식이 되어, 일신이 의지할 곳이 없을 뿐 아니라, 대인의 이르시는 말씀이 다시 면전에 용납하기를 바라지 못하리니, 인자가 어찌 차마 처실로 인하여 죄를 더해 부모 슬전(膝前)에 용납지 못하고 안연(晏然)이 살기를 취하리오. 차라리 한번 죽어 불효한 죄를 속하고 부끄러움을 잊음만 같지 못하도다."

하더니, 예부 잠깐 나와 형의 말을 듣고 처연(悽然) 수루(愁淚)하여 형장의 손을 잡고 왈,

"수원수구(誰怨誰仇)리오. 형장이 진실로 호신(豪身)의 해를 오늘날 깨달으시니, 전에 이 마음을 열에 하나를 두어 계시던들 어찌 엄전에 용납지 못하는 변을 보시리까? 다만 야야(爺爺) 형장의 개과정대(改過正大)하심을 바라시므로 과거(過擧)[194]를 하시나, 구태여 오래 내치시든 않으시리니, 형장은 심사를 안온(安穩)이 하시어 고요하시기를 취하시

193) 애달다 : 마음이 쓰여 속이 달아오르는 듯하게 되다.
194) 과거(過擧) : 정도에 지나친 거동.

고, 너무 초전(焦煎) 번뇌(煩惱)하여 성질(成疾)케 마소서."

남후 아우의 팔을 어루만져 읍왈(泣曰),

"대인이 우형의 죄를 다스리시매 마땅히 일백 장책을 가하시어 후일을 징계케 하심이 옳으시거늘, 스스로 벌수(罰水)를 잡으시며, 자정의 존중하신 체위를 일시에 낮추어 소당(小堂)에 내리시게 하니, 우형의 불초함이 만사무석(萬死無惜)이요, 천사유경(千死猶輕)이라. 사람이 부모께 효도를 이루지 못한들 부질없이 번화(繁華)를 즐기던 연고로, 불효가 이 지경에 미치니, 우형(愚兄)이 무슨 면목으로 천일지하(天日之下)[195] 에 서리오."

상서 형장을 재삼 위로하며 창졸에 갈 곳을 생각지 못하여, 취운산에서 십여 리를 더 들어가는 곳에 취벽산이란 뫼가 있고, 뫼 아래 정부 정자가(亭子) 있어 호(號) 왈 '별유정'이니, 금평후 부친 정소사가 풍경 유람하기를 즐기던 고로, 취벽산이 수묘(秀妙)함을 인하여 산하에 정자를 이루고, 과목(果木)을 심어 각각 여름[196]이 성함을 보더니, 소사(少師)[197]가 별세함으로부터 금후 선군의 유적을 차마 보지 못하여 근신한 노복으로 지켜 두고 절을 좇아 유람하더라. 남후 별유정에 나아가 있고자 하되 뜻을 알지 못하여, 예부를 대하여 왈,

"대인이 취운산 곡중에도 범치 못하리라 하시니, 내 감히 엄명을 역(逆)지 못할지라. 아무 곳에도 참괴한 낯을 들고 갈 뜻이 없을 뿐 아니라, 사람으로 상접할 곳을 구치 아니하나니, 별유정이 유벽하여 종일 지게를 열 일이 없을 것이로되, 선조부(先祖父)께서 지으신 정자에 안연이

195) 천일지하(天日之下) : 하늘의 광명정대하고 밝은 태양 아래.
196) 여름 : 열매.
197) 소사(少師) : 고려 시대에, 태자부(太子府)에 둔 종이품 벼슬.

들어가 있음을 야야 들으시면 깃거 않으실까 하노라.”

예부 위로 왈,

“대인이 분노하심이 과도하시어 형장으로 취운산에 머물지 말라 하시나, 진정으로 멀리 내치고자 않으시리니, 별유정에 가 머무시는 것을 구태여 대단히 막지 않으실지라. 원컨대 형장은 방심하여 별유정으로 가소서.”

남후 말을 하고자 하매 가슴이 막히고 안수(眼水) 앞을 가려, 이윽히 가슴을 어루만져 진정하여 모친께나 잠깐 뵈옵고 가고자 하되, 부친을 두려 다시 들어가지 못하고, 참황한 심사 촌할(寸割)하거늘, 금후는 연하여 하리 군관을 보내어, 남후를 아무 데로나 쉬이 가라 재촉이 성화 같으니, 인정이 조금도 없는지라. 남후 하릴없어 군관청(軍官廳)에서 정당(正堂)을 바라 재배 하직하고 별유정으로 갈새, 태부인도 금후의 노기를 막지 못하여 남후를 가내에 머무르지 못하니, 기여(其餘)를 의논하리오. 진부인은 남후가 어느 곳으로 가는 줄도 알지 못하여, 양찬(糧饌)도 내어주지 않으니, 남후 조모와 모친께도 하직하지 못함을 더욱 슬퍼, 별유정으로 감을 예부더러 고하라 하고, 겨우 슬픔을 진정하고 말에 올라 취벽산 별유정의 이르니, 유정(樓亭) 노복과 시녀 등이 장상공(長相公)의 옴을 보고, 진동하여 방사를 쇄소하고 채석(彩席)을 펴거늘, 남후 친히 낮은 당사를 가려 두어 잎 초석에 관영(冠纓)을 해탈하여 한번 누우매, 서동으로 지게를 닫으라 하여 종일토록 옥면 화용에 흐르는 것이 안수(眼水)라. 일기 극열(極熱)하여 사람으로 하여금 견디지 못할 것이로되, 지게를 닫고 고요히 누었으나 더운 줄을 알지 못하고, 자기 행사를 뉘우치며 애달아[198], 번화(繁華) 성색(聲色)을 너무 즐기다가 부전에 내

198) 애달다 : 마음이 쓰여 속이 달아오르는 듯하게 되다.

침을 받은 자식이 되어, 사(赦)하실 기약을 정치 못하니, 당차시 하여는 처실과 자녀에게 염려 미치지 않아, 가득이 바라는 것이 부친의 사명이 쉬이 내리기를 원하나 능히 미치지 못할지라. 혼자말로 탄식 왈,

"대인이 이리 아니하시고 내 몸에 일백 장책을 가하시면, 상쾌하고 시원함이 천상에나 오르는 듯할 것이로되, 장책을 가하시지 않으시고, 이렇듯 내치시는 것은 결단코 쉬이 사(赦)치 않으실지라. 일일지내에도 존당 부모를 상리(相離)하는 정이 이러하거늘, 혹자 오래 사(赦)치 않으시면 내 반드시 초전(焦煎) 번뇌(煩惱)하여 죽으리로다."

이렇듯 장탄단우(長歎慱憂)[199]하여 비루(悲淚) 광수(廣袖)를 적시고, 후간(喉間)[200]이 다 타 마르는 듯하니, 정히 차를 구코자 하더니, 예부 밖에 이르러 지게를 열나 하니, 남후 그 사이나 반갑기 극하며 슬픔이 더욱 무궁하여 서동으로 하여금 지게를 열어, 예부가 들어오매 남후는 존당 부모의 일일지간 존후를 물으며 눈물이 하수(河水) 같고, 모친이 그저 소당의 계신가 물으니, 예부 대왈, '모친은 아직 그저 소당에 계시어, 정침에 들지 못하시고 존당 부모의 체후는 일양(一樣)이심을' 대하고, 형의 의용이 일일지내의 환탈하여 양안(兩眼)이 붓고, 주순(朱脣)이 다 타 마르기에 미쳤으니, 거동이 망극지변을 당한 사람 같으며, 능히 슬픔을 금치 못하니, 이같이 초전(焦煎)하기를 일순만 하면, 결단하여 중한 질양(疾恙)을 이룰 것이요, 그 처소가 옹색하여 팔척장신(八尺長身)이 용신(容身)키 어렵고, 일기는 찌는 듯 훈열(薰熱)[201]하니, 능히 견디지 못할지라. 예부 서동을 돌아보아 남후의 조석 식반을 나오신가

---

199) 장탄단우(長歎慱憂) : 길이 탄식하고 몹시 근심함.
200) 후간(喉間) : 목구멍.
201) 훈열(薰熱) : 날씨가 찌는 듯이 무더움.

물으니, 물도 아니 진음하심을 고하는지라. 예부 대경하여 식상(食床)을 가져오라 하여, 남후의 앞에 놓고 권하며 왈,

"대인이 일시 분노하시어 형장을 비록 면전에 용납지 않으시나, 불과 형장이 호일방탕(豪逸放蕩)[202]한 품[203]을 버리고 온중 정대하기를 기다려 부르고자 하심이니, 형장이 엄의를 아시리니 번뇌하기를 이같이 하여, 천금지신(千金之身)을 상하심을 생각지 못하시며, 종일 한 그릇 물도 마시지 않으시니까? 결단하여 보전하소서. 이러한즉 평일의 관대하시던 도량이 아니라. 모름지기 식반을 나오시고 회포를 널리 하시어 엄정의 사(赦)하심을 기다리소서."

남후 비읍 왈,

"우형이 생세지후(生世之後)의 부귀를 띠어 근심과 슬픔을 알지 못하던 바라. 성정이 숙녀 미색에 침닉고자 하는 것은 아니로되, 옛 일을 의논하여도, 문왕(文王)이 성군(聖君)이시되, 태사(太姒) 같은 숙녀를 두시고, 삼천 후비(后妃)를 거느려 일백 자식을 낳으시니, 남자의 호신취색(豪身取色)은 예사로 알아, 칠 부인과 십이 금차(金釵)[204]를 갖추고자 뜻이요, 대인을 두려워하지 않음이 아니로되, 경공의 간청함을 좇아 스스로 불고이취(不告而娶)함이러니, 이제 엄하(嚴下)에 용납지 못할 뿐 아니라, 내 일이 다 애달고 뉘우침이 무궁하되, 엄하에 사무칠 길이 없으니, 어느 시절에 사명을 얻으리오. 대인이 분수를 나오려 하시던 바와, 자정이 소당의 파천(播遷)[205] 하시는 바를 생각건대 심정이 끊는

---

202) 호일방탕(豪逸放蕩) : 사소한 일에 매임이 없이 호방하고, 주색잡기에 빠져 행실이 좋지 못함.

203) 품 : 품. 품새. 행동이나 말씨에서 들어나는 태도나 됨됨이.

204) 금차(金釵) : ①금비녀. ②첩(妾)을 달리 이르는 말.

205) 파천(播遷) : 임금이 도성을 떠나 다른 곳으로 피란하던 일.

듯하니, 비록 식반을 나오고자 하나 가슴이 막히고 목이 메여 먹고 살고자 의사 있으리오."

언파에 차를 들어 마시고, 식상을 앗으라 하니, 예부 민박(憫迫)함을 이기지 못하여, 시녀 등으로 하여금 한 그릇 미죽(糜粥)을 가져오라 하여 권하여 왈,

"식반이 가슴의 쌓이시거든 죽음(粥飮)을 마셔 기아를 면하심이 옳으니, 어찌 이다지도 조급히 구시나이까?"

남후 마지못하여 죽음을 마시고 시녀더러 왈,

"차후 나의 식상에 여러 가지 찬선을 벌이지[206] 말고, 낮은 상에 다만 두어 그릇을 넘기지 말라."

시녀 수명하고 물러난 후, 남후 예부로 더불어 슬픈 말과 뉘우치는 탄(歎)을 이르며, 비회를 천만 관억하여 눈물을 거두고 잠을 이루고자 하나, 반점 졸음이 없어 장일장야(長日長夜)에 망극비황(罔極悲惶)함을 형상치 못하니, 처실과 자녀에게는 한 조각 염려 가지 않는지라. 다만 눅여, 왈,

"대인이 다만 나의 불효 무상한 죄를 다스리시고 쉬이 안전에 시봉케 하시어, 생래(生來)에 여관(女款)을 원거하고, 산간에 행실 닦는 고승 같이 하라 하셔도, 내 족히 명령을 준봉할 것이로되, 우형의 광망무식(狂妄無識)함을 통원(痛寃)하시매, 이런 말씀을 믿으실 길이 없으니, 우형이 만일 여러 해를 부모께 뵈옵지 못하고 엄노(嚴怒)가 한결같으시면, 실성발광(失性發狂)하여 도로에 질주(疾走)하는 거조(擧措) 있으리로다."

예부 문득 안색을 정히 하고, 가로되,

---

206) 벌이다 : 차리다. 여러 가지 물건을 늘어놓다. 일을 계획하여 시작하거나 펼쳐 놓다.

"고어의 자식을 기르매 부모의 은혜를 안다 하니, 형장은 아직 연기 이십이 차지 못하시고, 현기 등을 다 잃으시니 도리어 어이없어 천륜의 정을 깨닫지 못하시거니와, 연이나 현기 등을 귀중하심이 심상치 않으시던 바라. 대인이 우리 형제를 자애하시매 지극히 경계하시어, 타류(他流)에서 각별이 낫게 하고자 하시며, 행신(行身) 만사에 무흠코자 바라시는 정이 자별하신지라. 형장이 부모의 장자로 누대봉사(累代奉祀)를 영(領)하시고, 천금 중탁(重託)이 한 몸에 온전하니, 일가의 우러름과 부모의 취중교애(取重嬌愛)가 그 어떠하니까마는, 형장이 아시로부터 엄훈을 지키지 못하시어, 입장 전에 대월누에 왕래하여 요괴로운 창녀 등을 유정하시고, 한번 운남 정벌로 집을 떠나시매, 용루(龍樓)에 조회하시고 친당(親堂)에 봉배(奉拜)하며, 제제(諸弟)로 더불어 광금(廣衾) 장침(長枕)에 힐항(頡頏)[207]하던 정의를 생각하심이, 시각이 바빠하는 것이 마땅하시거늘, 입공승전(立功勝戰)하여 즐거이 돌아오시는 행거를 늦추시어, 경수(嫂)를 불고이취하시니, 형장이 그 때 가실이 없는 이와 달라, 윤·양·이 삼수를 두시며 덕행이 요조하심과 부덕의 초출하심이 진정 숙녀시니, 문왕(文王)의 태사(太姒)를 부러워하실 바 아니라. 지어(至於)[208] 색광(色光)이란 것은 말기여사(末技餘事)요, 홍안(紅顔)의 해(害)를 취하니 가장 불관(不關)하거니와, 윤수의 일월명광과 양수의 화월지태(花月之態) 만고에 무비(無比)하시니, 아무리 생각하여도 부족한 일이 없을 것이거늘, 형장이 삼위 숙완을 오히려 나삐 여기사, 경수를 불고이취하시니, 형장은 호화지사를 구하시므로 신상에 허물됨을 깨닫

---

207) 힐항(頡頏) : '새가 날면서 오르락내리락 함'을 뜻하는 말로 형제간에 우애하며 지내는 모양을 이르는 말.

208) 지어(至於) : 심지어. 더욱 심하다 못하여 나중에는.

지 못하여 계시거니와, 사람으로 하여금 형장의 행사를 듣게 하면, 사람마다 해연하고 괴이히 여길 바는 인륜대사(人倫大事)[209]를 자전(自專)하심이라. 경공과 천유가 형장의 풍채 문장과 재주 덕행을 과혹하여 혼사를 이뤘으나, 대인의 훈교(訓敎)도 엄(掩)[210]치 못하심을 웃을 것이니, 형장이 진실로 큰 허물을 지어 계신지라. 일이 발각하매 대인이 한 조각 정리를 돌아보지 않으시어, 형장을 영영토록 내치시며 자정을 소당에 내리시게 하심은 분노를 이기지 못하신 연고거니와, 기실은 형장으로 하여금 부모께 내침을 받아 충천장기(衝天壯氣)를 줄어지게 하시며, 발양하신 마음으로써 고요한 것을 바꾸게 하시고, 안정한 처소에 머물러 허물을 깨닫고, 여악(女樂)을 멀리하여 창기란 것이 군자 행실에 유해함을 아시게 하고자 하심이니, 초전 번뇌하여 죽으라 하신 명이 없고 광분 질주하라 하신 일이 아니라. 개과 자책하시어 성인군자가 되게 하고자 하심이니, 형장의 부모를 이측하신 심사로써, 처음으로 대인이 형장을 버리시고 훌연(欻然)[211]이 못 잊으시는 정을 이미 헤아리실지라. 형장의 도리, 지난 일을 뉘우치고 새로 수행섭신(修行攝身)[212]하시어 이렇듯이 과격히 굴지 마소서."

병부 아이[213]의 말을 고요히 듣기를 다하매, 석연(釋然)히 일어나 앉아 돈연(頓然)히[214] 낯빛을 고치고, 예부의 손을 잡아 탄지칭선(歎之稱

---

209) 인륜대사(人倫大事) : 사람이 살아가면서 치르게 되는 큰 행사. 혼인이나 장례 따위를 이른다.

210) 엄(掩) : 가리어 숨김.

211) 훌연(欻然) : ①갑작스러움. ②갑작스럽게 떠나거나 어떤 일이 일어나, 다하지 못한 일로, 마음속에 어딘지 섭섭하거나 허전한 구석이 있음.

212) 수행섭신(修行攝身) : 행실을 닦고 몸이 병들지 않도록 건강을 잘 관리함.

213) 아이 : 아우.

214) 돈연(頓然)히 : ①조금도 돌아봄이 없게. ②어찌할 겨를도 없이 급하게

善) 왈,

"선재(善哉)라 내 아이여 효의 출천함과 의논의 명성(明聖)함이 이 같으니, 우형이 비록 불인무상(不仁無狀)이나, 위로 엄훈을 받들고 아래로 현제 정대히 규간(規諫)[215]함을 인하여, 무행불의(無行不義)를 면할까 바라는 바라. 이 말씀을 엄정께 아뢰지 못하고, 사명(赦命)이 아무 제[216] 내릴 줄 알지 못하니 창황한 회포를 기억하기 어렵도다."

예부 재삼 위로하고 종야토록 형제 담론(談論)하다가, 원촌(遠村)에 계성이 들리는지라. 예부 일어나 부중으로 돌아올 새 병부를 위로 왈,

"소제 돌아가 태모께 형장의 정사를 고하여, 엄노(嚴怒)를 돌려 쉬이 사(赦)하시기를 도모하리니, 형장은 식음을 때에 나오시고 울울한 회포를 참으소서."

병부 척연 함루(含淚) 왈,

"대인의 성정이 스스로 푸시기 전에, 권간(勸諫)[217]으로 좇아 우형을 사하시면, 십년이 다 가도 통한함을 이기지 못하시리니, 현제 부질없이 우형의 말씀을 아뢰지 말고, 대모께도 고치 말지어다."

예부 대왈,

"소제 암용(暗庸)하오나 엄의를 알지 못하고 형장의 말씀을 간대로 않으리니, 형장은 염려치 마소서."

병부 탄식하고 예부로 더불어 잠깐 밖에 나와 취운산을 향하여 부모 존당에 신성지례(晨省之禮)를 집에서 모심같이 하고, 즉시 들어와 지게를 닫고 누우니, 예부 형을 떠나 본부로 돌아오매 벌써 홍일(紅日)이 부

---

215) 규간(規諫) : 옳은 도리나 이치로써 웃어른이나 왕의 잘못을 고치도록 말함.
216) 제 : 때에. '적에'가 줄어든 말.
217) 권간(勸諫) : 간언(諫言). 웃어른이나 임금에게 옳지 못하거나 잘못된 일을 고치도록 말함.

상(扶桑)에 오르고자 하더라.

금후 병부를 내치고 내당(內堂)에 들어와 태부인 상하(床下)에 꿇어, 낯빛을 화히 하며 소리를 부드러이 하여, 고왈,

"소자 천아를 미워 내침이 아니오라, 그 위인의 남활(濫闊)하고 방자함이 나날이 더하니, 범연한 장책으로는 정도(正道)에 돌아가게 하옴이 어렵사온지라. 짐짓 부자의 윤의(倫義)를 베어 아주 내치는 듯이 하였사오니, 천애 본디 총명하온지라 저도 괴롭고 난안한 경계를 당하와, 호신(豪身)이 부질없음을 깨닫기를 시작하온 후는, 또한 남에서 나음이 있사오리니, 복망(伏望) 자위(慈闈)는 사정을 참으시어 삼사 삭 버려두어 천아로 하여금 정도에 나아가게 하소서."

태부인이 남후를 멀리 내침을 결연하나, 아자의 말이 그르지 않고, 남후의 남활 방자함이 그리 않아서는 제어치 못할 줄 알아, 잠소(潛笑) 왈,

"천아의 현효(賢孝)함이 과거(過擧)를 행치 아녀도 깨달음이 있을 것이오. 아시로부터 너를 두려워하기는 예사 사람의 부형 두리기로 비할 바 아니거늘, 영영이 취운산 근처에도 못 있게 함이 어찌 박절치 않으리오."

금후 또한 함소(含笑)러니, 차일 석식 후에 예부 부전에 나아가 명일 돌아옴을 고한대, 감히 형을 보고 옴을 아뢰지 못하나 금후 거의 짐작하고 허하였더니, 명일 신성에 미쳐 돌아오지 못하니, 태부인이 병부를 생각고 불승민울(不勝悶鬱)하매, 예부의 나간 곳을 물으니, 금후 병부의 간 곳을 몰라 정히 궁금히 여기나, 구태여 물음이 없더니, 비로소 알고 예부의 돌아오기를 기다려 정색 왈,

"별유정은 선인(先人)의 유완하시던 곳이니 욕자의 더러운 자취 감히 머물지 못할 곳이거늘, 천흥은 인사를 몰라 가려고 할지라도, 네 반드시 가지 못할 줄로 이름이 옳거늘 그 어찌된 일이뇨?"

예부 부복 대왈,

"형이 아무 데도 갈 곳이 없어 마지못하여 별유정으로 가시나, 감히 왕부의 거처하시던 당사의 머물지 못하여, 전일 시목(柴木) 넣던 일간 누처(陋處)에 있사와 석고대죄(席藁待罪)[218] 하옵나니, 이곳이라도 떠나라 하시면 형이 어찌 엄명을 거역하리까?"

금후 정색 무언이요, 태부인 왈,

"천흥이 별유정 너른 당사를 버리고 누일(累日)[219] 그렇듯 대죄함이 있으면 반드시 병이 날지라. 어찌 염려롭지 않으리오. 노모 저에게 글월을 부쳐 너른 처소에 옮으라 하리니, 너는 어찌 별유정도 못 있게 하느뇨?"

금후 고왈,

"천흥과 소자가 부자윤의를 끊으매 남이나 다르지 아니하오니, 제 어찌 선인의 지으신 정자에 있으리까?"

태부인이 이심(已甚)함을[220] 이르고, 남후에게 글월을 부치려 하더니, 금후 간하여 서찰을 보내지 마소서 하고, 다시 병부의 말을 않으며, 그 거처를 아른 체함이 없으니, 남후 별유정 소당을 떠나지 아니하고, 예부와 공자 등이 틈을 얻으면 왕래하되, 학사 부전에 수장하고 금후 또한 별유정에 가지 못하게 하니, 학사 장책의 아픔은 적은 일이로되, 백형을 가보지 못함과 모친이 소당에 처하심을 절박히 여겨, 일일은 가만히 조모를 촉하며, '모친을 정침으로 돌아 보내소서.' 하니, 태부인은 진부인이 소당에 내림을 모르던 바라. 가장 놀라 금후를 불러 진부인을 소당에 곤케 함이 가치 않음을 책하고, 바삐 정침으로 돌아 보내라 하니, 금후 소이대왈(笑而對曰),

---

218) 석고대죄(席藁待罪) : 거적을 깔고 엎드려서 임금의 처분이나 명령을 기다리던 일.
219) 누일(累日) : 연일(連日). 여러 날을 계속하여.
220) 이심(已甚)하다 : 지나치게 심하다.

"저를 소당에 내리게 하옴은 그 자식 잘못 낳은 허물을 속고자 하옴이러니, 자교 이 같으시니 금일로부터 정침으로 돌아가라 하사이다."

이에 예부를 불러 왈,

"태임(太姙)[221]이 태교하매 문왕(文王)이 나시며, 맹모(孟母) 태교하여 맹자(孟子)를 낳으시니, 자식의 현불초(賢不肖)는 그 어미 십 삭 태교에 많이 닮음이 있거늘, 천흥의 무상함이 오문에는 없는 것이라, 내 스스로 벌수(罰水)를 마셔 가르치지 못한 허물을 속고자 하더니, 욕자가 앗아 마시나, 네 모친이 태교 못함을 절절이 애달아 소당에 내리게 하였더니, 자정이 책하시매 성려를 끼치옵지 않으려, 네 모친을 정침으로 오르게 하려니와, 이런 말을 천흥 욕자가 들으면 더욱 양양하리니, 모름지기 부질없이 전치 말고 일양 소당에 있음을 알게 하라."

예부 재배 수명하고 물러나 모친께 정침으로 들으심을 청하니, 진부인이 소당에 있은지 삼일에, 이·양 등 양부(兩婦) 일시도 떠나지 않으며, 가중 경색이 황황함을 이기지 못하나, 부인이 또한 소당에 내려 시녀 등을 당부하여 이런 말씀을 태부인께 고치 말라 하더니, 문득 태부인이 아심이 되어 금후 정침으로 돌아감을 허하매, 예부와 학사 이공자로 더불어 경사를 만남같이 기쁨이 비할 곳이 없어함을 보고, 도리어 탄식하고 미우를 찡겨 왈,

"네 어미 박덕누질(薄德陋質)로 성문에 입승하여 존고의 무애하심을 받자와 큰 죄를 지은 바 없고, 너의 대인이 예대(禮待)하여 불평한 사색을 보지 못하였더니, 자식을 태교치 못한 연고로 연기(年紀) 사순(四旬)을 넘고, 미세하나 인인이 체위 존중함을 이르거늘, 일간 소당에 천루

---

221) 태임(太姙) : 중국 주(周)나라 문왕(文王)의 어머니. 부덕(婦德)이 높아 며느리 태사(太姒: 문왕의 비)와 함께 성녀(聖女)로 추앙된다.

(賤陋)히 곤하니 위인자(爲人子)하여 효도를 이루지 못한들, 이같이 불효함이 어찌 있으리오. 여등이 이 일로 징계하여 엄훈을 거스르지 말고 천아의 내치임을 효칙치 말지어다. 나의 염려하는 바는 세흥이라. 과급(過急)하며 무식함은 천흥에게 세 번 지나니, 날로 하여금 소당에 다시 곤하는 욕을 보게 할 아해라. 어찌 근심됨이 없으리오."

예부 낯빛을 화히 하여 모친을 위로 왈,

"소자 등이 불초하여 자위의 희열하실 바를 이루지 못하옵고, 엄훈을 지키지 못하여 형의 남사가 있사오나, 형의 위인이 당세에 독보할 영준이라. 호화에 떠 그릇 일시 삼가지 못함이 있사오나, 문호를 흥기하며 부모께 대효를 빛내리니, 소자 등 다섯 사람에 형이 으뜸이 되리니, 자정은 염려치 마시고, 또 세제(弟)의 인물이 단중키를 벗어나오나, 제 또 사람이라. 엄교의 명성하심을 조석에 듣자오니, 자연 정도에 나아가오리니, 아직 다다르지 않은 일로써 근심을 삼지 마소서."

부인이 탄식 무언이요, 학사 웃고 왈,

"소자는 나이 오륙세 넘음으로부터 엄전의 증분(憎憤)하시는 자식이 되어, 시노(侍奴) 하리(下吏) 등에도 소자처럼 자주 수장(受杖)한 이는 없을지라. 일신이 석목(石木)이 아니라, 매양 혈육이 성할 때 없고, 장흔(杖痕)이 몸에 허물지기를 면치 못하니, 이다지 하신 후 자정이 소자로 인하여 괴로우실 바는 없사오리니, 부질없이 염려치 마소서."

부인이 정색 책왈,

"너는 불초하여 부모지심(父母之心)을 알지 못하고 부형의 엄숙함을 원(怨)하거니와, 천륜자애(天倫慈愛)는 인지상정(人之常情)이라. 하물며 너의 대인이 하천(下賤) 삼척동(三尺童)에게도 매몰하고 엄절한 거조가 없어, 인자(仁慈) 화홍(和弘)키를 위주하니, 자식된 자가 일분이나 그 교훈을 받들진대, 무슨 미움이 있어 혈육이 상하는 중장을 가하리오. 내

실로 고인의 태교를 효칙지 못하고 이 같은 불초한 자식이 맑은 가풍을 추락할까 두려워하노라."

예부 이어 꾸짖어 왈,

"제 행실의 무상함은 알지 못하고 대인이 장책하심을 그윽이 원망하니, 불초 광망함이 짝이 없는지라. 네 비록 형장의 허물이 드러남을 민박하나, 엄전에 기망함도 곡절이 있으니, 너는 서간을 지어내 좋이 읽다가 일이 발각하매, 책죄(責罪)하심을 한하니, 아지못게라![222] 경공의 서간으로써 경천유의 서찰인 듯이 지어 읽음이, 형장께 무엇이 유익함이 있으며, 네 몸에도 무슨 일이 나은 것이 있더뇨?"

학사 낯빛을 고쳐 모친과 중시(仲氏)에게 사죄 왈,

"소자 비록 불초 무상하오나 어찌 엄정에 수장함을 원망할 자식이리까마는, 우연이 말씀을 삼가지 못함이라. 차후 경심계지(警心戒之)하여 다시 작죄함이 없사오리니, 금번 경공의 서간을 처음 바른대로 읽지 못함은, 백씨의 몸에 죄책이 급함을 근심하옴이러니, 대인이 부디 그 서간을 친히 보시어 백씨의 남사를 발각하고 소자의 기망한 죄 나타나니 뉘우치나 미칠 길이 업나이다."

부인이 다시 말을 않고, 태부인이 시녀로 진부인의 정침으로 옮기를 재촉하니, 부인이 마지못하여 침전으로 돌아오매, 자부 다 마음을 잠깐 놓으나, 남후의 별유정 고초를 근심하여 각각 몸에 당함이나 다르지 아니하되, 금후는 단연이 생각지 않음 같아서 언두에 남후의 말을 일컬음이 없으되, 부자지정(父子之情)이 불과 삼사일에 그 출류(出類)한 풍류

222) 아지못게라! : '모르겠도다!' '모를 일이로다! '알지못하겠도다!' 등의 감탄의 뜻을 갖는 독립어로 작품 속에서 관용적으로 쓰이고 있어, 이를 본래말 '아지못게라'에 감탄부호 '!'를 붙여 독립어로 옮겼다.

(風流) 신채(神彩)와 늠연(凜然) 수앙(秀昻)한 골격이 안전(眼前)의 삼연(森然)하고, 청음(淸音) 봉성(鳳聲)이 이변(耳邊)의 의연하여, 신혼성정지시(晨昏省定之時)와 숙식지간(宿食之間)에 남후의 자취가 어른거리는 듯, 문득 그리운 마음이 일어나니, 스스로 생각는 정을 주리잡아[223] 남후의 황연(晃然)[224]이 깨닫기를 기다려 사(赦)코자 함으로, 삼사 삭을 그음하여 한결같이[225] 엄렬(嚴烈)함을 보여, 아주 부자윤의(父子倫義)를 끊은 듯이 하려 하는지라.

남후 별유정에 내치인지 삼사일이 되도록 문양공주가 알지 못함은 다른 연고 아니라, 묘랑이 대귀할 아공자(兒公子)를 후려오매, 요신(妖神)[226]이 매양 가쁘고[227] 기운이 아득하여, 삼사일까지나 상요에 자빠져 있음으로, 공주 친히 죽음을 맛보며 주야 곁에서 구호하느라, 병을 칭하여 상부에 신혼성정(晨昏省定)을 참예치 아니하고, 상부 비자가 문양궁에 혹 왕래하나 공주의 묻지 않은 말을 구태여 전치 않음으로, 남후의 내치임을 모르더니, 최상궁이 우연이 최형과 말하다가, 문 왈,

"거거는 도위 노야의 군관이니 도위 노야 새 부인 경씨 있음을 아느냐?"

최형 왈,

"우리도 아득히 알지 못하더니, 대강 들으매 이 일이 발각하여 도위 상공이 금후 노야께 내치시어, 별유정이란 곳의 가 계심으로, 아등 군관배와 상하 관료(官僚)가 별유정으로 문후하러 나가니, 상공이 보지 않으

---

223) 주리잡다 : 줄잡다. 가다듬다. 생각이나 기대 따위를 표준 보다 줄여서 헤아려 보다.

224) 황연(晃然) : 환히 깨닫는 모양.

225) 한결같이 : 한결같이. 처음부터 끝까지 변함없이 꼭 같이.

226) 요신(妖神) : 요망하고 간사한 귀신.

227) 가쁘다 : 숨이 몹시 차다.

시고 다 물러가 다시 오지 말라 하시므로 돌아가노라.”

최상궁이 곡절을 자세히 물어, 바야흐로 병부 금후의 노를 만나 멀리 내치임을 알고, 바삐 들어와 공주께 이 소유를 고하니, 공주 차언을 들으매 쟁그라움이 가려운 데를 긁는 듯하나, 인사에 마지 못하여 즉시 상부에 나아가니, 바야흐로 태원전에 낮 문안을 당하여 금후 부부와 예부의 사형제 태부인을 모셨고, 이・양 등이 다 모였는지라. 공주 당상에 오르매 태부인이 방석을 밀어 앉기를 청한데, 공주 좌석을 피하고 존당 구고께 고왈,

“첩이 서감(暑感)[228]으로 신음하와 삼사일 신성치 못하였삽더니, 금일 듣자오매 가군이 엄노를 만나와 집을 떠남이 있다 하오니, 첩의 도리 어찌 금누화각(金樓花閣)의 안거(安居)코자 하오며, 금수채석(錦繡彩席) 위에 좌를 이루리까?”

진부인은 구태여 말이 없고, 태부인이 위로 왈,

“천흥을 내침이 제 아비 마지못함이라. 비록 귀주의 하가전(下嫁前)이나, 윤・양・이 삼처를 두고 부질없는 번화를 구하여, 경씨를 불고이취함이 있는 고로, 지난 일이나 방자함을 책함이니, 귀주는 놀라지 말고 마음을 편히 하여, 방탕한 가부의 내치임이 제 탓인 줄 알아 염려치 마소서.”

공주 부복하여 듣잡기를 다하매, 성안(星眼)에 애루(哀淚)를 머금고, 일어나 절하여 왈,

“소첩이 존당 하교(下敎)를 듣자오니, 군자 존하에 용납지 못하옴이 호신(豪身)에서 비롯함이나, 남자의 풍류(風流) 번화(繁華)는 예사(例事)라. 대인의 성덕 자애로써 지난 일을 태과(太過)히 죄책하지 않으실 바

---

228) 서감(暑感) : 더운 여름에 걸리는 감기.

로되, 첩이 부운 같은 왕희(王姬)의 존함을 가져, 가군의 내사(內事)를 찰임함으로, 혹자 적인(敵人)을 시애할까[229] 염려하시고 경씨를 용납지 않으심인가 싶으오나, 첩이 조금도 여염(閭閻) 여자와 달리 하옵는 일이 없고, 불행하여 윤·양·이 삼부인이 간악한 비자의 무초(誣招)[230]로 말미암아 애매한 누얼[231]을 무릅써, 상명이 이이절혼하시매, 다시 안항(雁行)의 즐거움을 얻지 못하고, 느꺼이[232] 떠나온 한이 피차에 잊지 못할 바로되, 첩의 궁내로 좇아 괴이한 요예지물(妖穢之物)[233]이 있사와 윤·양·이 삼부인이 화를 만나오니, 첩이 동기같이 사랑하여 '황영(皇英)의 고사(故事)'[234]를 효칙(效則)고자 하옵던 바, 그림의 떡이 되었으니 주야에 애달음이 무궁하와, 부디 사덕(四德)이 겸비한 숙녀를 얻어 군자께 천거하여 안항(雁行)에 외로움이 없고자 하던 바더니, 경부인이 계심을 듣자오니 불승영행(不勝榮幸)하옵는 바니, 군자의 중궤(中饋)를 첩 같은 암용(暗庸)한 불인(不人)이 감당하는 일이 없사옵고, 존당 구고를 봉효하오매 서로 마음을 다하고 정성을 펴 한결같이 화우(和友)함을 이루어, 윤·양·이 삼인을 상리(相離)한 애달음을 잊고자 하옵나니, 존당 구고는 소첩의 지극한 원을 좇으시어, 경부인을 쉬이 모이게 하소서."

---

229) 시애하다 : 시새우다. 시새움하다. 자기보다 잘되거나 나은 사람을 공연히 미워하고 싫어하다.

230) 무초(誣招) : 거짓으로 범죄사실을 진술한 것.

231) 누얼 : 누얼(陋-). 사실이 아닌 일로 뒤집어쓴 더러운 허물. 얼; 겉에 들어난 흠이나 허물. 탈.

232) 느껍다 : 어떤 느낌이 마음에 북받쳐서 벅차다.

233) 요예지물(妖穢之物) : 무속(巫俗)에서 방자를 할 때 쓰는 해골(骸骨)이나 인형(人形) 따위의 요사스럽고 흉측한 물건.

234) 황영(皇英)의 고사(故事) : 중국 요(堯)임금의 두 딸인 아황(娥皇)과 여영(女英)이 함께 순(舜)에게 시집 가, 서로 화목하며 순임금을 섬겼던 일.

금후 공주의 어진 체하고 언사를 치레하여[235] 괴로이 말 많음을 보고, 더욱 통완 분해하여 공교롭고 요악한 공주의 탓으로 윤・양・이 삼부가 가내에 머물지 못함을 생각하니 심화 불일 듯하는지라. 낯빛을 씩씩이 하고 왈,

"천흥의 무상(無狀) 불인(不仁)함은 이를 것이 없는지라. 범사를 자행자지(自行自止)하여 제 위에 아비 있음을 알지 못하니, 교훈 잘못함을 탄하노라."

공주 피석 대왈,

"첩이 거처를 알아 나아가 비회(悲懷) 고락(苦樂)을 일체로 하고자 하나이다."

금평후 웃으며 가로되,

"욕자(辱子)를 내치매 그 거처는 나의 알지 못하는 바이거니와, 옥주는 귀인이라 어찌 천흥 같은 박행 필부를 따라 다니리오. 욕자가 내 눈에 뵈지 않을지언정 어디를 못 다니리오. 반드시 문양궁 왕래도 없지 아니하려니와, 욕자의 왕래에 귀주 따라가기는 각각 임의(任意)에 있으니 천흥의 아비라 하여 묻지 마소서."

공주 간악하나 영오한지라, 자기를 점점 통완(痛惋)히 여김을 깨달아, 말을 못하고 궁으로 돌아와 묘랑을 대하여 엄구(嚴舅)의 말을 다하니, 최상궁이 머리를 흔들어 왈,

"금평후의 단엄함은 이상할 뿐 아니라, 윤・양・이 삼인을 과애(過愛)하다가, 액화를 만나매 분과 한이 다 옥주께 돌아섰나니, 그러나 옥주는 부덕을 삼가 허물을 잡지 못하게 하시고, 분을 풂이 마땅하니이다."

묘랑 왈,

235) 치레하다 : 치레하다. 무슨 일에 실속 이상으로 꾸미어 들어내다.

"옥주는 만승교애(萬乘嬌愛)로 인인이 추앙함이 범연한 데 비할 바 아니오. 초방승택(椒房承擇)[236]은 인신(人臣)의 구하여 얻기 어려운 바로되, 금후 노야의 마음은 승승낙낙(乘勝落落)[237]하여 부귀를 헌 신같이 여기고, 도위 노야는 귀천을 헤지 않아 사람의 현우선악(賢愚善惡)만 살피시나, 옥주의 단심 혜질과 빙자 옥골을 나무라 할 리 있으리까마는, 윤・양 두 부인은 옥주에 지나는 용모 기질이요, 경씨 또한 윤・양에 내림이 없으니 그 안고(眼高)함이, 무산(巫山)[238]과 월궁(月宮)을 구경하여 범연한 자색과 등한한 숙녀는 우습게 여기는지라. 옥주를 마지못하여 군상(君上)의 딸로 공경하는 빛을 지으나, 실은 눈에 차지 못하게 여기며 심곡을 열어 대접함이 없어, 존당 태부인으로부터 외친내소(外親內疏)를 힘쓰니, 옥주의 서어(齟齬)함이 구가(舅家)에 한 사람도 정성으로 대접치 않는 고로, 자연이 소(疏)한 가운데 허물이 잘 들어나고, 어진 부인들이 화를 만남으로써 원한이 옥주께 돌아서니, 평생토록 근심 없기를 기약치 못하리니, 빈도 진심갈력하여 경씨까지 없애려니와, 낭랑이 국구노야의 화란으로 인하여 천총(天寵)을 잃으심이 쉽고, 하원수 초지로 나아가매 벌써 여러 관액(關阨)[239]을 앗아 공로가 자주 천정에 오른다 하오니, 초왕이 잡혀오는 날은 국구 노야 속절없이 사화(死禍)를 만나실지니, 낭랑의 망극하신 정사(情事)를 헤아리매 빈도의 마음이 추연(惆然) 통절(痛切)함을 이기지 못하나이다."

---

236) 초방승택(椒房承擇) : 왕실의 부마(駙馬)나 비빈(妃嬪)으로 간택됨.

237) 승승낙낙(乘勝落落) : 높은 기운을 타고 작은 일에 얽매이지 않고 대범함.

238) 무산(巫山) : 중국 중경(重慶) 시 동쪽에 있는 현. 우산 십이봉(巫山十二峯)이 솟아 있는데 기암과 절벽으로 이루어진 경치가 아름답기로 유명하다.

239) 관액(關阨) : ①국경이나 요지의 통로에 두어 드나드는 사람이나 화물을 조사하던 곳. ②군사적으로 중요한 곳에 세운 요새.

공주 눈물을 뿌리고 느껴 왈,

"우리 모녀의 팔자 기구하여 천승(千乘)의 부귀로써 사람의 업신여김을 받으며, 외가의 화란이 아무 지경에 미칠 줄을 알지 못하니, 모비(母妃) 이 일로 인하여 심장을 사르시는 바라. 내 이제 사부의 재주를 보매 진실로 둘 없는 신기 묘술이라. 황야(皇爺)의 성심을 요동(搖動)하여 외조(外祖)의 사화(死禍)를 면케 할진대, 우리 모녀 사부의 은혜를 더욱 명심(銘心) 각골(刻骨)하리라."

묘랑이 눈썹을 찡겨 왈,

"빈도 옥주가 이리 이르심을 기다리지 않아서, 낭랑(娘娘)의 정사를 헤아려 국구노야의 면화(免禍)하실 도리를 생각하되, 실로 난처한 바는 다른 일이 아니라, 김이부(金吏部)의 수지(手指)를 베어오며, 국구(國舅) 노야의 죄과를 발각케 함이, 전혀 도위 상공의 하신 일이니, 국구노야를 면사케 하려 하실진대, 도위 상공이 그 가운데 화를 받으실 것이니, 차사가 가장 절민한지라. 옥주는 헤아려 도위 상공이 화를 당하실지라도, 국구 노야 면사(免死)하시면 기쁘시리까?"

공주 정부마 향한 은정은 쇠와 돌이 되어, 비록 저의 박대를 한하나 병부의 몸을 위함에는, 자기 몸이 죽을지언정, 병부로 하여금 일생이 호화코자 하는지라. 한 조각 포악지심(暴惡之心)이 남달라, 적인으로 삼긴 이는 물어 먹으며 마아[240] 죽이고자 함이 정병부의 은애를 자기 온전히 받고자 함이요, 현기 등을 다 없이함은 윤·양·이·경 등의 골육을 밉게 여김이요, 정씨의 종통을 받들며 남후의 중대를 받고자 함이라. 남후 행여 병이 있을까 염려하고, 풍한(風寒) 서열(暑熱)에도 다 마음을 놓지 못함이 되었으니, 어찌 그 외조를 위하여 남후 화란을 당케할 리 있으리

240) 마으다 : 빻다. 부수다. 깨뜨리다. 갈다. 찧다.

오. 비록 극악지심이나 묘랑의 요술이 너무 무서워, 혹자 자기 부부에게 해로움이 있을까 두려, 문득 낯빛을 변하고 왈,

"외가의 화란이 숙야에 절민하나, 이른 바 자작지얼(自作之孼)[241]이라. 일을 그릇하여 화를 만나니 남을 탓할 것이 없고, 정군은 위인이 남달리 사람의 생각지 못할 지모(智謀) 있어, 표숙(表叔)[242]을 속이고 전전악사(前前惡事)를 물어 하가를 신설(伸雪)하니, 정군의 일을 그르다 못할지라. 애다는 것은 외조의 허물이니 내 이제 외가를 위한 정이 부족하며 모비 낭랑의 참절(慘切)하신 심사를 아니 돌아보는 것이 아니로되, 차마 애매한 정군을 화에 나아가게 할 바 아니라. 사부는 이런 놀라온 말을 다시 입 밖에 내지 말라."

묘랑이 공주의 말을 듣고, 본디 요악한 용심이 요조숙녀와 대현군자를 해코자 하는 바, 다른 일이 아니라, 천하의 진명귀인(眞明貴人)[243]이 없어지면, 저의 요술(妖術)이 당대의 제일이 되어 거칠 것이 없고자 함이요, 구몽숙과 지극한 정분이 모자간(母子間) 같아서, 몽숙이 묘랑을 대하여 매양 저의 심곡을 일러 정병부 곤계와 윤태우 등 없애기를 도모하며, 유부인이 그 자질을 죽이랴 할 뿐아니라, 정병부 미워하기를 비상히 하여, 그윽이 묘랑과 몽숙으로 의논하여 태우 형제와 정부마까지 없애려 하는 뜻이니, 비록 윤부인 명아가 죽었으므로 아나, 정병부의 윤태우 등 향한 정의는 윤부인이 살아있어도 그대도록 하지 않을지라. 유부인이 정병부를 크게 해코자 함이 윤태우 형제의 우익을 없이하려 함이라.

신묘랑이 귀비와 공주를 사귀어 지극히 대접하는 은혜를 입으나, 오

241) 자작지얼(自作之孼) : 자기가 저지른 일로 말미암아 생긴 재앙.
242) 표숙(表叔) : 외삼촌(外三寸). 외숙(外叔).
243) 진명귀인(眞明貴人) : 진리를 깨쳐 밝은 지혜를 얻은 사람. 진인(眞人).

히려 깊은 정의는 유부인과 구몽숙에게 있는지라. 정병부 해할 의논을 하여 틈을 타 악사를 행코자 함으로, 짐짓 김국구의 화란을 염려하고, 귀비의 참절한 비회(悲懷)를 일컬어, 정병부 해코자 하는 뜻을 잠깐 비쳐, 공주의 뜻을 시험하여 봄이러니, 이같이 놀라며 떼치기를 당하니, 심리(心裏)의 분히 여겨 생각하되,

"내 전후에 공주를 위하여 그 적인과 자녀를 다 없이하여 무한한 수고를 하되, 정병부로 하여금 마침내 공주를 후대케 할 길이 없으니, 속절없이 심력을 허비할 뿐이라. 차라리 구학사의 청을 들어, 정병부를 해하여 멀리 찬출하기를 도모하고, 김국구를 살려내고자 하더니, 공주 매매히 떼치며 인정 없이 이르기를 이같이 하니, 가히 더불어 의논을 한가지로 할 사람이 아니라. 그만하여 공주를 절교하고, 구학사와 유씨로 동심(同心)하여 일당(一黨)이 되려 하는 중, 공주 정병부 귀중함을 자기 몸보다 더하는지라. 나의 정병부 해코자 하는 뜻을 알진대 어이 즐겨 들을리 있으리오."

요악한 의사 이에 미쳐 맥맥히 다시 말을 않으니, 최상궁 흉인이 묘랑의 즐겨 않음을 보고, 눈주어 금은필백(金銀疋帛)을 많이 내어와 묘랑을 주고 왈,

"우리 옥주 차마 부마 상공께 유해할 의논을 내지 못하심은 부도(婦道)의 지극하신 일이라. 사부는 괴이히 여기지 마시고, 주군의 마음을 돌이켜 옥주께 은정이 온전하며, 옥주의 수복(壽福)이 융융하시게 축원할지니, 불공을 두터이 하여 영험한 부처의 도우심을 바라나니, 사부는 원컨대 모름지기 금은필백(金銀疋帛)을 들여 암자를 이루고, 부처를 지성으로 공양하여, 우리 주군과 옥주의 남산수(南山壽)[244]와 북해복(北

244) 남산수(南山壽) : 남산(南山)이 다 닳아 없어질 때까지의 영원한 시간의 수명

海福)245)을 축원하소서."

신묘랑이 누만금(累萬金)을 쌓아도 금백(金帛)을 보면 정신을 잃어, 재리(財利)에 욕심이 괴이한 요정이라. 공주를 그만하여 사귀기를 끊고자 하되, 금은필백을 보매 인정 없이 물리칠 의사 나지 않아, 눈썹을 공교히 찡기고, 가로되,

"내 이제 옥주를 위하매 정성이 부족한 것이 아니로되, 윤·양 이부인과 아공자 등을 없이하매, 나의 심력이 진한 듯싶은지라. 아무리 생각하여도 좋은 계교를 얻지 못하며, 부마 상공의 뜻을 돌이키기 어려우므로, 차라리 부마 상공으로 하여금 옥주를 박대하시는 죄를 받아 멀리 찬출하여 곡경을 잠깐 겪은 후, 그 마음이 비로소 옥주의 부귀를 높이 여기고, 황상의 위엄을 두려 부부 은정을 요동하고, 윤·양 등을 잊으며, 이 가운데 국구노야의 사화를 구하여, 낭랑의 비황(悲況)하신 심사를 위로코자 함이러니, 옥주 나의 깊은 뜻을 모르시고 부마 상공의 굿길 바를 놀랍게 여기시니, 실로 헌계(獻計)할 말씀과 모책이 없는지라. 아직 일이 되어 감을 보고 경씨를 급히 없애려 하였더니, 혹자 사람이 옥주를 의심하여, 여러 부인의 화란과 공자 남매를 다 잃음이 옥주의 작얼(作孼)인가 여긴 후는, 발명(發明)이 괴로우니, 이미 경씨 있음을 금후노야 알았는지라, 반드시 쉬이 데려오리니, 옥주는 지극히 화우하시는 덕을 힘쓰시면, 존당 구고 다 옥주의 행사를 하자할 이 없게 된 후, 내 당당이 경씨를 해하여 사지에 몰아넣으리니, 잠깐 경씨 해할 의논을 그치고, 부마 상공이 별유정으로 돌아오시기와 경씨의 모이기를 기다리시고, 국구 노야의 화란은 차악하나, 자작지얼(自作之孼)이니 구치 못할 밖, 다

(壽命). 오래 살기를 빌 때 쓴다.

245) 북해복(北海福) : 한량없이 넓은 북해 바다처럼 무한히 많은 복(福)을 말함.

른 계교 업도다."

최상궁이 언언이 옳다 하여 칭예함을 마지않고, 부처를 공양하는 의논을 착실히 하여, 문양궁 부귀를 기우려 성사를 이루려 하니, 물력(物力)의 장함과 금은은 반점 부족한 것이 없으되, 묘랑이 매양 공주는 정외가작(情外假作)[246]으로 대접하고, 유부인과 구몽숙에게 정성이 지극하나, 아직 공주를 꾀어가며 금은을 낚으려 하므로, 새로 터를 잡아 북문 밖에 태안산이라 하는 곳의 선경사란 절에 불탑(佛塔)을 이루고, 제자를 모아 불공을 착실히 하는 체하니, 이것이 다 요물(妖物)[247]이니 어찌 통한치 않으리오마는, 문양공주는 묘랑의 근본이 요정(妖精)임을 알지 못하고, 볼 적마다 받들기를 지극히 하더라.

차시 평남후 별유정에 있어 두문불출(杜門不出)한 지 일삭에 이르되, 금평후 단연이 찾는 일이 없어 한결같이 엄정 씩씩하니, 제자(諸子)들이 감히 평남후를 언두(言頭)에 들놓지 못하게 하니, 이로써 보건대, 생전에 사(赦)치 않을 거동 같으니, 남후 부친의 매몰하심을 듣고 망극하여 촌장이 끊는 듯하며, 진태우 형제 이 소문을 듣고 별유정에 가보매, 거처(居處)가 협책(狹窄)[248]하여 여럿이 앉을 길도 없거니와, 남후 머리를 들지 않고 사왈(辭曰),

"소제는 엄정의 내치인 자식으로 부끄러운 면목을 들어 표형들도 볼 낯이 없으니, 원컨대 불인무상(不仁無狀)한 소제를 찾지 마소서."

말로 좇아 안수(眼水) 백옥용화(白玉容華)를 적시고, 쇄락 수려하던 풍광이 날로 쇠약하여 대병(大病)을 지낸 사람 같으니, 진태우 등이 그

246) 정외가작(情外假作) : 거짓으로 정(情)이 많은 체 꾸밈.

247) 요물(妖物) : 요망스러운 짓거리.

248) 협책(狹窄) : ①차지하고 있는 자리가 매우 좁음. ②처하여 있는 사정이나 형편이 매우 어려움.

뜻을 우기지 못하여 즉시 돌아오나, 좋은 말로 위로하여 너무 조급히 심려를 상해오지 말라 하더니, 월여(月餘)에 미쳐는 남후 밤에 능히 자지 못하고, 식음을 나오지 못하여, 질양(疾恙)이 일어나니, 이는 전혀 심려로 난 병이러라.

80

명주보월빙 권지사십사

어시에 남후 별유정에 있은지 월여에, 자지 못하고 식음을 나오지 못하여 질양(疾恙)이 일어나니, 전혀 심려(心慮)로 난병이라. 또한 증세 가볍지 않으니, 예부 등이 절민초조(切憫焦燥)함을 이기지 못하나, 감히 이런 말씀을 부전의 고치 못하고, 진각노(閣老)[249] 진태상(太常)[250] 등으로 더불어 금평후를 대하여 병부의 질양이 중함을 전하고, 비록 소년 호색의 남새(濫事) 없지 않으나, 오래 내쳐 보지 않음이 불가함을 이르되, 금평후의 정한 뜻이 철옥(鐵玉) 같아서 가벼이 요동치 않고, 답왈,

"천흥의 남활함이 타류와 다르니, 내쳐 마음을 돌이킬 리 없으려니와, 마침내 자식을 미워함이 아니니, 다시 이르지 마소서."

제공(諸公)이 그 답언을 보고, 자기 등이 말하나 무안(無顔)할 줄 알고, 취별산에 나와 전후를 보고자 하여 통하니, 남후 서동으로 하여금 왕림하심이 황공함을 고하고, 낯을 들어 뵈옵지 못함을 회보하며, 또 이르대,

"혹자 친전에 사명을 얻어 인륜이 온전한 사람이 될진대 연숙(緣叔)의 낯이[251] 물으시는 은혜를 갑사오리이다."

---

249) 각노(閣老) : 중국 명나라 때에, '재상(宰相)'을 이르던 말.
250) 태상(太常) : 태상경(太常卿).고려 시대에, 태상시의 으뜸 벼슬.

하공이 남후의 고집하여 보지 않음이, 진정으로 부전에 내치임을 부끄러워하고 슬퍼하여, 대인상접(對人相接)을 않으려 하는 바임을 알아, 심내(心內)에 그러할 듯하여 다시 청치 못하여, 다만 전어(傳語)하여 위로하고 돌아와 금후를 보고 수말(首末)을 전하니, 금후 빙그레 미소 지어, 왈,

"욕자(辱子)가 흉휼(凶譎)하여 짐짓 사람을 보지 아니하고 뉘우치는 체하여, 나의 부르기를 요구함이니, 형은 아른 체 말고 버려두라."

하공이 소왈,

"창백은 나의 은인이라, 그 심회 불평함을 어찌 괄시하리오. 실로 창백의 죄를 나누어 받고 쉬이 사(赦)할진대, 제심(弟心)이 흔흡(欣洽)[252] 하리로다."

금후 가(可)치 않음을 일컬어 미미(微微)히 웃으나 쉬이 사할 뜻이 없으니, 여러 가지 직임을 겸하여 관부(官府)와 용두각(龍頭閣)[253]의 밀린 공사(公事)가 뫼 같고, 여러 날 조회에 불참하기를 오래 하니, 조정 문무 다 경의(驚疑)하고, 만세 황야 그 연고는 알지 못하시고, 오래 정병부의 부조(不朝)함을 괴이히 여기시어 여러 날이 되매 물으시니, 예부 등이 대주(對奏)할 말씀이 없어 유질(有疾)함으로써 주하온데, 상이 경려(驚慮)하시어 어의(御醫)와 약물을 보내어 구호하라 하시고, 여러 관부의 밀린 공사가 뫼같이 쌓여 당하제관(堂下諸官)이 절민함을 마지않

251) 낮이 : 낮추어. 몸을 낮추어.

252) 흔흡(欣洽) : 기뻐하고 흡족해 함.

253) 용두각(龍頭閣) : 학사원(學士院)을 달리 이르는 말. 과거(科擧)에 장원급제자를 '용두(龍頭)'라 하였는데, 이들을 곧바로 직학사(直學士)에 임명하고 학사원(學士院)에 소속시켜 임금의 사명(詞命)을 짓는 일을 맡아보게 한데서 유래한 말. 학사원(學士院) : 고려 초기에, 사명(詞命) 짓는 일을 맡아보던 관아. 광종 때 원봉성을 고친 것인데, 뒤에 한림원・문한서・예문관・사림원・춘추관 따위로 고쳤다.

으나, 오직 정병부 출사(出仕)하기를 기다리고, 군관하리와 당하제관이 취벽산에 모다 문후하되, 남후 병의 경중을 이르지 아니하고 일인도 불러 보지 않아, 다 물러가라 할 따름이오. 하관의 유(類)며 열후(列侯)가 모두 와 물어도 순순히 다 후의를 칭사하여 돌려보내더니, 태의(太醫) 상명을 받자와 남후의 병을 보아지라 하기에 당하여는 마지못하여 불러 보되, 심화(心火) 있어 사람을 보면 병이 더하고, 사람의 소리를 들으면 두골이 때리는 듯하니, 스스로 고요한 곳을 가려 잠깐 낫기를 기다림을 일러, 상명이 비록 날마다 보라 하실지라도, 병이 대단치는 아니하되 아직 기거치 못함을 주하고, 밖에서 의약을 착실히 하고, 다시 들어오지 말라 하니, 의자가 어찌 병부의 명령을 위월(違越)하리오. 재배 수명하여 물러나 이대로 주달 하온데, 상이 날마다 태의원 제의(諸醫)를 명하시어 그 병을 쉬이 하리게 하라 하시니, 은영(恩榮)이 갈수록 호성(豪盛)하고 부귀 당세의 겨룰 이 없으되, 남후는 성은의 과도하심을 더욱 불안하며, 부전에 사명을 얻을 길이 없어 병세 경치 않으니, 예부와 공자 등이 그윽이 틈을 얻어 별유정의 아니 오는 날이 없어, 백형을 구호하나, 남후 종일 입을 닫으며 눈을 떠보는 일이 없어, 자주 탄식하여 자기 행사를 뉘우치며, 사친지회(思親之懷) 간절할 따름이니, 모든 제제(諸弟) 차마 보지 못하여 눈을 가려 슬퍼하더라.

차시 경부에서 아공자를 잃고, 경공 부부와 소저의 통상함이 주검을 곁에 놓은 것보다 더하고, 이 소유를 정병부에게 통하되 남후 일절 오는 일이 없고, 한자 서간을 부치는 바 없으니 가장 괴이히 여기더니, 최후에 경참정이 진각노를 만나매 남후의 곡절을 듣고, 일변 자기 여아 구고의 알지 못하는 며느리 되었음을 절박히 여기다가, 이제야 금후의 알았음을 깃거하나, 공주의 해를 두려하며 남후의 내치임을 놀라, 소저더러

이 말을 이르니, 소저, 아미(蛾眉)를 찡기고 길이 탄식 대왈,

"소녀의 명도 괴이하여 인륜을 이루매 구고 모르는 사람이 되고, 한낱 골육을 보전치 못하여 일야지간의 잃어버리니, 그 참절함을 잊기 어렵거늘, 이제 정군이 소녀로 인하여 친전에 내치이는 변을 당하니, 어찌 참괴치 않으리까? 야야는 엄구를 보시거든 소녀 일신이 유무불관(有無不關)하니 부모슬하에 종신(終身)케 하소서."

경공이 여아의 심리 편치 않음을 자닝하여[254] 좋은 말로 위로하고, 즉시 금후를 가보려 하더니, 역시 서열(暑熱)에 상하여 신음함으로 가지 못하였다가, 잠깐 차성(差成)한 후 들으니, 남후 병이 중함으로 상이 어의로 간병하라 하신다 하는지라. 경공이 일일은 취운산의 나아가니, 금후 맞아 예필에 경공이 먼저 함소, 왈,

"소제 형으로 인아(姻婭)의 각별함이 벌써 있었음 직하되, 소제 택서함이 외람하여, 창백으로 서랑을 삼은지 삼사 삭이 못하여 문양 귀주 하가(下嫁)하시니, 창백의 높은 복을 그윽이 칭희(稱喜)하나, 암용누질(暗庸陋質)의 소녀는 창백으로 부운(浮雲) 같은 인연을 지었으나, 구고도 모르는 사람이 되어 존문의 자부의 도를 행치 못하니, 소제 어찌 이 말을 형더러 벌써 이르지 않았으리오마는, 창백의 남사를 형이 과히 책망할까 염려하여 발설치 않았더니, 저적 형이 왔을 때 유병하였던 아해 창백의 아자요, 춘기의 아들이 아니라. 불행하여 일야지간에 실리(失離)하매, 약녀(弱女)[255]의 통상함은 이르도 말고, 창백이 반년이 못하여 세 아들과 일녀를 잃음이 되니, 그 운수의 불길함이거니와, 어찌 참악(慘愕) 비상(悲傷)치 않으리오. 자식을 잃되 아비 모름이 가치 않은 고로,

---

254) 자닝하다 : 애처롭고 불쌍하여 차마 보기 어렵다.

255) 약녀(弱女) : 어린 딸.

글월을 닦아 창백에게 보냈더니, 진형의 말을 들으니 형이 그 서간으로 인하여 창백을 내쳤다 하니, 소제 형을 앎을 인현군자(仁賢君子)로 알았더니 어찌 처사 그대도록 박절하리오.”

금후 청파에 답왈,

“소제 형으로 더불어 교도를 맺은지 하마 삼십년이라. 아시고우(兒時故友)로 피차 믿고 바람이 일가지친(一家至親)에 더한 정이 있으니, 소제 믿던 바거늘, 형이 사리로 책하고 예의로 경계하여 자질 같이 함이 옳고, 허물을 이름이 옳거늘, 소제는 진실로 형을 그대도록 불명코 풀어짐을 알지 못하였더니, 생각 밖의 일이 많아 욕자의 방탕 호신이 금천하(今天下) 제일이라. 군자의 행신은 삼가지 않고 나이 십 세를 넘음으로부터 주야 모으는 것이 미녀 성색이라. 저의 삼처는 숙녀명염(淑女名艶)이니, 외람코 과분한 처실임을 알지 못하고, 형의 천금옥와(千金玉瓦)[256]를 제사부실(第四副室)로 구하여, 제 위에 아비 있음을 알지 못하고 인륜대사(人倫大事)[257]를 자전(自專)하여, 입공승전(立功勝戰)하는 행거(行車)를 늦추고 혼인을 이룸도 극한 남사(濫事)거늘, 오히려 욕심이 차지 못하여 사창(四娼)을 실어오니, 절절(節節)[258]이 소제를 어둡게 여겨 범백(凡百)[259]을 기이며 속이기를 위주하여, 매양 형의 집을 자주 왕래함을 물은즉 천방백계(千方百計)로 두루다혀[260] 이언(利言)[261]이 꾸미고, 틈을 타면 형의 집에 가 즐기고, 그렇지 아니면 창루

---

256) 천금옥와(千金玉瓦) : 귀한 딸. 옥와(玉瓦)는 옥으로 만든 실패라는 뜻으로, 딸을 낳은 경사를 말하는 농와지경(弄瓦之慶)의 ‘와(瓦)’와 같은 뜻임.
257) 인륜대사(人倫大事) : 혼인(婚姻)을 뜻하는 말.
258) 절절(節節) : 절목(節目)마다. 하나의 일을 구성하고 있는 낱낱의 절목마다.
259) 범백(凡百) : 갖가지의 모든 것.
260) 두로다히다 : 둘러대다. 그럴듯한 말로 꾸며 대다.
261) 이언(利言) : 유리한 말. 그럴듯한 말.

에 가 유희 방탕하니, 어찌 통해(痛駭)치 않으리오. 형이 소년지시로부터 안하무인(眼下無人)하여 의기 거오(倨傲)하고, 칭찬하는 사람이 없는 줄 소제 아는 바라. 천흥이 무상불인하여 혼인을 구함이 있어도, 형이 어른의 도리로 준절히 책함이 옳거늘, 만금 교아를 가져 차마 저 같은 박행탕자를 맡겨 소제더러 이르지 않으니, 서랑이 아들같이 귀중하든 않으나, 오히려 딸의 전정(前程)이 달렸으니, 사위 인현(仁賢)하면 기쁠 것이거늘, 형은 친우의 자식으로써 가만히 옹서(翁壻)의 정을 맺되, 망연히 그 행사의 무상함을 생각치 않고, 소제 기임을 욕자와 같이 하니, 평일 지극하던 정분이 어디 있느뇨? 소제 그를 생각하매 어찌 노(怒)치 않으리오. 이제 욕자의 팔자 기이하여 자녀로 삼긴 것은 다 실리(失離)하라 정하였으니, 영녀의 골육도 보전치 못함이라. 다만 자닝한 바는 영녀니, 천흥 같은 경박자(輕薄子)의 처실이 되어 일신이 안한(安閒)치 못하고, 그 초혼지시(初婚之時)에 구고 모르는 사람이 되어, 스스로 신세를 탄함이 있으리니, 구식(舅息)의 정이 보지 못함으로 가장 서어(齟齬)할 것이로되, 소제는 영녀를 위하여 그 일생을 아끼노라. 형의 택서함이 이다지도 괴이할 줄 뜻하였으리오. 욕자의 불고이취지사(不告而娶之事)도 통완함이 극하거니와, 영녀도 내 집 사람이라. 아득히 몰라 구부(舅父)의 도리를 폐하고 식부항(息婦行)의 두지 못하였는지라. 이제야 영녀(令女) 내 집 식빈 줄 아나니, 안 후 아니 데려오리오마는 아부 구가의 이른즉, 친한 이는 가부라. 그 가부 멀리 내치임을 불평이 여길까 염려하여 아직 데려오지 못하였거니와 편친이 바삐 보고자 하시니, 수삭 후 배현(拜見)케 하리니, 형은 택서 그릇함을 날더러 차후 이르지 말고, 스스로 사람 아는 구슬이 어두움을 부끄러워하라."

경공이 금후의 말을 들으매 남후의 불고이취를 통완(痛惋)할지언정, 아주 내칠 의사도 아니요, 여아는 의법한 자부로 알아 쉬이 데려오고자

함을 기뻐하나, 문양공주를 두려워하여 웃고, 왈,

"형이 소제로써 택서 잘못함을 이르거니와 소제는 현불초(賢不肖)를 살피지 않아 서랑 한 사람만 취하여 혼사를 이뤘나니, 창백의 대현지풍(大賢之風)과 영준기습(英俊氣習)이 그 부형의 용우키로 비컨대 소양(宵壤)이 불함(不咸)[262] 같은지라. 다만 자식 됨이 어려워 용속(庸俗)한 아비 대현(大賢)의 아들을 책함이 생각 밖 거조 있으니, 창백이 입이 있으나, 그 부(父)의 용우함을 이를 길이 없고, 또 그 아들이 내치이는 환을 만나니, 소제 위하여 개연(慨然)함[263]을 이기지 못하리로다. 여식은 본디 암용잔질(暗庸孱質)[264]이라, 한 일도 군자의 배우(配偶) 됨 즉하지 아니하되, 소제 창백의 원치 않는 바를 소제 간청하여 죽청의 허락을 얻은지라. 이제 창백이 반드시 소제를 한하리니, 형은 소제의 낯을 보아 죽청을 쉬이 사하고, 여식(女息)은 구태여 자부항(子婦行)에 충수(充數)[265]치 말고, 소제의 슬하 적막함을 고렴(顧念)하여 일생을 우리 양노(兩老) 앞을 떠나지 않게 하라."

금후 수염을 어루만져 미소 왈,

"천흥이 갈구(渴求)하여 영녀를 취한 줄도 내 이미 짐작하거늘, 형이 어른을 속여 방일한 천흥과 매사를 동심하니, 인사(人士)가 저러하매 택서를 잘못함이 괴이치 않은지라. 형의 하는 말이 하나도 듣고 싶지 않도다. 비록 슬하 적막하나 딸이란 것이 제 구가를 찾나니, 무슨 연고로 옥 같은 식부를 매양 형의 집에 두며, 불초자의 음황한 죄를 다스리지 않고, 형의 권함을 들어 마음에 통한한 것을 풀지 못하여서 사(赦)하리오.

---

262) 불함(不咸) : 같지 아니함.
263) 개연(慨然)하다 : 원통하고 분하다.
264) 암용잔질(暗庸孱質) : 암띠고 용렬하며 잔약한 기질임.
265) 충수(充數) : 일정한 수효를 채움. 또는 그 수효.

모름지기 긴 설화를 날회고[266], 식부를 돌려보내라 하는 때에 배현지례(拜見之禮)[267]를 이루게 하라."

경공이 크게 웃고, 빈주 종용이 담화하다가 배작(杯酌)을 날려 경참정이 대취하였으나, 남후를 잠깐 보고자 하리로 붙들려 수레에 올라 별유정의 이르러, 서동으로 하여금 남후 보기를 청하니, 남후 대하여 왈,

"소생의 불초무상(不肖無狀)함이 가엄의 내치인 자식이 되어, 비록 전전 허물과 죄를 헤아려 행신(行身)의 망측함을 생각하매, 가엄의 벌죄(罰罪)하심이 오히려 경하고 소생의 허물이 호대하니 바야흐로 후회막급(後悔莫及)이라. 친전에 용납지 못할 벌을 만나니 하면목(何面目)으로 악장(岳丈)껜들 현알(見謁)하리오. 이에 이르러 찾아주신 후의는 다감(多感)하오나, 생이 친전에 사명을 얻지 못한 전은 천일지하(天日之下)에 서지 못할 부끄러움과 인륜의 죄인이라. 하면목으로 악장을 배견(拜見)하리까?"

경공이 남후의 고집을 아는지라. 또 서동더러 물으니 지게를 안으로 걸고 있다 하니, 능히 볼 길이 없어 헛되이 돌아가는 길에 금후를 다시 보고, 남후의 두문사객(杜門謝客)하고 자책죄인(自責罪人)함을 들은 대로 전하여 쉬이 사함을 청하니, 금후 미소하고 말이 없더라.

경공이 부중에 돌아와 부인과 여아를 대하여 문답 설화를 전하고, 남후의 과도함을 일러 자기도 보지 않음을 결연(缺然)하니, 부인이 금후의 뜻이 여아를 그 식부로 알던 일을 깃거하나, 소저는 자기로 인하여 남후 친전에 용납지 못함을 그윽이 불안(不安) 참수(慙羞)하여, 스스로 죄를 지음 같고, 아자를 실리한 지 달이 바뀌되 생사 거처를 알 길이 없으니,

---

266) 날회다 : 느리게 하다. 천천히 하다. 멈추다.
267) 배현지례(拜見之禮) : 웃어른을 뵙는 예절. 여기서는 현구고례(見舅姑禮)를 말함.

참연통석한 심사 주야 칼을 삼킨 듯하더라.

화설 평초 대원수 원광이 조명(朝命)을 받자와 십원(十員) 명장과 삼만 정병을 거느려 초지(楚地)로 향하매, 소년대장의 영풍준골은 일로(一路)에 휘황하고, 법률이 삼엄하여 한번 영을 내리매 장사 군졸이 그 머리도 아끼지 않는지라. 사졸을 무위(撫慰)하여 은위(恩威) 병행(竝行)하니, 부원수로부터 말좌(末座) 군졸에 이르기까지[268] 원수를 바라는 마음이 적자(赤子)[269]가 자모(慈母)를 바람 같고, 두려워함이 비길 데 없으니, 행군하는 바에 추호(秋毫)를 불범하여 계견(鷄犬)이 놀라지 않는지라. 그 행하는 바의 위엄이 대진(大振)하고 덕화가 융흡(隆洽)하여, 송성(頌聲)이 멀리 들리는지라. 각읍 주현(州縣)과 자사(刺史)가 황황지영(惶惶祗迎)하되, 원수 미리 하령하여 풍악과 미녀(美女)며 연향(宴饗)하는 상을 물리치니, 소과(所過) 주·현이 덕화를 감열(感悅)하고 위의를 두려워하여 칭복(稱福) 갈채(喝采)함을 마지않고, 참모사 여헌이 연기 사순을 넘었고, 경사에서 본직이 동평장사 광록태우로, 그 조선(祖先)이 공신(功臣)이므로, 연안백을 봉하여 자손이 계계승습(繼繼承襲)하는 고로 참모 또 연안백의 작(爵)을 띠었더라.

사람됨이 사오납지 아니하되, 승기(勝氣)[270] 과하고, 일을 당하여 급촉(急促)함을 취할지언정, 법도 없으므로, 하원수 행군지시(行軍之時)에도 그 소견을 물음이 없어 자기 임의로 행하니, 참모 앙앙하여 생각하되,

"나의 연기(年紀) 오히려 하진의 위요, 등과한지 삼십여 년에 작록(爵祿)과 위권(威權)이 높거늘, 어찌 하원광 소아를 미치지 못하여 몸이 그

---

268) 이르기까지 : 이르도록, 이르기까지.

269) 적재(赤子) ; 갓난아이.

270) 승기(勝氣) : ①지지 않고 이기려는 기개. ②뛰어난 기상(氣象).

수하에 굴하여, 생살지권(生殺之權)이 저의 손 가운데 있으니, 어찌 부끄럽고 한스럽지 않으리오. 원광 소아가 필연 패군(敗軍)함이 있으리니, 내 기시에 당당이 대원수인(印)을 앗아 초지를 평정하여 개가(凱歌)로 회군하리라."

어린 의사 이에 미쳐는 두려워함이 없으되, 다만 부원수 이하가 다 연장 사십에 위거(位居) 공후(公侯)와 재렬(宰列)이로되, 대원수의 대덕과 군법이 엄하여 불복지심(不服之心)이 없으니, 여헌이 더불어 의논할 곳이 없으매, 서어(齟齬)한 의사를 두었다가 발각하면 죄를 받을까 염려하여 공순하더라.

대군이 물밀듯 행하여 초지(楚地)에 이르러 적군의 형세를 물으니, 절도사 바야흐로 하북 병을 거느려 초국 작폐(作弊)를 막았으나, 초왕의 대장이 용력이 과인하여 군을 몰아 관액(關阨)을 범하매, 여러 곳을 앗고 절도사의 군기를 여러 순(巡)[271] 앗아 예기(銳氣) 승승장구(乘勝長驅)하니, 절도사가 능히 저당치 못하여 천조 대병이 이르기를 기다리다가, 이미 대군이 초역(楚逆)을 문죄(問罪)할새, 하원수의 동탕한 풍류와 늠연한 신광이 먼저 사람의 정신을 상쾌하게 하거늘, 그 위덕과 행군 법률이 엄숙함을 경복하여, 이에 초국 용병(用兵)의 용이(容易)치 않음과 조승의 만고무적지용(萬古無敵之勇)을 일일이 고하고, 초왕이 멀리 장수를 초모(招募)하며, 군기를 다스려 황성을 범코자 하는 바를 낱낱이 고하니, 원수 묵연양구(默然良久)에 미우 씩씩하며 왈,

"절도사 초적(楚賊)의 용력만 기리고, 힘힘히[272] 손을 묶어 대국 토지를 역적에게 빼앗긴바 되니, 이 무슨 도리뇨?"

---

271) 순(巡) : 번. 차례.

272) 힘힘히 : '부질없이'의 옛말.

절도사 황공 대왈,

"소장이 적을 막지 않으려 하는 것이 아니라, 본부군이 적을 뿐아니라 용력이 초군을 막지 못하고, 초군 장수와 군사 풍족한 연고로 소장의 잔병(殘兵) 약졸(弱卒)로 서로 막으면, 초군을 일변 대적하매 일변 빼앗김이 되니, 이는 여러 관액(關阨)[273]을 지킨 자가 초국과 동심한 연고라. 소장이 정히 어떻게 해야 할 줄을 알지 못하여, 본토 군읍도 지키지 못하는 바로소이다."

원수 미소 왈,

"역천자(逆天者)는 망(亡)이요, 순천자(順天者)는 창(昌)이라. 초국 군사 용장하고 장수 강맹하나, 하늘이 대역을 도울 리 없으니, 절도(節度)[274]는 너무 두려워하지 않을 듯하니, 원간 군심을 요동치 말고 힘과 마음을 다하여, 임진대적(臨陣對敵)할 때에 성명(性命)을 돌아보지 말고 우리 성주(聖主)의 홍복(鴻福)만 믿어 파적(破敵)기를 기약할지어다."

절도사가 수명이퇴(受命而退)러라. 원수 즉일 격서를 닦아[275] 살에 매어 초지(楚地)에 보내니, 시시에 초왕이 대역을 꾀하여 참람함이 만승지위(萬乘之位)를 생각하여 군량을 준비하고, 장사(將士)를 초모하여 대장군 조숭으로 일국 병권을 맡겨, 정히 대국 액구(阨口)[276]를 앗아 십여 처(處)를 빼앗고, 싸우지 않아서 장수를 항복 받으니, 이는 조숭이 감언미어(甘言美語)로 인심을 항복케 하며, 덕정(德政)을 보여, 행하는

---

273) 관액(關阨) : ①국경이나 요지의 통로에 두어 드나드는 사람이나 화물을 조사하던 곳. ②군사적으로 중요한 곳에 세운 요새.

274) 절도(節度) : 절도사(節度使). 조선 시대에 둔 병마절도사와 수군절도사를 통틀어 이르는 말.

275) 닦다 : 글을 지어 다듬다.

276) 액구(阨口) : 관액(關阨). 군사적으로 중요한 곳에 세운 요새.

바에 아무도 당할 이 없게 하는 고로, 초지(楚地) 제읍(諸邑)이 칭앙경복(稱仰敬服)[277]함이 되어, 대국 성지(城地)를 지킨 장수라도 망풍귀순(望風歸順)하는 바라. 초왕의 예기(銳氣) 장구(長驅)하고 승기(勝氣) 양양하여 만리강산을 수하(手下)에 둔 듯이 환희함을 마지않더니, 홀연 대국의 문죄하는 군병이 이르매, 그 위명(威名)이 대진(大振)하는지라. 정히 그 성명을 몰라 하더니, 송진(宋陣)에서 격서를 살에 매어 쏘매, 소교 (小校)[278] 얻어 왕께 드리니, 왕이 문무 신료를 모으고 격서를 떼어 보매 먼저 묵광(墨光)이 찬란하고 필획이 비등(飛騰)하여 이목이 황홀한지라. 그 대개의 왈,

"천조 대사마 태학사 평초대원수 제로도총병(天朝 大司馬 太學士 平楚大元帥 諸路都總兵) 하모(河某)는 글을 닦아 삼가 초진에 보내니, 천지가 조판(肇判)된 후에 오륜(五倫)이 생기니, 군신유의(君臣有義)는 만고강상(萬古綱常)이라. 금(今)에 성천자(聖天子)가 수명어천(受命於天)[279] 하시어 일월(日月)의 덕(德)이 만방에 비추시니, 사해(四海) 번국(藩國)이 귀순치 않는 이 없고, 교화가 대행하여 국태민안(國泰民安)의 요천순일(堯天舜日)이 돌아옴 같아서, 오래 병혁의 수고를 폐하였거늘, 이제 초왕이 몸 위에 대죄를 싣고 나명(拿命)을 응치 않아 언연이 본국(本國)을 웅거하여 불궤(不軌)를 꾀하고, 위사(衛士)를 가두어 만사무석(萬死無惜)한 중죄(重罪)를 갈수록 지으며, 병혁(兵革)을 일으켜 대국 토지를 노략하고, 황성을 침노(侵擄)코자 하니, 내가 성천자 조명(詔命)을 받자와, 천원(千員) 명장과 삼십만 대병을 거느려, 초지(楚地)를 회복하고

---

277) 칭앙경복(稱仰敬服) :칭찬하여 우러르고 공경하여 복종함.
278) 소교 (小校) : 하급 장교(將校).
279) 수명어천(受命於天) : 하늘의 명(命)을 받음.

초왕을 잡아 천문의 바치랴 하나니, 내 시러금[280] 황명을 받자올 뿐 아니라, 초왕으로 더불어 생세에 다 갚지 못할 원척(怨隻)[281]이 있으니, 초왕 흉적의 분골쇄신(粉骨碎身)함을 보고자 하거니와, 국지중사(國之重事)에 사수(私讐)를 이를 바 아니라. 왕이 만일을 뉘우치고 새로 어진 곳의 나아가, 이제라도 위사를 좇아 나명(拿命)을 받들면, 내 또한 대군을 물리려니와, 악을 힘쓰고 흉역(凶逆)을 행할진대, 당당이 대군을 몰아 초국을 어육(魚肉)[282]을 만들리니, 왕은 스스로 생각하여 임의로 하라. 수연(雖然)이나 흉역(凶逆)을 문죄하는 날인즉, 초국 문무신료(文武臣僚)가 '옥석(玉石)이 구분(俱焚)'[283]할 것이요, 백성이 탕화(湯火)에 듦을 면치 못하리니, 맹자(孟子) 이르시되, '보천지하(普天之下)가 막비왕토(莫非王土)요, 솔토지빈(率土之濱)이 막비왕신(莫非王臣)이라'[284] 하시니, 어느 땅이 우리 성상의 땅이 아니며, 뉘 우리 주상의 신민이 아니리오. 초민(楚民)이 불행하여 국군(國君)이 불인(不仁)함으로 말미암아, 애매한 생령(生靈)이 상할 바를 아끼나니, 왕이 일분 인심이 있을진대, 제실지친(帝室至親)으로 대역지명(大逆之名)을 취하리오. 위로 불궤지심(不軌之心)[285]을 둠이니, 어찌 초국 군신이 선심(善心)으로 도우면

---

280) 시러금 : 이에, 능히
281) 원척(怨隻) : 원수(怨讐).
282) 어육(魚肉) : 생선과 짐승의 고기를 아울러 이르는 말로, 짓밟고 으깨어 아주 결딴낸 상태를 비유적으로 일컫는 말.
283) 옥석(玉石) 구분(俱焚) : 옥이나 돌이 모두 다 불에 탄다는 뜻으로, 옳은 사람이나 그른 사람이 구별 없이 모두 재앙을 받음을 이르는 말.
284) 보천지하(普天之下) 막비왕토(莫非王土)요, 솔토지빈(率土之濱)이 막비왕신(莫非王臣)이라 : 『맹자』 〈만장(萬章) 상〉편에 나오는 말로, '온 천하의 땅이 임금의 땅 아닌 것이 없고, 온 땅에 사는 사람들이 임금의 신하 아닌 사람이 없다.'는 말.
285) 불궤지심(不軌之心) : 반역을 일으키려는 마음을 품음.

이런 일이 있으리오."

하였더라.

초왕이 견필에 대로하여 글을 찢어 땅에 버리고 분완 절치 왈,

"중국에 비록 사람이 없으나, 어찌 저 입 누린 아해 하원광 역추(逆酋)[286]를 적자(賊者)의 여지(餘枝)[287]로 원융(元戎) 대임(大任)을 맡겨 보내니, 그 패망함을 보지 않아 알 바요, 이제 원광 역추(逆酋)가 혼군(昏君)의 은사(恩赦)를 입어 작록(爵祿)과 위권(威權)이 분의 넘고, 저의 복이 손상할 징조거늘, 두려운 줄 모르고 말이 패만(悖慢)하니, 어찌 통완(痛惋)치 않으리오. 과인이 결(決)하여 원광 소적(小賊)을 마저 죽여 분을 풀고, 대군을 몰아 중원(中原)[288]의 사슴[289]을 따라[290] 나의 평생지원(平生之願)을 이뤄 강산(江山)을 취하고 말리니, 모름지기 제경은 진충(盡忠)하라."

문무가 배복(拜伏) 하례(賀禮)하여 마땅하심을 일컫고, 조승이 더욱 깃거 하원광 잡음을 일컫고, 병마를 총독(總督)하여 싸움을 돋우니, 하원수 마지못하여 격서(檄書)를 전하나, 중심에 분완절치(憤惋切齒)하여 초왕의 머리를 베고 오장을 헤쳐 그 염통을 너흘고자[291] 뜻이 있으니, 초왕이 비록 싸우고자 않아도 부디 초왕을 죽이고 말려 하던 바라.

---

286) 역추(逆酋) : 반역의 수괴(首魁).

287) 여지(餘枝) : '남은 가지'라는 말로 '아들'을 뜻함.

288) 중원(中原) : ①넓은 들판의 중앙. ②경쟁하는 곳. 또는 정권을 다투는 무대.

289) 사슴 : 제위(帝位)를 상징한다. 중원축록(中原逐鹿); 넓은 들판 한가운데서 사슴을 쫓는다는 뜻으로, 군웅(群雄)이 제위(帝位)를 얻으려고 다투는 일을 이르는 말.

290) 따르다 : 무엇을 잡기위해 뒤를 급히 좇다. 여기서는 '(사슴을 놓고) 다투다'는 뜻으로 쓰였다.

291) 너흘다 : 물다. 물어뜯다. 씹다.

양군이 대진(對陣)할 새, 하원수 비록 나이 십칠 소년이나, 병법과 설진(設陣)에 신기한 재주 있어, 세대(世代)에 희한하니, 조숭이 비록 용맹하나 어찌 하원수를 미칠 길이 있으리오. 멀리 바라보매 진중에 기이한 서기(瑞氣) 어리고, 맑은 바람이 일어나며, 오채상광(五彩祥光)이 조요(照耀)한 바에 군병 장사의 개갑(介甲)이 선명하고 대오(隊伍)가 정숙하며 법도가 삼엄하거늘, 조숭이 초왕을 돌아보아 왈,

"대강 하원광이 용이튼 않은가 싶으니, 대왕은 적군을 보아 말하고자 함을 통하소서."

왕이 분연 통한 왈,

"과인이 석년의 원려(遠慮)가 없어 원광 역추(逆酋)를 죽이지 못한 연고로, 이제 도리어 제 상국(上國)의 문죄하는 중임을 맡아, 과인의 토지를 침범하는 욕을 받으니, 어찌 통완 분해치 않으리오. 원광이 나를 수인(讐人)이라 하여 말함을 괴로워하리니, 장군이 하원광으로 말함을 청하여, 그 위인(爲人)과 의표(儀表)를 보라."

조숭이 옳이 여겨 제 스스로 진전(陣前) 출마(出馬)하여, 사졸(士卒)로 하여금 초국 대장군 조 병마(兵馬)가 원수로 말하고자 함을 소교(小校)로 통하니, 송(宋) 진중에서 진문이 열리는 바에 큰 기 앞을 인도하여, 금자(金字)로 크게 썼으되, 평초대원수 대사마 제로도총병(平楚大元帥 大司馬 諸路都總兵) 하모(河某)라 썼더라. 조숭이 눈을 들어 송진을 살피매, 하원수 몸에 홍금수전포(紅錦繡戰袍)[292]에 자금쇄자갑(紫錦鎖子甲)[293]을 껴입고 허리에 양지백옥사대(兩枝白玉紗帶)[294]를 두르고,

---

292) 홍금수전포(紅錦繡戰袍) : 붉은 비단에 화려하게 수를 놓아 지은 전포(戰袍). 전포는 장수가 입던 긴 웃옷.

293) 자금쇄자갑(紫錦鎖子甲) : 갑옷의 일종. 자주색 명주옷에 사방 두 치 정도 되는 돼지가죽으로 된 미늘들을 작은 고리로 꿰어 붙여서 만들었다.

머리에 순금 봉시(鳳翅)투구[295]를 썼으니, 위풍이 늠름하고 상모 당당하여, 반월천정(半月天庭)[296]은 일월각(日月角)[297]이 섰으며, 양미(兩眉) 정화(精華)는 강산의 수출(秀出)한 정기를 모아 천창(天窓)[298]을 떨쳤고[299], 봉안(鳳眼) 명광(明光)은 정채(精彩) 찬란하여 두 줄기 맑은 정광(精光)이 삼군(三軍)[300]을 밝히거늘, 오악(五嶽)[301]이 융기(隆起)하고 신채(身彩) 쇄락하여, 흉중(胸中)에는 제세안민지책(濟世安民之策)[302]과 안방정국지술(安邦定國之術)[303]을 장(藏)하였으니, 엄위(嚴威)한 기상과 쇄연(灑然)한 의표(儀表)가 천고(千古) 대군자요, 세대의 일인이라. 일량(一輛) 사륜거(四輪車)에 앉아, 좌수에는 백옥(白玉) 주미(麈尾)[304]를 들고, 우수에는 상방보검(尙方寶劍)[305]을 잡았으니, 군

---

294) 양지백옥사대(兩枝白玉紗帶) :명주에 백옥(白玉)을 붙여 만든 허리띠.

295) 봉시(鳳翅)투구 : 봉시(鳳翅)투구. 봉(鳳)의 깃으로 꾸민 투구. 봉시(鳳翅)는 봉의 깃. 투구는 예전에, 군인이 전투할 때에 적의 화살이나 칼날로부터 머리를 보호하기 위하여 쓰던 쇠로 만든 모자.

296) 반월천정(半月天庭) : 반달 모양의 이마. 천정(天庭)은 관상(觀相)에서 양 눈썹의 사이, 또는 이마의 복판을 이른다.

297) 일월각(日月角) : 관상법(觀相法)에서 부모운(父母運)을 나타내는 일각(日角)과 월각(月角)을 함께 이르는 말. 일각은 왼쪽 눈 위 약 3㎝ 부분, 월각은 오른쪽 눈 위 약 3㎝ 부분의 이마를 말하는데, 일월각이 뚜렷하면 높은 관직에 오를 상(相)이라 한다.

298) 천창(天窓) : '눈'을 달리 표현한 말.

299) 떨치다 : 드러내다. 드날리다.

300) 삼군(三軍) : ①예전에, 군 전체를 이르던 말. ②현대의 육군, 해군, 공군으로 이루어진 군 체제.

301) 오악(五嶽) : 얼굴의 두 눈과 두 콧구멍, 입을 말함.

302) 제세안민지책(濟世安民之策) : 세상을 구제하고 백성을 편안하게 할 방책.

303) 안방정국지술(安邦定國之術) : 국가를 안정시키고 공고하게 할 꾀.

304) 주미(麈尾) : 말총으로 만든 총채.

305) 상방보검(尙方寶劍) : 상방검(尙方劍). 임금이 출정 장수에게 하시어하던 칼. 임금의 권위를 상징하는 역할을 하여 부하나 군졸 등이 명을 거역할 때 임금

용(軍容)이 정제하고 대외(隊伍) 엄숙하여 회음후(淮陰侯)[306]에 지나니, 조승이 경복(敬服) 흠선(欽羨)하여 마상(馬上)에서 예(禮)하여 왈,

"소방(小邦)이 일찍 대국을 반(叛)한 일이 없거늘, 천자가 이름 없이 위사(衛士)를 보내어 나명(拿命)을 재촉하나, 그 때 우리 왕상(王上)이 환후 중하시어 기거를 임의치 못하시는 고로, 능히 천명을 지지(遲遲)함이 있거니와, 천조(天朝)가 이로써 죄목을 삼아 원수 멀리 천산만수(千山萬水)를 건너 이에 이르니, 아국이 알지 못하여 시러금 대진(對陣)하거니와, 아지못게라! 원수 무슨 재주로 아국을 파(破)코자 하시느뇨?"

원수 조승의 말을 듣고, 분연이 꾸짖어 왈,

"네 본디 초왕 흉적의 신자(臣子)니 충의 예절을 알지 못하려니와, 네 임군을 도우매 선을 나오고 악을 멀리함이 옳거늘, 흉심의 반역을 돋우어 천조 나명(拿命)을 불수(不受)하고, 갑병(甲兵)을 일으켜 황도를 침범하니, 그 죄가 불용주(不容誅)[307]라. 초왕 반역이 일분(一分) 인심(人心)일진대, 황상의 성은을 감굴(感屈)[308]치 않고, 제실지친(帝室之親)으로 여차 무례함이 있으리오. 이는 먼저 초왕의 죄이거니와, 또한 여등이 국군을 도움이 오륜지도(五倫之道)에 있을진대, 또 어찌 이다지도 궁흉(窮凶)하리오. 네 이제 서절구투(鼠竊狗偸)[309]의 개미 같은 군졸과 조그만 용력을 믿어 내가 초국을 파치 못하리라 하거니와, 금일이라도 쾌히 승부를 결하라."

에게 보고하지 않고도 그들의 생사를 마음대로 할 수 있는 권위를 지니는 칼이다.

306) 회음후(淮陰侯) : 중국 한(漢)나라 개국공신 한신(韓信)의 작위(爵位).

307) 불용주(不容誅) : (죄가 너무 커서) 죽음으로도 용서받을 수 없다.

308) 감굴(感屈) : 감격하여 복종함.

309) 서절구투(鼠竊狗偸) : 쥐나 개처럼 몰래 물건을 훔친다는 뜻으로, '좀도둑'을 이르는 말.

조숭이 원수의 일월지광(日月之光)과 하늘 같은 위풍을 보매, 저의 미친 예기(銳氣) 많이 줄어지되, 또한 강용을 믿어, 대소 왈,

"원수 대국 위엄을 자랑하여 초국을 업신여기거니와, 아국이 일찍 대조(大朝)를 모반함이 없거늘, 천조가 무명지군(無名之軍)[310]을 일으켜 멀리 정벌하니, 아국이 수소(雖小)나 힘힘히 손을 묶어 속수(束手)치 않으리니, 원수 친히 군을 몰아 결진(結陣)하라. 내 비록 무용지장(武勇之將)[311]이나 두려워하지 않노라."

원수 대소 왈,

"네 이리 이르지 않으나 내 또한 대군을 몰아 흉적을 탕멸(蕩滅)하고, 초왕 흉적을 잡아 만단(萬端)에 내어 설분(雪憤)하리라."

조숭이 대로하여 정창출마(挺槍出馬)하여 직취(直取) 원수하니, 원수 잠깐 윤거(輪車)를 돌려 진문에 들어가, 청총옥설만리운(青驄玉雪萬里雲)[312]을 타고, 제장을 거느려 진문을 나 싸움을 돋우니, 양진의 고각(鼓角)[313]이 연천(連天)[314]하고 검극(劍戟)이 삼열(森列)하여 일광을 가리고, 하원수 친히 채[315]를 쳐 진 앞에 나매, 용력의 절륜함과 창법의 신이함이 다다르는 곳마다 장수의 머리 베기를 풀 베 듯하여, 적진에 치빙(馳騁)함을 무인지경(無人之境)같이 하니, 출몰(出沒)하는 용(龍) 같고 경요(競搖)[316]하는 범같이, 횡행(橫行)하니, 조숭이 평생 용력으로도 능

---

310) 무명지군(無名之軍) : 명분 없는 군사행동.

311) 무용지장(武勇之將) : 용맹하지 못한 장수.

312) 청총옥설만리운(青驄玉雪萬里雲) : 하루에 만리를 가는 옥설(玉雪)처럼 하얀 청총마(青驄馬). 청총마는 털이 흰 백마(白馬)로, 갈기와 꼬리부분이 파르스름한 빛을 띠고 있다.

313) 고각(鼓角) : 군중(軍中)에서 호령할 때 쓰던 북과 나발.

314) 연천(連天) ; 하늘에 닿음.

315) 채 : 채찍

히 저당치 못하니, 심리(心裏)에 대로(大怒)하여 급히 비전(飛箭)을 빼어 궁시(弓矢)로 시험하매, 살이 정히 원수의 앞을 향하니, 원수 옥절(玉節)[317]을 들어 쓰리치며[318] 왈,

"양군(兩軍)이 처음으로 대진(對陣)하매 마땅히 용력을 시험하여 승부를 결함이 옳거늘, 적군이 먼저 비전(飛箭)을 쏘니 아군이 또한 궁전(弓箭)을 쏘아 적병을 남기지 않으리라."

숭이 대로하여 창을 끌어 원수를 취하니, 원수 접전할 새 용력을 의논할진대, 조숭이 원수에게 내리지 아니하되, 신출귀몰한 재주를 당할 길이 없는지라. 접전(接戰) 삼십여 합(合)[319]의 불분승부(不分勝負)[320]로되, 원수의 창법이 점점 신출귀몰하고 기운이 배승하니, 조숭이 정히 물러나고자 하더니, 원수 숭의 탄 말을 질러 거꾸러뜨리니 초군이 대경하여 급히 구하여 말에 올리더니, 원수 일성(一聲) 음아(吟哦)[321]에 몸을 날려 조숭이 탄 말에 올라, 숭의 투구를 벗기고, 상투[322]를 잡아 마상에서 내두르기를 이윽히 하더니, 성상(城上)에서 초왕이 조숭이 헛되이 잡힘을 보고 대로하여 출전조봉(出戰助鋒)[323]코자 하더니, 제장이 일시

316) 경요(競搖) : 요란스럽게 다툼.
317) 옥절(玉節) : 옥으로 만든 절월(節鉞). *절월(節鉞); 조선 시대에, 관찰사·유수(留守)·병사(兵使)·수사(水使)·대장(大將)·통제사 들이 지방에 부임할 때에 임금이 내어 주던 물건. 절은 수기(手旗)와 같이 만들고 부월은 도끼와 같이 만든 것으로, 군령을 어긴 자에 대한 생살권(生殺權)을 상징하였다. =절부월(節斧鉞)
318) 쓰리치다 : 쓸어버리다. 뿌리치다. 따라붙거나 다가오는 것을 막아내다.
319) 합(合) : 칼이나 창으로 싸울 때, 칼이나 창이 서로 마주치는 횟수를 세는 단위
320) 불분승부(不分勝負) : 승부를 가리지 못함.
321) 음아(吟哦) : ①시(詩) 따위를 음영(吟詠)하는 소리. ②싸움이나 경기에서 상대편의 기선(機先)을 제압하기 위해 내지르는 고함(高喊)소리.
322) 상투 : 예전에, 장가든 남자가 머리털을 끌어 올려 정수리 위에 틀어 감아 맨 것.
323) 출전조봉(出戰助鋒) : 전쟁터에 나가 아군의 싸움을 도움.

에 '경(輕)이 대적(對敵)지 마소서' 극간하고, 초국 장사군졸 수만여 인이 죽기를 그음하여 원수에게 다라드니, 원수 조승을 초진(楚陣) 중의 멀리 던져 왈,

"네 나라가 이 같은 소장(小將)으로 군마를 총독케 하고, 감히 천조를 항거하여 멸족지화(滅族之禍)를 취하니, 어찌 가소롭지 않으리오. 네 나라가 한결같이 이런 무용(無用) 소적(小賊)을 보배같이 여겨 지성(至誠)으로 갈구(渴求)하니 그 정(情)이 또한 자닝토다[324]. 이제 돌려보내나니 쉬이 갑(甲)을 벗고 항복하여 멸족지환을 받지 말라."

언파에 대군을 몰아 일진을 혼살(混殺)하니, 주검이 들에 가득하고 혈류성천(血流成川)[325]하니, 적진이 상혼낙담(喪魂落膽)하더라. 원수 일진을 대살(大殺)하고, 날이 어두우므로 쟁(錚)[326]을 쳐 군을 거두어 본영으로 돌아가다.

초군의 패잔 여졸이 조승을 구하여 본진에 돌아오니, 초왕이 조승의 손을 잡고 분탄 왈,

"아국 군위(軍威) 오히려 저 황구소아(黃口小兒)[327]를 미치지 못하여, 장군이 원광에게 욕을 보니 어찌 통완 분해치 않으리오. 이번 패함은 적을 업신여긴 탓이니, 모름지기 장군은 안심 조보(調保)하여, 군기를 숙이고 장수를 초모하며, 군량을 모으고 해자(垓字)[328]를 굳게 하

---

324) 자닝하다 : 애처롭고 불쌍하여 차마 보기 어렵다.

325) 혈류성천(血流成川) : 피가 흘러 내를 이룸.

326) 쟁(錚) : 징. 타악기의 하나. 놋쇠로 전이 없는 대야같이 만들어, 울의 한쪽에 두 개의 구멍을 내어 끈을 꿰고 채로 처서 소리를 낸다. 음색이 부드럽고 장중하다.

327) 황구소아(黃口小兒) : 젖내 나는 어린아이라는 뜻으로, 철없이 미숙한 사람을 낮잡아 이르는 말.

328) 해자(垓字) : 성 주위에 둘러 판 못.

라. 그리하여 저희로 하여금 오래 세월을 천연케 하여, 군심이 요동할 즈음에 군량을 끊어, 적군이 피폐(疲弊) 골몰(汨沒)[329]하거든, 군을 들어 하번 친즉, 마땅히 송군을 짓밟고 하원광을 잡아 주륙(誅戮)하여, 장군의 금일 욕봄을 씻은 후, 절도사를 아울러 죽여 대국에 급히 주문(奏聞)하는 길을 끊고, 대병을 몰아 황성을 취(取)하리라."

조승이 눈물을 드리워 패군함을 청죄하고, 제장이 배복하여 왕의 의논이 마땅함을 일컫더라. 초왕이 사문(四門)을 굳게 닫으며, 장수를 부르고 군기를 쌓아 안병부동(按兵不動)하더라.

하원수 초왕이 들고 나지 않음을 인하여 싸우기를 구치 아니하고, 날마다 군사를 거느려 대국 관액(關阨) 십여 처를 도로 앗으며, 초국 성지(城地) 수십여 성(城)과 삼십여 관(關)을 일시의 취한 바 되니, 원수의 신출귀몰한 재주 무궁하되 오히려 대강만 기록하니라.

재설, 하원수 초왕이 들고 나지 않음과 조승의 예기 줄어져 싸우지 않음을 보고, 짐짓 여러 일월을 천연하여 그윽한 가운데 흉계를 행코자 함을 짐작하고, 자기 또한 속여 승패의 결미(結尾)를 쉬이 내고자 함으로, 함평관에 채책(砦柵)[330]을 이뤄 군사를 쉬고 날마다 잔치하여 즐길 새, 군사 중 연소 미려한 자 칠팔 인과 서동 수인으로 여복(女服)을 개착하여 홍군취삼(紅裙翠衫)을 입히며, 칠보(七寶) 응장(凝粧)[331]을 성히 하고, 지분(脂粉)을 다스려, 사오 인은 원수의 앞에 머무르고, 부원수와 좌우 선봉에게 다 일인씩 두게 하여, 풍류 가곡으로 즐기는 거동을 초진

329) 골몰(汨沒) : 다른 생각을 할 여유도 없이 한 가지 일에만 파묻힘.
330) 채책(砦柵) : 울짱. 말뚝 따위를 죽 잇따라 박아 만든 울타리.
331) 응장(凝粧) : 화장을 그 정도가 지나치게 짙게 한 것. 담장(淡粧; 가볍게 한 화장), 농장(濃粧; 짙게 한 화장)보다 더 짙게 한 화장을 말함.

(楚陣)으로 하여금 알게 하니, 그윽한 일이라도 초군의 탐청함이 자못 궁극하거늘, 날마다 우양을 잡고 주찬을 갖추어 삼군 장졸이 잔치하며, 금슬가곡(琴瑟歌曲)이 요량(嘹喨)하여 구천(九天)에 사무치니, 어찌 탐청하는 유(類) 모름이 있으며, 하물며 절도사는 밖에 있어 매양 미우를 찡기고,

"원수 위인 재덕인즉 당세의 희한한대, 주색을 탐하는 것이 병되어, 날마다 잔치하여 즐김이 더욱 가치 않은지라. 이러므로 장사 군졸이 다 해태(解怠)하여 싸울 생각이 없으니, 상장(上將)으로부터 말장(末將)에 이르기까지 음주단란(飮酒團欒)하여 미녀성색(美女聲色)으로 날을 보내니, 만일 적군이 우리 채책(寨柵)을 겁탈[332]할진대, 패군함이 여반장(如反掌)이리니 어찌 한스럽지 않으리오. 내 원수를 보아 음주성색(飮酒聲色)이 불가함을 간하되, 들은 체 않고 초적의 잔미함을 이르니, 애다는 바는, 황상이 이다지도 연소한 사람으로 대장을 삼아 대국 위엄을 최절(摧折)케[333] 하신고!"

하니, 절도사의 이리 이름은 하원수의 지휘한 바라. 초왕이 연일하여 송진 소식을 탐지하매, 하원수 성지 수십여 성과 삼십여 관을 취함을 들으매, 분한이 탱중(撑中)하여[334] 이를 갈고 있는 바에, 원수 저의 군을 잔미(孱微)히 여겨 일분 방비함이 없고, 진중에서 음주단란하여 미녀성색으로 즐김을 들으매, 분연 절치 왈,

"원광 적추(賊酋)가 성곽을 많이 취하매, 마음을 풀어 다시 전사(戰事)를 괘념(掛念)[335]치 않으니, 우리 여러 일월을 천연(遷延)치 않아서 족

---

332) 겁탈(劫奪) : 위력으로 쳐서 빼앗음. 또는 폭행이나 협박을 하여 강제로 부녀자와 성관계를 맺음.

333) 최절(摧折). 사기 따위가 꺾임. 또는 위축(萎縮)됨.

334) 탱중(撑中)하다 : 화나 욕심 따위가 가슴속에 가득 차 있다.

히 원광을 죽이고 송진을 취하리니, 이 때를 타 과인이 친히 대군을 거느려 안평관의 나아가 원광을 잡아 만단에 찢으리라.”

조숭이 고하되,

“하원광이 지모 유여하고 용력이 과인하니 그 심폐(心肺)를 다 알기 어려운지라. 이제 날마다 음주단란(飮酒團欒)함을 진정 일로 믿기 어려우니, 전하는 소식을 자세히 듣보아[336] 그릇함이 없게 하소서.”

왕이 분연 왈,

“원광 역자(逆子)가 나이인즉 이팔(二八)이 겨우 넘었고, 제 또한 부재(不才)로 도학을 수련하는 선비요, 무예에 소여(疏如)할[337] 것이로되, 용력이 남다르고 수하에 거느린 제장이 지모(智謀) 유여(裕餘)한 고로, 행여 여러 관액을 얻었으나, 이제 미주(美酒) 성색(聲色)으로 단란(團欒)하매, 만사에 생각이 없어 전혀 주색에 골몰할 뿐이니, 소식을 더 듣볼 것이 어찌 있으리오.”

제장은 왕의 말이 옳음을 일컫되, 조숭은 의심이 없지 않아 두루 장사를 초모할 새, 초국 평산 아래 일위 강맹한 장사가 있으니 성명은 신법화라. 용맹이 절륜할 뿐 아니라 재주 비상하여, 호풍환우(呼風喚雨)를 임의로 하며, 신병(神兵)을 부르는 술법이 있으니, 일찍 심산에 은거하여 괴이한 도사를 만나, 온갖 재주를 배워, 평생 자부함이 세상에 저를 당할 이 없으리라 하여, 거칠 것이 없더니, 초왕이 신법화의 재주를 듣고 세 번 평산에 나아가 맞아오고자 하되, 신법화 무궁히 빗새와[338] 즉시 듣지 않더니, 초왕이 천만 간청하여, 만일 원수를 죽이고 황성에 들

335) 괘념(掛念) : 마음에 두고 걱정하거나 잊지 않음.
336) 듣보다 : 듣기도 하고 보기도 하며 알아보거나 살피다.
337) 소여(疏如)하다 : 생소(生疎)하다. 익숙하지 못하고 서투르다.
338) 빗새오다 : 핑계하다. 구실을 삼다. 토라지다.

어가 대공을 이룰진대, 천하 강산을 둘로 나눠 남북 황제 되기를 언약하니, 신법화가 비로소 몸을 돌려 초진에 돌아오니, 왕이 즉시 도총병마대장(都摠兵馬大將)을 삼아 왕태부(王太傅)를 겸하니, 위권이 조승의 위에 있고, 신법화의 재주 고금에 독보하니, 왕이 만심환희하여 대사를 거의 이뤘노라 하며, 영오한 군사를 송진에 보내어 소식을 탐지하니, 하원수는 갈수록 진취(盡醉) 미란(迷亂)하여 풍악으로 소일(消日)하고, 장사 군졸이 다 취하여 인사를 버려 저마다 얼굴이 주토(朱土) 칠한 듯하며 걸음이 비틀거리기를 면치 못한다 하니, 초왕이 대열하여 즉시 신법화더러 길일을 가리라 하니, 법화 왈,

"우리에게 대길한 날을 가려 송진에 통치 말고, 밤을 당하여 불의에 함평관 채책(砦柵)을 겁측하여 하원광을 죽이고, 조초[339] 대국으로 들어감이 옳으니이다."

초왕이 흔흔낙낙(欣欣樂樂)하여 함평관 겁측할 날을 가리니, 우명일(又明日)이 대길한지라. 삼군 장사가 각각 용력을 비양하여 송군 치기를 기약하더라.

어시에 하원수 계교로 제군장사(諸軍將士)의 해타(懈惰)함을 적군으로 알게 하고, 적심을 밝히 지기(知機)하여, 이에 총명한 사졸로 초군의 맨드리[340]를 하여 성에 들어가 초왕의 하는 바를 탐지하여 오라 하였더니, 사오일 후 사졸이 돌아와 보하되, 초왕이 새로 장사를 바야흐로 얻어 총우(寵遇)함이 백료(百寮)의 으뜸이요, 법화의 재주가 풍우와 귀신을 부린다 하거늘, 원수 대소 왈,

---

339) 조초 : 좇아. 이어. 따라, 뒤따라.

340) 맨드리 : 모양새, 차림새. 옷을 입고 매만진 맵시.

"흉적이 계교 궁진하여 어데 가 요정(妖精)을 얻어왔거니와, 군자 어찌 그 같은 쥐 무리를 두려워 하리오."

하고, 즉시 부원수와 좌선봉을 명하여,

"각각 삼천군씩 거느려, 적군이 관을 겁측하러 오거든, 뒤로 궁실을 불지르고 양초(糧草)를 소화하라."

하고,

"좌선봉은 초왕이 패하여 달아날 때 뒤를 따라 크게 엄살(掩殺)하라."

하니, 양장이 청령이퇴(聽令而退)하거늘, 원수 우선봉 석휴로 더불어 진중에 있으니, 참모 여헌이 원수께 고 왈,

"이제 적군이 장사를 초모하고 양초(糧草)와 기계(機械)를 준비한다 하니, 이는 그 계교가 장차 큰 곳에 있음이니, 원수 매양 음주연락(飮酒宴樂)하여 적군의 업신여김을 받음이, 아군의 유익함이 없을지라. 소장이 비록 용기 없고 재주 없으나, 일지(一枝) 병마를 빌리시면, 적의 진문을 깨쳐 들어가 초왕의 머리를 베어 휘하에 바치리니, 미(微)한 정성을 청납하라."

원수 소왈,

"참모의 말씀이 옳으나, 세상사가 앉아 말함이 쉽고 일이 능히 뜻같지 못하리니, 저 초왕이 비록 흉완하나 또한 지혜 없지 않고, 조승은 범연한 장수 아니라. 경이(輕易)히 대적키 어려우니, 장군은 바삐 굴지 말고 일이 되어감만 보라."

여참모 다시 청하되, 원수 마침내 불허하니, 참모 심리에 앙앙(怏怏)분분(忿憤)하여 생각하되,

"부원수와 좌선봉은 대사를 지휘하여 보내되, 나를 못 믿어 유진(留陣)케 하여 군병을 빌리지 않고, 재주를 펴지 못하게 하며, 공을 이루지 못할 것으로 아는지라. 내 이제 만리 전진에 종군하여 큰 공을 이루지

못하면, 황성에 돌아가 부끄러움은 이르지도 말고, 하원광이 초지 성곽을 두루 앗으매, 마음이 풀어지고 의사 무르녹아[341] 초진으로 하여금 해타함을 알게 할 뿐이요, 군기를 다스리는 일이 없으니, 이때를 타 적군이 돌입하는 환을 만나면, 살고자 하여도 성명을 보전하기 어려우리니, 차라리 수하 사졸로 더불어 초진을 겁측하고, 초왕과 조승을 죽여 제일 공을 세우리라."

의사 이에 미치매, 끝내 누르지[342] 못하여, 이날 황혼에 저의 거느린 수하 오백군으로 더불어 초진을 바라고 급히 나아가되, 원수께 고치 않으매 원수는 아득히 모름이 되었더니, 후응(後應) 사관(士官)이 보 왈,

"참모사 여헌이 오백군을 거느려 초진으로 향하나이다."

원수 대경 왈,

"여차 즉 일이 그릇 되리니, 바삐 참모를 부르라."

장사관(將士官)이 말을 채쳐 여헌의 가는 곳을 보고 빨리 행하여 원수의 소명(召命)을 전한대, 여헌이 머리를 흔들어, 왈,

"원수의 결단 없음이 아무 시절에도 초적을 파하며, 적장을 잡을 길이 없고, 저 적 첫 싸움에 조승을 잡되, 죽이지 않고 마상에서 휘쫓아 제 곳으로 보내니, 적장의 구하여 얻기 어려운 영행이라. 우리 군중에 추호도 유익함이 없는지라. 부질없이 일월만 천연하고 승패 결미를 낼 길이 없으니, 나 여헌이 비록 용맹과 재주 없으나 초적을 두릴 것이 아니라, 원수의 허락을 얻지 못하고 분울함을 참지 못하여, 수하 군졸만 데리고 초진을 향하나니, 장군은 부르지 말라."

---

341) 무르녹다 : ①단단하지 못하고 물러 흐무러지다. ②일이나 상태가 한창 이루어지려는 단계에 달하다.

342) 누르다 : 억제하다. 억누르다. 자신의 감정이나 생각을 밖으로 드러내지 않고 참다.

관이 연하여 부르되 여참모 들은 체 않고 군사를 호령하여 초진을 향하여 닫거늘, 사관이 하릴없어 본진에 돌아와 원수께 여헌의 장령(將令)을 듣지 않고 닫던 바를 고하니, 원수 분완하나 자기 친히 따라 잡을 길이 없으니, 대사 그릇될까 염려하여 우선봉 석휴를 명하여 이천군을 거느려 여헌을 구하라 하고, 후응 장사관으로 일천군을 거느려 초장(楚將)의 맨드리[343]를 하고 안창관에 가 여차여차하여 초왕을 맞아들이라 하니, 이인이 명을 받아 군사를 거느려 진문으로 나가거늘, 원수 바야흐로 여복을 개착하였던 군졸을 다 남의를 입으라 하고, 장중에 미녀 사오인을 풀로 만들어 금수(錦繡) 의복을 빛나게 하고, 자기 의형(儀形)을 또한 목인으로 만들어 미녀로 집기수연기슬(執其手連其膝)[344]하여 유희방탕한 거동을 하고, 자기는 장졸을 거느려 진 밖 그윽한 곳에 매복하니, 일이 고요 비밀하여 알 이 없더라.

이때 초왕이 신법화와 조숭으로 더불어 날을 가려 함평관을 겁측할새, 개갑(介甲)[345]을 각별이 빛나게 하고, 창검을 날카롭게 하여, 삼군 장졸을 배부르게 먹인 후, 삼경(三更) 반야(半夜)를 타 함평관을 향하더니, 길에서 송진 참모사 여헌을 만난지라. 초군은 오만여인이요, 신법화 조숭의 강용이 여헌 같은 유는 한 칼에 포집어[346] 죽일 바거늘, 하물며 신법화의 풍우와 귀신을 임의로 부리는 재주로 여헌 같은 유는 싸우지 않아서 자연 항복케 할 수 있는지라. 초왕이 여헌의 거느린바 군병이 적고, 거동이 용상(庸常)함을 우이 여겨, 신법화를 돌아보아 왈,

"저 같은 적군은 가히 근심되지 않거니와 태부의 재주를 시험하여 싸

343) 맨드리 : 모양새, 차림새. 옷을 입고 매만진 맵시.
344) 집기수연기슬(執其手連其膝) : 서로 손을 잡고 무릎을 맞대어 앉음.
345) 개갑(介甲) : 갑옷.
346) 포집다 : '거듭 집다'의 뜻으로 여기서는 '너끈하다'의 의미로 쓰임.

우지 않아서 스스로 위엄을 두려워하여 갑을 벗고 항복케 하라."

신법화가 웃고 멀리 여헌을 향하여 진언(眞言)[347]을 염하며, 손 가운데 한 장 부작(符作)[348]을 던지니, 경각에 검은 안개 일어나고 광풍이 대작(大作)하는 바에 아니꼬운 냄새 코를 거스르고, 여헌으로 더불어 말째 사졸에 이르기까지 두골이 때리며[349], 정신이 아득하여 천지를 분변치 못하니, 어찌 초병과 겨룰 의사 나리오. 여헌과 제군이 정신을 수습치 못하여, 투구를 벗으며 들었던 창검을 놓고, 황망하여 아무리 할 줄 모르니, 초왕과 조승이 박장대소(拍掌大笑) 왈,

"원광이 저런 것을 대장이라 하여 대사를 맡겨 보냄이 소아의 희롱 같아서 가히 웃음직한지라. 태부가 재주를 발하매 수고로이 싸우지 않아 적군이 죽을 형상을 지으니, 과인이 무슨 복으로 태부를 만났느뇨?"

신법화가 소왈,

"하원광이 천상과 인간을 통하여 없는 놈이라도, 소장의 재주에는 미치지 못하리니, 속절없이 만리타국에 와 검하(劍下) 경혼(驚魂)이 될 따름이라. 어찌 한갓 여헌의 죽어가는 것을 괴이타 하리까?"

초왕이 깃거 사졸을 분부, 왈,

"송장 여헌으로부터 거느린바 제졸의 갑주와 투구 창검과 마필 기계를 앗아 오라."

한데, 군졸이 수명하여 갑주 마필을 빼앗되, 여헌과 제졸이 반죽엄이 되어 인사를 모를 뿐이라. 초왕이 신법화더러 왈,

---

347) 진언(眞言) : 늑다라니. 범문을 번역하지 아니하고 음(音) 그대로 외는 일. 자체에 무궁한 뜻이 있어 이를 외는 사람은 한없는 기억력을 얻고, 모든 재액에서 벗어나는 등 많은 공덕을 받는다고 한다.

348) 부작(符作) : 부적(符籍).

349) 때리다 : 무엇으로 딱딱 치는 듯한 아픈 느낌이 들다.

"송군 오백인과 여헌을 죽여, 우리 첫 싸움에 사졸 장사 삼백인 없이 한 분을 풂이 옳으니라."

신법화 왈,

"대왕 하교 마땅하시나, 여헌은 오히려 적은 도적이요, 원광을 잡음이 급하니, 대왕이 백여 기(騎)를 거느려 후군이 되시어, 여헌과 거느린 군졸을 죽이소서."

초왕이 점두하고, 길을 터 조승과 신법화로 하여금 오만군을 거느려 송진으로 보내고, 왕은 뒤에 처져 여헌을 짓치려[350] 할 새, 우선봉 석휴가 대로를 버리고 지름길로 여헌을 따라 이르되, 초병의 형세 장하여 오만군과 신법화의 귀신 같은 재주를 당할 길이 없으니, 잠깐 머물러 매복하여 종시(終始)를 보려 하더니, 신법화가 군을 거느려 함평관으로 물밀듯 나아가고, 왕이 머물러 백여군을 거느려 정신을 가다듬어 여헌으로부터 제졸을 죽이려 하더니, 석선봉이 이천군을 거느려 일시의 고함하고 내다르니, 초왕이 미처 일인도 죽이지 못하여서 대병을 만나니, 불승분완(不勝憤惋)하여 죽음을 돌아보지 않고 석휴와 진력하여 싸울 새, 석휴가 일변 사졸을 명하여 여헌과 오백군을 구호하여 말에 올리라 하고, 일변 왕을 대적하여 삼십여 합을 싸우되 불분승부요, 초왕의 강용이 오히려 석휴의 위로되, 초왕은 거나린 군사 백여 인에 넘지 못하고, 석선봉은 오히려 이천군이니, 적은 것으로써 많은 것을 당키 어렵고, 송군의 예기 당당하여 부디 초군을 짓치고 말려 하되, 초왕이 좌충우돌에 정신이 백배하여 칼 쓰는 법이 씩씩하니, 석휴와 대적하매 피차 군졸이 상한 이 없으되, 석휴가 초왕과 접전하매 능히 기운이 미치지 못하고 힘이 진하니, 짐짓 군중에 영왈(令曰),

350) 짓치다 : 함부로 마구 치다.

"여참모 흉적의 해함을 인하여 정신을 잃었으니 진정 영웅이 아니라. 여장군으로써 오백 군졸을 다 죽게 못하리니, 제장은 여장군과 오백군을 거느려 말에 올려 오는 길로 오게 하라."

이리 이르며 진을 풀어 산곡으로 향하니, 초왕이 석휴를 따라 해코자 하되, 송군이 별이 흐르듯 행하니 잡기 어려운지라. 생각하되,

"여헌과 석휴는 용이한 도적이라. 신법화를 만나면 경각에 다 죽을 것들이니, 따라 부질없다 하여 군을 돌려 함평관에 가, 원광 등의 파함을 보리라."

하여, 군을 몰아 함평관으로 나아 가니라.

선시에 조숭과 신법화가 대대 군마를 몰아 송진에 나아가매, 관문이 오히려 열렸고 은은이 풍류 소리 들리니, 이는 하원수 관문 밖 산곡에 매복하여 금현(琴絃)을 농(弄)하며, 소졸로 풍류(風流)를 시켜 함평관 안에서 풍류함 같이 하는지라. 신법화와 조숭이 원수의 풍류단란(風流團欒)하여[351] 군심을 해태케 함을 스치고, 일변 하늘이 초왕으로 하여금 만승지위를 누리게 도우심이라 하여, 흔흔낙낙(欣欣諾諾)하여 대군을 몰아 관중(關中)에 들이달으매, 함평관 안에 한 사람도 있지 않으나, 풍류소리는 끊이지 않거늘, 신법화와 조숭이 계교에 빠진 줄을 깨달아 황망이 군을 물리려 하더니, 문득 고함이 대진(大振)하고 포향(砲響)이 땅을 움직이는 가운데, 관문 밖으로 좇아 천병만마가 짓쳐오는지라.

신법화가 일이 급하고 화가 당전함을 보고, 또 부작을 던지고 진언(眞言)을 염(念)하니, 검은 안개 송진을 덮으며 미친 바람이 크게 일어나,

---

351) 풍류단란(風流團欒)하다 : 여럿이 한데 어우러져 멋스럽고 풍치 있고 즐겁게 놀다.

사람이라도 불릴 듯한 바에 괴이한 냄새 코를 거스르는 듯하여, 송군이 다 정신을 잃는지라.

하원수 제졸이 황황함을 보고, 즉시 입으로 '천명(天明)' 두 자를 일컬으며 자금선(紫錦扇)을 들어 안개를 부치니, 진정귀인(眞正貴人)에게 잡술(雜術)이 범치 못하는지라. 오래지 않아 안개와 광풍이 스러지고, 일안(一安)[352] 청명(淸明)하니, 송군이 또한 정신이 도로 씩씩하고, 하원수 짐짓 사졸의 맨드리로 보군에 섞였으니, 조승과 신법화가 하원수가 아무 곳에 있음을 알지 못하고, 다만 광풍과 안개 스러짐을 대경하여, 신법화가 다시 신병(神兵)을 청하며 대우(大雨)를 축(祝)하는 부작을 던지며, 진언을 힘써 외우매 급한 빗발이 댓줄기[353] 같이 내리 쏟으니, 삼군 사졸이 의갑(衣甲)이 다 젖고 벽력소리 요란하니, 사람이 서로 대하여 서 있기 어려우나, 오직 천병을 상해오고 초군은 상치 않는지라.

원수 요정의 환술(幻術)이 궁극함을 대로하여, 평생 신기(神技)를 비양(飛揚)하여 산호편(珊瑚鞭)을 둘러 적진을 가르치며 크게 소리하여 풍백(風伯)과 우사(雨師)를 호령하니, 경각에 질풍(疾風) 뇌우(雷雨)를 걷어치우며 공중에서 한 줄기 푸른 불덩이 내려와 초군을 짓찌르니[354], 벽력화(霹靂火)[355] 구르는 곳에 초군이 사람이나 말이나 만난즉 쇄신분골(碎身粉骨)하는지라. 만군의 울음소리 진동하나, 종시 원수는 찾지 못하니, 신법화와 조승이 진력 충살(衝殺)하나 무가내하(無可奈何)라. 원

---

352) 일안(一安) : 한결같이 편안함.

353) 댓줄기 : 대나무의 줄기. 빗줄기나 물줄기 따위가 굵고 세찬 것을 비유적으로 이르는 말.

354) 짓찌르다 : 무찌르다. ①함부로 마구 찌르다. ②닥치는 대로 남김없이 마구 쳐 없애다.

355) 벽력화(霹靂火) : 벼락불. 벼락이 칠 때에 번득이는 불빛.

수 신무(神武) 영재(靈才)로 요술이 없게 하며, 일변 창검을 들어 초군을 베니, 초군이 벽력화한 덩이 내림을 인하여 오십여 인이 죽자, 제졸이 다 재 되기를 면하려, 투구가 머리에 벗어지며 창검이 손에 내려짐을 알지 못하고 동서로 분주(奔走)하니, 신법화가 일이 급함을 보고 평생 재주를 다하여 송군을 향하여 비검(飛劍)을 던지니, 이 검(劍)은 예사(例事) 칼이 아니라, 신법화가 요술을 배울 때, 그 스승이 '위란한 때에 이 칼을 던지면, 수고 않아 스스로 날아가 사람을 베리라' 하고 주던 고로, 법화가 평생 중보(重寶)로 알아 감추었더니, 평산에서 법화의 아들을 쳐 죽인 이가 있거늘, 법화가 수인(讐人)을 향하여 칼을 던지니, 수인의 합문(闔門) 상하 삼십여 인이 다 비검에 베인 바 되거늘, 법화가 기특히 여겨 매양 몸에 지녔더니, 이날 송진을 향하여 던지니, 칼이 공중에 떠 공교히 하원수의 머리를 지나, 지휘사 장흠의 앞을 향하여 들어오니, 원수 나는 다시 장흠의 곁에 나아가 비검을 잡아 꺾어버리니, 칼이 두 조각이 나는 바에 푸른빛이 번득여 원수의 손이 떨어질 번 하니라. 원수 요괴로운 칼인 줄 알아, 제요가(制妖歌)[356]를 외우며 산산이 빻아 버리고, 사졸을 재촉하여 초군을 짓지르니[357] 승부하여(勝負何如)오. 하회(下回)를 보라.

---

356) 제요가(制妖歌) : 요술을 제압하는 노래.
357) 짓지르다 : 팔다리나 막대기 따위로 함부로 마구 지르다.

ꕥ

명주보월빙 권지사십오

설표 하원수 사졸을 재촉하여 초군을 무찌를 새, 신법화·조숭이 법술이 다 패함에 다다라서는 할 일 없는지라. 앙천 탄왈,

"하늘이 초국을 돕지 않으심이 여차하니, 가히 싸워 무익할지라. 그러나 하원광의 거처를 모르니 '어느 곳에 있는가.' 보리라."

이리 이르며 장중(帳中)에 깨쳐 들어가니, 하원수 반취(半醉)한 얼굴에 웃음을 머금고 미녀 사오 인으로 더불어 병좌(竝坐)하여 희기(喜氣) 무르녹으니, 고운 얼굴에 쇄락한 풍광이 만고무적(萬古無敵)이라. 조숭과 신법화 대경 왈,

"우리는 장중(帳中)이 비었는가 하여, 하원광이 없음을 괴이히 여겼더니, 이제 미녀로 병좌하여 유희 방탕하니, 아지못게라! 이 어찌 된 일이뇨? 도리어 의심되고 이상하니 이 아니 하원광이 분신법(分身法)을 하여 저 미녀로 유희하는가? 원간 송진(宋陣) 삼군(三軍) 가운데 그대도록 신기하여 나의 여러가지 재주를 발뵈지[358] 못하고, 비검(飛劍)도 없으니, 이 어떤 사람인고? 성명을 알아 한번 구경하리라."

하여, 서로 일러 정신이 어리고 심기 황홀하니, 감히 싸울 마음이 없

---

358) 발뵈다 : '발보이다'의 준말. 무슨 일을 극히 적은 부분만 잠깐 드러내 보이다.

고, 목인(木人)임을 깨닫지 못하여, 그 비상한 재주가 어찌 이러함인가. 천사만려(千思萬慮)가 백출하여 범치 못하니, 하물며 그 거느린 바 제졸의 경황함이야 어찌 형상하리오. 조승과 신법화의 항(降)함을 기다리지 않아, 태반이나 소리를 높여 왈,

"아등 소졸은 장수의 거느린 바를 받아 이에 이르렀을지언정, 원간[359] 국군(國君)의 불인(不仁)을 도와 대국을 범코자 하는 뜻이 아니라. 이제 갑을 벗어 보전키를 바라나니, 대국 장군은 무죄한 소졸 등의 잔명을 빌리소서."

원수 보군(步軍)에 섞여 얼굴을 적군이 보지 않게 하더니, 항(降)하는 군사들의 외치는 소리를 듣고, 대답하여 왈,

"초왕의 죄역(罪逆)이 천지의 관영(貫盈)하나, 초국 백성은 무죄하니 어찌 항하는 유(類)를 살리지 않으리오. 모름지기 갑주(甲冑)를 벗고 우리 군졸 가운데 들어오라."

초군이 즉시 갑주를 벗어 옷을 메고, 다 송진으로 나아가니 그 수를 헤아리기 어렵더라. 조승이 이를 보매, 더욱 심장이 터지는 듯하여, 크게 소리하고 눈을 부릅떠 왈,

"하원광을 만단에 내어 찢어 죽이고, 우리 죽기를 돌아보지 말고 헤쳐 나아가, 일을 다시 이루리라."

언파에 신법화 칼을 들고 교의(交椅)[360]에 치달아 하원수를 베노라 한 것이, 목인(木人)의 머리 두 조각이 나고 사람이 아니라. 조승과 신법화 벤 것이 원수가 아니요, 목인임을 보고, 절절이 분완(憤惋)하여 팔

359) 원간 : 원래. 워낙. 본지부터.
360) 교의(交椅) : 의자(椅子). ①회좌(會座)할 때 당상관이 앉는 의자. ②제사를 지낼 때 신주(神主)를 모시는, 다리가 긴 의자.

을 뽐내며 왈,

"하원광 적자가 우리를 일마다 업신여겨 목인을 만들어 두고, 저는 벌써 피하였거늘, 우리 절절이 속아, 분명이 하원광으로 알아 베려 달려들기를 두려워하였으니, 어찌 통한치 않으리오."

법화 역시 분함을 띠어 즉시 말에 올라, 일만사천 군을 거느려 싼 것을 헤치려 하더니, 하원수 비로소 청총마(青驄馬)를 타고 좌수에 상방청룡검(尙方青龍劍)[361]을 잡고, 우수에 적은 기를 들어 사졸을 지휘하며, 신법화 조승의 앞을 당하여 짓치니, 위풍의 늠름함과 상모의 당당함이 '회음후(淮陰侯)의 나중 없음'[362]을 웃으며, 복록완전지상(福祿完全之相)이 곽영공(郭令公)[363]으로 대두(對頭)[364]할지라. 양안을 잠깐 높이 뜨매 두 줄기 맑은 빛이 삼군을 비추고, 와잠미(臥蠶眉)를 거스르매, 엄숙한 거동이 사람으로 하여금 불감앙시(不敢仰視)할 바라. 조승과 신법화를 접응하되, 검법의 신기함과 용력의 장함이, 초패왕(楚霸王)[365]의 일류(一類)라. 신법화 죽기를 다하여 진력히 싸워 부디 해코자 하더니, 원수 조승을 향하여 진목(瞋目) 질왈(叱曰),

"저 적 첫 싸움에 너를 죽이지 않고 몸을 보전하여 돌려보냄은, 네 개

---

361) 상방청룡검(尙方青龍劍) : 청룡을 새겨 임금이 하사한 상방검(尙方劍).

362) 회음후(淮陰侯)의 나중 없음 : 회음후(淮陰侯) 한신(韓信)이 한(漢) 고조(高祖)를 도와 한나라 건국에 큰 공을 세웠으나, 건국 후 반역죄에 몰려 고조와 고조의 비(妃) 여후(呂后)에게 살해된 것을 말함.

363) 곽영공(郭令公) : 곽자의(郭子儀). 697~781. 중국 당(唐)나라 중기의 무장(武將). 안녹산 사사명의 반란을 평정하고 토번을 쳐 큰 공을 세워 분양왕에 올랐다.

364) 대두(對頭) : 대적(對敵). 적이나 어떤 세력, 힘 따위와 맞서 겨룸. 또는 그 상대.

365) 초패왕(楚霸王) : 항우(項羽). B.C.232~B.C.202. 중국 진(秦)나라 말기의 무장. 이름은 적(籍). 우는 자(字)이다. 숙부 항량(項梁)과 함께 군사를 일으켜 유방(劉邦)과 협력하여 진나라를 멸망시키고 스스로 서초(西楚)의 패왕(霸王)이 되었다. 그 후 유방과 패권을 다투다가 해하(垓下)에서 포위되어 자살하였다.

과책선(改過責善)하여 불인한 주인을 어질게 도와 다시 싸우는 일이 없게 하고자 함이러니, 이제 조금도 뉘우치는 일이 없고, 요괴로운 장수를 얻어 대역의 초왕을 도우니, 천신이 어찌 흉적을 도울 리 있으리오. 마지못하여 네 머리를 베어 초왕 흉적의 바라는 마음을 끊으리라.”

언파의 숭을 죽이려 하더니, 신법화 칼을 비껴들고 몸을 뛰어 원수의 말 앞에 치달아 바로 원수를 찌르려 하니, 조숭이 승세(乘勢)하여 창을 비껴들고 원수에게 달려드니, 범연한 용력과 등한한 재주로 이를진대, 신법화의 요술과 조숭의 흉맹을 당하여 성명을 보전하리오마는, 원수는 하늘이 각별히 달수귀복(達壽貴福)366)으로 강세(降世)하여 하국공의 적심충량(赤心忠良)을 갚고자 하신 바니, 일성(一聲) 음아(吟哦)에 장신(長身)을 굽히며 원비(猿臂)를 늘여 신법화의 허리를 베어 내리치고, 버거 조숭을 잡고자 하니, 숭이 의사 황홀하고 혼백이 비월(飛越)하니 손을 놀리지 못하여, 원수의 칼이 닿는 곳에 조숭을 베어 내리치고 시살(廝殺)367)하니, 좌우 선봉과 제장이 원수의 이김을 보고, 합력하여 적진을 시살하니 죽는 자가 부지기수(不知其數)러라. 모든 적군이 이미 천신 같이 믿고 바라던 신법화와 조숭이 죽으니, 다시 바랄 것이 없는지라. 저마다 죽기를 저허 사산분궤(四散奔潰)368)하여 호천통곡(呼天痛哭)하다가 일시에 항(降)하니, 원수 다 각각 무휼하여 초군을 안무하고, 돌려보내어 부모처자를 찾아 생업을 이루게 하고, 원수와 제장이 장중(帳中)에 들어가 쉴 새, 지휘사 장함이 고 왈,

“원수 작일 사경초(四更初)로 부터 결전하여 금일 미시(未時)에 크게

366) 달수귀복(達壽貴福) : 천수(天壽)를 다하도록 장수하고 귀하게 될 복.
367) 시살(廝殺) : 싸움터에서 마구 침.
368) 사산분궤(四散奔潰) : 싸움 따위에서 저서 사방으로 흩어져 달아남.

이기고, 조·신 양장(兩將)을 죽이며, 오만군을 항복 받았으나, 오히려 괴수를 잡지 못하였거늘, 어찌 장사 군졸을 편히 쉬라 하시나이까?"

원수 소왈,

"초왕 흉적을 잡음이 어렵지 아니하고, 좌선봉이 그 가는 길을 막아 끊을 것이요, 부원수 초왕의 궁실을 불질러 있을 곳을 없앴을 것이니, 초왕이 계궁녁진(計窮力盡)하여 안창관으로 가리니, 후응관 사반이 벌써 안창관에 먼저 가 초왕을 맞아들일지라. 군을 잠깐 쉬워 명일 대병이 안창으로 들어간즉, 초왕을 죽임은 근심이 없으리니 장군은 염려 말라."

장함이 원수의 지혜를 항복하여 배복(拜伏) 칭하(稱賀)하여 신기묘산(神技妙算)을 일컬으니, 원수 잠소 겸양하여,

"위로 성천자 홍복을 힘입사옵고, 아래로 제장의 도움을 얻음이니, 제장의 칭하(稱賀)를 불감승당(不敢承當)이라."

하더라.

선시의 초왕이 여헌과 석휴를 버리고 송진으로 나아오더니, 체탐이 보하되,

"하원수 천병만마를 거느려 조장군과 신태부를 에워싸 나아갈 길이 없으니, 신태부 온갓 재주를 시험치 않음이 없으되, 마침내 효험이 없어 정히 위태하니이다."

초왕이 대경하여 생각하되,

"하원광의 재주와 지혜 사람의 생각지 못할 일이 많으니, 이제 백여군을 거느리고 송진으로 나아간즉, 성명을 보전치 못하리니, 차라리 본진에 돌아가 남은 군사를 거느려 바삐 신법화와 조승을 구하리라."

의사 이에 미쳐 군기를 돌려 본진으로 오더니, 부원수 벌써 궁실을 소화하며 양초(糧草)를 불 지르고, 초왕의 후비와 세자를 잡아 옥에 내리고, 대국에서 초왕을 나래하러 왔던 위사(衛士)를 비로소 옥 밖에 내어

놓고, 바야흐로 초왕을 짓지르고자 하더니, 초왕이 백여군을 거느리고 돌아오다가, 일야지간(一夜之間)에 금루옥궐(金樓玉闕)이 다 소화하여 화염이 창천(漲天)하며, 빈 터가 참담하거늘, 궁노시녀(宮奴侍女)의 창황 망극함이 천지를 분변치 못하여, 저마다 일신이 화염(火焰) 중 재 되기를 면코자 함으로, 밀려 노변(路邊)에 나와 서로 짓밟아 죽는 것이 무수하니, 초왕이 보고 심장이 끊어지는 듯하여 앙천(仰天) 탄왈,

"천지 신명이 초국을 돕지 않음이 이 같아서, 하가 적자에게 죽음이 여지없어, 나의 용장 조·신이 원광의 해를 면키 어렵거늘, 이제 뉘라서 궁실을 소화(燒火)하며 양초(糧草)를 다 태워 국도(國都)를 아주 망멸(亡滅)하느뇨?"

말로 좇아 피를 토하고 말에서 떨어져 인사를 모르니, 좇은 사졸이 붙들어 구호 왈,

"승패는 병가의 상사라. 전하, 일시 패하심을 인하여 이제 이다지도 하실 일이 아니니, 모름지기 과상치 마시고 다른 성내로 가사이다."

왕이 양구후(良久後) 정신을 차려, 겨우 마상에 올라 창졸의 갈 곳을 생각지 못하고, 도로에서 어찌할 바를 모르더니, 산곡간으로 좇아 일성 대포에 송진 대선봉(大先鋒) 오영이 천병만마(千兵萬馬)를 몰아 물밀듯 내달아, 대호(大呼) 왈,

"내 이미 원수의 장령(將令)을 받아 적을 기다린지 오래니, 한 칼로 베어 천지의 관영한 죄를 속하리라."

왕이 대악 대담이나 이 소리를 들으매, 낙담상혼(落膽喪魂)하여 불분천지(不分天地)하고 백여기를 거느려 말을 채쳐 도망하거늘, 오선봉이 승세하여 사졸을 재촉하여 빨리 따라 초군을 풀 베듯 베니, 초왕의 단신(單身)이 필마단창(匹馬單槍)으로 급히 닫기를 한없이 하니, 원래 왕의 용력이 절륜하여 멀리 달리며, 창을 휘둘러 사람이 가까이 못오게 하니,

오영이 장령을 받아 초왕을 궁진히 딸을 뿐이요, 죽이라 하는 바는 없는 고로, 못견디도록 쫓아 거일(去日) 신시(申時)에 산곡간의 매복하여, 효신(曉晨)에 왕을 만나 따르기를 어둡도록 삼백여리를 좇아 안창관이 십여리를 격하니, 홀연 소졸(小卒)이 관으로 좇아 나와 한 장 서간을 선봉께 드리매, 받아본즉 후응장 사반이 안창 수장(戍將) 서탐을 계교로 항복 받아 관을 지키고 있으니, 초왕을 몰아 관으로 넣으라 하였거늘, 선봉이 깃거 천천히 초왕을 따라 관하에 이르니, 사반이 빛난 말로 초왕의 불인함을 일러 반(叛)하라 하니, 그 말을 옳이 여겨 즉시 항복하니, 사반이 또 이르대,

"초왕이 강포하여 죽이지 않은즉 백성과 군졸을 못견디게 하리니, 이때에 모두 죽임이 마땅하리라. 하원수의 지모(智謀)에 아득히 속아 오선봉에게 쫓겨 이리 오리니, 서장군과 제군이 관문(關門)을 열어 맞아드려 조금도 반심(叛心)을 사색(辭色)지 말고, 원수의 대군을 기다려 초왕을 죽임이 기특한 계교니라."

하니, 서탐과 제졸이 만구응순(萬口應順)하거늘, 사반이 정계(定計)한 후, 초왕이 이르러 혹자 의심할까 잠깐 사졸을 거느려 숨어있더니, 오래지 않아 초왕이 필마단창으로 관하(關下)에 와, 창황한 소리로 문을 열나 하는지라. 서탐이 이미 지휘를 들었는 고로, 바삐 문을 열어 맞아들이고, 바삐 온 바와 외로이 이름을 물은데, 왕이 땅을 치고 호천통곡(呼天慟哭) 왈,

"과인이 국도를 보전하여 천승지위(千乘之位)를 안과할 길이 없어, 하원광 적자의 손에 죽기를 면치 못하게 되였으니 장차 어찌 하리오."

서탐이 차악하여 왕을 위로하며, 식반을 올려 기아를 구하되, 왕이 한술 밥을 먹지 못하고 가슴을 두드려 조숭과 신법화를 부르며, 사이사이 하원광의 고기를 너흘지[369] 못함을 한하며 칼을 들어 난간을 처 왈,

"석년에 하가 삼형제를 죽일 제 하원광을 아울러 죽였던들, 어찌 오늘날 패함이 있으리오. 나의 지혜 저르고[370] 원려(遠慮) 없어 원광 적자를 살려두었다가 패망을 취하니, 수원수한(誰怨誰恨)이리오."

서탐이 그윽히 밉게 여기나, 참연(慘然)한 거동으로 군신지의(君臣之義)를 차리니, 왕이 일호 의심치 않더라. 우선봉 석휴가 여헌을 구하여 산곡간에서 일주야(一晝夜)를 머물러, 원수 조숭 등을 죽이고 초왕이 필마단창으로 달아남을 안 후, 여헌을 데리고 본진으로 돌아오니, 원수 바야흐로 사졸을 거느려 안창관으로 향코자 하다가, 석선봉이 여참모를 구하여 돌아옴을 고하니, 원수 대로하여 여헌을 잡아드려 장하의 꿇리고, 군령을 어기고 대사를 그릇함을 갖추 일러, 일장을 수죄(數罪)하고,

"내 황상의 인검(引劍)[371]을 받자와 위령자를 선참후계(先斬後啓)하라 하신 명이 계시니, 어찌 군령을 범한 자에게 벌이 없으리오."

언파의 무사(武士)를 호령하여 여헌을 원문 밖에 참하라 하시니, 여헌이 참황 수괴하여 불출일언(不出一言)하니, 지휘사 장함이 우선봉 석휴로 더불어 꿇어 애걸 왈,

"여헌의 죄는 가살(可殺)이나, 원수의 신명하심이 곳곳에서 구하시매, 사졸이 하나토 상한 이 없으니, 원컨대 관인 대덕으로 초로 같은 일명을 빌리소서."

원수 짐짓 여헌을 베라 함이 군령을 세움이나, 본뜻이 죽일 마음이 없는 고로, 이에 빈미(嚬眉) 왈,

"여헌의 목숨을 빌리매 법률이 해태하리니, 또 만리전진(萬里戰陣)에

---

369) 너흘다 : 물다. 물어뜯다. 씹다.

370) 저르다 : 짧다.

371) 인검(引劍) : 임금이 병마를 통솔하는 장수에게 주던 검. 명령을 어기는 자는 보고하지 않고 죽일 수 있는 권한을 주었다.

나를 따라 종군하였거늘, 회군할 기약이 멀지않았는데 그 머리를 베어 검하경혼(劍下驚魂)이 될진대, 그 처실 자녀의 기다리던 심장을 끊음이 되리니, 역시 참연한지라. 처참(處斬) 회시(回示)[372]하는 영을 거두고, 대죄(大罪)를 사하나니, 별곤(別棍)[373] 사십 도(度)[374]를 하여 죄 크고 벌이 경(經)함을 알게 하라."

석・장 양인이 덕화를 칭사하고, 여헌을 별곤 사십을 더하니, 참모 상부 후문의 귀히 생장하여 일찍 희미한 태벌(笞罰)도 지낸 일이 없다가, 중장(重杖)을 당하니 죽기를 면함은 영행하나, 실(實)로써 살 마음이 없어 반생반사(半生半死)하여 끌려 나갈 새, 원수 하령 왈,

"수십일 조리하여 '백의(白衣)로 종군(從軍)'[375]하라 하고, 지휘사 장함으로 함평관을 지키게 하고, 즉시 사졸을 거느려 안창관에 이르니, 서탐이 문을 열어 원수를 맞아 대군이 물밀듯 일시에 관에 듦에, 초왕이 낙담(落膽) 경혼(驚魂)하여 급히 장창(長槍)을 비껴 말에 오르거늘, 서탐의 제졸과 사반의 군사 원수의 대군을 합하여 초왕을 철통같이 둘러싸니 초왕이 앙천 탄 왈,

"속담에 '천장(千丈) 수세(水勢)는 알아도 사람의 마음은 알기 어렵다' 함이 정히 이런 것을 이름이라. 서탐이 어찌 나를 죽이기를 도모할 줄 알리오. 이제 계궁녁진(計窮力盡)하며 용장(勇將)이 다 죽었으니, 천의(天意) 돕지 않음이 여차하거늘, 내 이제 살아 무엇하리오."

언파에 자문(自刎)코자 하더니, 원수 초왕 흉인을 친히 죽여 삼형(三

---

372) 회시(回示) : 예전에, 죄인을 끌고 다니며 뭇사람에게 보이던 일.
373) 별곤(別棍) : 형구(刑具)의 하나로 아주 크고 단단하게 만든 곤장(棍杖).
374) 도(度) : 예전에 곤장으로 볼기를 때리는 장형(杖刑)을 가할 때, 치는 횟수를 세는 단위.
375) 백의종군(白衣從軍) : 벼슬 없이 군대를 따라 싸움터로 감.

兄)의 원수를 갚으려 하는지라. 나는 듯이 말을 뛰어 초왕의 앞에 가 여성(厲聲) 대질(大叱) 왈,

"흉적의 무상함이 석년(昔年)에 충현을 온 가지로 해하여, 내 집의 참화를 끼치고, 성주(聖主)의 일월지총(日月之聰)을 가리고, 만고 간악 역신의 정태(情態)를 극진히 갖췄는지라. 스스로 참람(僭濫)한 뜻을 두어 나명(拿命)을 역(逆)하고, 초지를 굳게 여겨 천조를 항형(抗衡)[376]코자 하다가, 멸망지화(滅亡之禍)를 자취(自取)하니, 너의 죄를 이를진대 천사무석(千死無惜)이요, 만사유경(萬死猶輕)이라. 어찌 형체(形體)를 네 손에 마칠 리 있으리오."

언미에 용천검이 닿는 곳에 초왕의 머리 마하에 떨어지니, 원수 사졸로 그 머리를 성문에 달았다가 황성으로 가져감을 이르고, 친히 그 복장(腹臟)을 헤치고 염통과 간을 빼어내고, 창자를 끌어내 길 가운데에 버리라 하니, 이미 초왕이 죽으매 초국을 평(平)한지라. 원수 사졸을 대하여,

"흉역을 탕멸하고 초국을 평정함이 제군의 공이라. 황성의 돌아가 작상을 받자오려니와, 먼저 설연(設宴)하여 위로함이 마땅하되, 흉적을 죽이매 석년 오가(吾家) 참화를 헤아리매, 그때 수인(讎人)의 고기를 씹지 못함이 새로이 통박하니, 초적(楚賊)의 장부(臟腑)[377]를 가져 삼형의 원혼을 위로코자 하나니, 금일은 제전(祭奠)을 숙설(熟設)[378]하여 명일 효신(曉晨)에 설제(設祭)하고, 우명일(又明日)에 사졸을 모아 설연(設宴)하리라."

---

376) 항형(抗衡) : 서로지지 아니하고 맞섬.
377) 장부(臟腑) : '오장육부'를 줄여 이르는 말.
378) 숙설(熟設) : 잔치와 같은 큰일이 있을 때에 음식을 만듦.

제장 군졸이 제성 갈채 왈,

"이제 흉적을 죽여 위로 국적(國賊)을 멸하고 아래로 사수(私讐)를 갚으시니, 공사간(公私間) 만행(萬幸)이라. 소장 등은 장령을 받들어 견마력(犬馬力)[379]을 허비할 따름이니 무슨 공을 일컬으시리까?"

원수 탄식하고 군중에 하령하여 제전을 차리라 하고, 제문을 지을 새, 진정 심곡(心曲)에 가득한 통상(痛傷)을 베풀매, 문채 만고에 독보하고 사의 처절 비황하여, 듣는 자로 하여금 상연(傷然) 타루(墮淚)함을 깨닫지 못할지라.

명일 효신에 안창관 백여간(百餘間) 중에 향촉을 갖추며, 제전(祭奠)을 버려 삼형의 원혼을 위로할 새, 제문 사의 비절하여 눈물 아니 흘릴이 없으니, 제문 읽기를 마치고 초왕의 염통과 간을 상하에 놓고, 원수 일성 장통(長慟)에 안수(眼水) 천항(千行)이라. 원래 하원수 삼형의 참망함을 슬퍼할 뿐아니라, 유한(遺恨)이 만첩(萬疊)함은 초상(初喪) 습렴지시(襲殮之時)에 시수(屍首)를 붙들어 동기의 정을 펴지 못하고, 또 선영(先塋)에 안장(安葬)키를 당하여 천추곡별(千秋哭別)[380]을 못하니, 흉억(胸臆)에 얽매인 지통(至痛)이요, 비한(悲恨)이라. 그 삼년내(三年內)[381]에도 부모의 과상(過傷)하심을 슬퍼 곡읍(哭泣)을 임의로 못하여 슬픔을 펴지 못하고 여러 일월을 좋은 듯이 보내나, 참원(慘怨)이 흉억의 얽혔던지라. 차일 통곡을 시작하매 슬프고 처열(悽咽)한 곡성이 앙장처초(怏壯凄楚)[382]하여 초목이 위하여 슬퍼할지라.

---

379) 견마력(犬馬力) : '개나 말과 같이 천하고 보잘것없는 것'의 힘이라는 뜻으로, 자신이 수고한 것을 낮추어 이르는 말.

380) 천추곡별(千秋哭別) : 죽은 이를 곡(哭)하여 영결(永訣)함.

381) 삼년내(三年內) : 삼년상(三年喪)의 상기(喪期).

382) 앙장처초(怏壯凄楚) : 원망스럽고 비장하며 슬프고 쓰라림.

효신으로부터 황혼에 이르도록 통곡하더니, 문득 피를 토하고 엎어지니, 이 본디 화란(禍亂)에 상하여 회포 남다르고 촌장(寸腸)이 녹음을 면치 못하되, 부모 면전에 화기를 작위(作爲)하나, 삼형의 참망(慘亡)함으로부터 생세 즐거움을 알지 못하고, 원상 등 형제 분명이 삼형의 영백(靈魄)임을 지기(知機)하나, 참화지시(慘禍之時)의 망극통원(罔極痛寃)이 오내(五內)[383] 붕렬(崩裂)하던 바로, 금일 적축(積蓄)한 비한(悲恨)을 발하여 울음을 시작하니, 그칠 줄을 모르다가 엄홀하니, 제군 중장(諸軍衆將)이 대경하여 약을 드리워 일시에 구호하매, 이윽고 정신을 차려 토하는 피를 거두어 없이하고, 광수(廣袖)를 들어 누수를 제어하며, 초왕의 간을 씹어 뱉어 없애고, 길이 탄 왈,

"초왕 흉적과 김탁 흉인 곧 아니면 삼형이 어찌 그대도록 참화를 당하였으리오. 이제 초적을 죽여 삼형의 원수를 갚았으니, 김탁의 고기를 맛보면, 거의 수인(讐人)의 멸망함을 보리로다."

제장이 천만 위로하고 식반을 나와 권하니, 원수 처연(悽然) 무언(無言)이요, 식상을 받아 잠깐 진식하고, 차야를 안평관에서 지내고, 명일 초국 도읍에 나아가 소화한 빈 터에 장막을 둘러 삼군 사졸을 크게 설연하며, 성내에 안민부동(安民不動) 네 자를 써 사문(四門)에 붙여 백성이 이산(離散) 하는 일이 없고, 초왕의 전가(全家)[384]를 잡아 경사로 올리려 하더니, 세자가 이미 부왕의 시신이 일만 조각에 나 썰림을 들으매, 살아 무익함을 깨달아 자문이사(自刎而死)[385]하고, 왕비 또한 결항(結項)하여 죽으니, 원수 초국 남은 신료로 하여금 왕비와 세자를 서민지례

---

383) 오내(五內) : 오장(五臟). 간장, 심장, 비장, 폐장, 신장의 다섯 가지 내장을 통틀어 이르는 말.

384) 전가(全家) : 가족 전체.

385) 자문이사(自刎而死) : 스스로 목숨을 끊어 죽음.

(庶民之禮)로 장(葬)하라 하고, 인하여 이에 수월을 머물러 학교를 널리 하고 예의를 권장하여, 백성의 농업을 착실히 권하니, 원수 이에 머문 순여(旬餘)에 교화(敎化)가 대행(大行)하여, 도적이 화하여 양민이 되고, 도불습유(道不拾遺)[386]하며 야불폐문(夜不閉門)하여, 남녀가 길을 사양하고 백성이 농업을 부지런히 하여, 부자자효(父慈子孝)하고 형우제공(兄友弟恭)하며 장유유서(長幼有序)하여 예의를 수련하니, 혁연(赫然)한 예의와 순후한 인심이 의연이 다른 땅이 되었으니, 인민이 원수의 덕화를 우러러 감은각골(感恩刻骨)하며, 그 성덕대혜(聖德大惠)[387]를 우러름이 사서지민(士庶之民)에 이르기까지 적자(赤子)가 자모(慈母)를 우러름 같더라.

하원수 삼사 삭 내에 초국을 평정하고 흉역을 탕멸하매, 삼군 장졸의 즐김이 무궁하고, 잔치하여 즐기매 홀로 여참모 중장을 받아 병이 위중할 뿐 아니라, 원수의 나이를 혜고 자기 연치를 생각하면, 선조에 등양하여 하마 노재상(老宰相)에 충수하는 바거늘, 후생 소년의 수하장(手下將)이 되어, 척촌지공(尺寸之功)을 세우지 못하고, 도리어 죄를 무릅써 중장을 받음이 참안수괴(慙安羞愧)하여, 대인할 면목이 없는지라. 스스로 욕사무지(欲死無地)하여 죽음(粥飮)을 물리치고, 주야로 장처를 고통하니, 삼군제졸(三軍諸卒)이 참연하여 의약을 착실히 하되 촌효(寸效) 없으니, 원수 그 병이 사경(死境)에 있음을 듣고 친히 보고자 하여, 함평관에 이르러 수일을 머물더니, 일야는 장중(帳中)이 고요하고 명월이 교교(皎皎)하여 원근(遠近)이 여주(如晝)하니, 경사를 바라 군친을 영모

386) 도불습유(道不拾遺) : 길에 떨어진 물건을 주워 가지지 않는다는 뜻으로, 형벌이 준엄하여 백성이 법을 범하지 아니하거나 민심이 순후함을 비유하여 이르는 말. ≪한비자≫의 〈외저설좌상편(外儲說左上篇)〉에 나오는 말이다.

387) 성덕대혜(聖德大惠) : 성스러운 덕과 큰 은혜.

하는 마음이 비길 곳이 없다가, 홀연 여참모의 병을 보려 날호여 병소(病所)에 이르니, 그 수하(手下) 제졸이 오래 구병(救病)하느라 곤하여 장외(帳外)에 쓰러져 잠이 깊고, 참모 홀로 통성이 의의(依依)[388]하거늘, 원수 사장(紗帳)을 들추고, 그 누운 곁에 나아가 손을 잡고 물어 왈,

"선생의 질양이 일망(一望)이 넘었으되 차성함이 없고, 점점 위악(危惡)함에 이르다 하니, 아지못게라! 증세 어떠하시뇨?"

참모 천만 기약치 않은 원수가 이르러 문병하는 말을 들으니, 놀라온 듯, 두려운 듯, 마음을 정치 못하여 타루(墮淚) 불응(不應)하니, 원수 그 머리를 짚으며 좌우수(左右手)를 진맥하고, 길이 탄 왈,

"소생이 무식하오나 장유유서(長幼有序)를 모르리까마는, 부운 같은 작직(爵職)을 인하여 원융(元戎)[389] 중임을 당하니, 천병만마(千兵萬馬)를 수하(手下)에 거느리매, 비록 미세하오나 장령(將令)의 엄함은 황명에 내리지 않거늘, 선생이 이 일을 그릇 생각하여 생의 말을 듣지 아니하시고, 서어(齟齬)한 의사를 내어 오백군을 거느려 초왕 흉적의 오는 곳에 마주 행하니, 만일 선봉의 구함이 아니런들 선생과 더불어 오백 군졸이 사화(死禍)를 면치 못하였으리니, 이런 일을 생각하매 어찌 놀랍고 차악치 않으리오. 생이 진실로 선생을 멸시함이 아니라, 군중의 법령을 상해오지 못하여, 초에 부득이 사명(死命)을 이르나, 심리(心裏)의 불승참연(不勝慘然)하더니, 석·장 양 장군과 제장이 구함을 인하여, 별곤 사십장(四十杖)을 가하매, 선생의 천금 중신에 질양이 이다지도 위독하시어 차성 할 길이 없으니, 소생이 어찌 안안하리오. 군중 장임(將任)에는 법규로써 선생을 수하로 대접하나, 선생의 춘추가 사십이 넘으시고

---

388) 의의(依依)하다 : 소리나 기억 따위가 어렴풋이 들리거나 생각나거나 하다.
389) 원융(元戎) : 군사의 우두머리.

작록이 융중(隆重)하심을 헤건대, 소생 같은 연소 후생배(後生輩)가 존경치 않으리까? 밤이 깊고 만뢰(萬籟) 구적(俱寂)함을 좇아, 선생 병후를 보옵고자 이르렀나니, 소생이 의술이 불명하나 거의 선생의 질양을 차성케 하리니, 모름지기 장처를 보게 하소서."

참모 비로소 노분(怒憤)하던 마음이 풀어져, 감은한 의사 일어나, 고두 유체 왈,

"소장이 죄당사죄(罪當死罪)거늘, 원수의 호생지덕으로 일명을 이으나, 지혜 천단(淺短)하고 재주 비박함을 그윽이 부끄러워하매, 대인할 낯이 없어 하더니, 원수 친림(親臨)하여 이같이 은덕을 드리우시니, 불승감은 하이다."

원수 추연 왈,

"소생이 장중(帳中)에서는 허다 제장 가운데 홀로 선생을 예대치 못하거니와, 어찌 고요한 밤에 이목이 없는 곳을 당하여, 연치(年齒) 다소를 생각지 않으시고, 이렇듯 존경하시는뇨? 모름지기 지난 일을 제기치 마시고 장처를 뵈소서."

인하여 금금(錦衾)을 헤쳐 장처를 보매, 대증(大症)이 성농(成膿)하고 장독(杖毒)이 대발(大發)한데다가, 심려(心慮)가 편치 못하고 식음을 전폐하여, 기운을 수습하지 못함이라. 원수 친히 죽음을 가져 참모의 입에 대어 마시게 한 후, 낭중(囊中)에서 침을 내어 파종(破腫)할 새, 의술이 본디 신이한 고로 참모의 종처(腫處)를 파하고, 농즙(膿汁)을 짜 약을 싸매매, 악취 코를 거스르고 농즙이 자리의 괴이며 낯에 뛰되, 조금도 사색을 변함이 없이, 약을 부친 후 원수 웃옷을 벗어 농즙을 닦아내고, 농즙 묻은 자리를 걷어 멀리 던지매, 새 금침을 얻어 병신(病身)이 편토록 뉘이고, 그 맥후를 다시 보아 심려치 마소서 하며, 식음을 권하여 쉬이 차성하여 공을 이룰 바를 이른대, 참모 전과를 부끄러워 순순히 다

마시고 성한 덕을 사례하며, 장처를 파종하매 일신이 일만 칼로 썰며 쑤시던 바가 가볍고 시원함이 하늘이라도 오를 듯하니, 참모 비로소 성덕을 항복하여 다시금 사례하니, 원수 그 손을 잡아 편히 누었음을 이르고, 속히 차성하여 태창관 수장(戍將) 백춘을 인의(仁義)로 항복 받아 다시 공을 세우라 하며, 사오 첩 약을 지어 참모의 곁에 놓아 명일 달여 먹으라 하고, 효계(曉鷄) 창명(唱鳴)함으로 장중에 돌아오매, 신성하려 모든 장관 사졸이 당하에 모여 원수의 갔던 곳을 알지 못하되, 호위장군 여한이 여헌의 종제(從弟)러니, 참모의 병소 곁방에서 자다가 원수의 여헌 위로하던 말과 파종하던 거동을 문틈으로 엿보고 감탄하여, 참모를 대신하여 원수의 화홍 대덕을 칭복하니, 참모 왈,

"하원수는 성현 유풍(遺風)이라 기량(器量)이 여해(如海)하고 기지(機智) 여신(如神)하여 사광지총(師曠之聰)[390]을 가졌으니 속인으로 의논할 바 아니라. 내 초에 생각함을 그릇하여 저를 업신여긴 바, 하마 사멸지화(死滅之禍)를 취할 번 하니 누를 탓하리오."

여한이 불승감덕(不勝感德)하고 부원수 이하가 여한의 이름을 인하여 듣고, 제장이 그 덕화를 항복하더라.

여참모 원수의 약을 연속하여 먹으며 십여 일을 편히 하매, 장처는 파종함을 조차 즉시 낫고, 백병이 스러져 열흘이 채 되지 못하여 쾌차(快差) 소성(蘇醒)하니, 원수께 즉시 배알하매, 원수 벌써 태창관 백춘에게 보낼 글을 지어두었다가 참모를 주고, 군사 일천을 주어 '태창관을 항복 받으라' 하니, 여참모 일천 병마를 거느려 태창관에 나가 먼저 글을 살에 묶어 쏘아 관중에 보내니, 수장(戍將) 백춘이 한번 보매, 지상(紙上)

---

390) 사광지총(師曠之聰) : 사광의 총명이란 뜻으로, 중국 춘추(春秋) 때 사광이란 사람이 소리를 잘 분변하여 길흉을 점쳤다는 고사에서 유래한 말.

에 난봉이 춤추며, 주옥(珠玉)이 낙낙(落落)하여 충의지언(忠義之言)과 예의선행(禮儀善行)의 설(說)이 자자이 사리에 당연하고 예모에 합도(合道)하니, 춘이 일견에 탄복흠선(歎服欽羨)하여 관문을 크게 열고, 여헌을 맞아 설연 관대하니, 참모 원수의 한 장 글월로 백춘을 항복 받고 관액(關阨)을 얻으니, 만심 환열하여 수일을 머물러 인심을 진정하고 돌아올 새, 백춘이 군을 거느려 여참모와 한가지로 대진(大陣)에 이르러 원수게 항복하매, '가시를 지며 옷을 메어'[391] 다 늦게야 항복함을 청죄하니, 원수 은혜로 대접하며 좋은 말로 위로하고, 군정사(軍政使)[392]에 여참모의 공을 제장과 같이 치부(置簿)하라 하고, 그 허물을 빼게 하고 백의(白衣)를 벗어 평상한 전복(戰服)으로 있으라 하니, 참모 일마다 감은하여 수명하더라.

원수 초국을 평정하매 오래 지류(遲留)할 일이 없는 고로, 드디어 택일 회군할 새, 초국 승상 몽섭은 위인이 돈후인명(敦厚仁明)하고 강엄청검(剛嚴淸儉)함으로, 초왕의 남활함을 자주 간하매, 왕이 매양 증념하고 미워하여, 하옥한 지 삼년에 정히 죽이고자 하다가 미치지 못하였더니, 왕이 멸망한 고로 몽섭이 살아난지라. 하원수 섭으로 하여금 아직 국도를 지켜 사민(四民)[393]을 거느리라 하고, 대군이 개가(凱歌)를 부르며 승전곡으로 돌아올 새, 초국 백성이 남녀 노소 없이 눈물을 흘리지 않는 이 없으니, 원수 흔연히 백성이 올린 바 마육(馬肉)과 탁주(濁酒)를 맛보아 그 지극한 정을 물리치지 않고, 면면(綿綿)이 성언(聖言) 현어(賢

---

391) 가시를 지며 옷을 메어 : 육단부형(肉袒負荊)을 말함. 윗옷 한쪽을 벗고 등에 형장을 지고 간다는 뜻으로, 형장으로 맞아 사죄하겠다는 뜻을 나타냄을 이르는 말.

392) 군정사(軍政使) : 전쟁 중에 군대 내의 행정을 맡아보는 관리.

393) 사민(四民) : 사(士)·농(農)·공(工)·상(商) 네 가지 신분이나 계급의 백성.

語)로 위무(慰撫)하여 길이 좋이 있으라 하고, 대군을 몰아 나아갈 새, 초민(楚民)이 십리에 따라 전별코자 하니, 원수 재삼 위로하여 멈추게 하고 대군이 물밀듯 행하니, 원수 절도사와 흔연히 작별하여 왈,

"금번 벌초지전(伐楚之戰)에 군량을 풍족히 이으며 습사(習射)를 부지런히 하여 대공을 세움이, 또한 장군의 공로가 호대(浩大)한지라. 이미 군정사(軍政使)의 치부(置簿)한 바니, 천안이 살피시매 장군을 승품하여 부르시리이다."

절도사 불감승당(不敢勝當)함을 칭사하고, 날이 저물기로써 각각 분수하여 후회를 이르더라.

초국 사민이 원수의 덕화를 보답할 길이 없어, 성남(城南) 고루(高樓)에 일좌(一座) 누대(樓臺)를 세우고, 화법 고명한 요세후가 원수의 화상을 도화(圖畵)하여 누각에 봉안하고, 사민(四民)이 전결(田結)[394]을 내어 사시향화(四時香火)를 백만 년이 가도록 끊이지 않게 하려 할 새, 누호(樓號)를 활명루(活命樓)라 하니, 이는 원수 초민을 구활함이 많다 하여 활명루로 칭하고, 많은 전결에 사시 향화를 이으며, 지킨 관원이 환과고독(鰥寡孤獨)의 참잔(慘殘)한 이를 거두어, 의식을 이음이 되었으니, 이는 원수의 지극한 덕을 생각함이러라.

차설 교지참정(交趾參政) 윤공이 학사를 데리고 교지로 향할새, 경사를 떠난 지 수순(數旬)까지는 인사를 아는 듯, 모르는 듯, 독약에 매양 간간이 혼미함을 면치 못하니, 학사가 '의약을 착실히 하며 술을 과음치 마소서' 하여, 월여의 이르러는 참정이 점점 옛 총명이 돌아오며, 전일 마음이 석연(釋然)히 돌아옴이 있는지라. 하염없이[395] 학사 귀중함이

---

394) 전결(田結) : 밭에 물리는 세금.

강보유자(襁褓乳子) 같아서 만리 험로에 상할까 우려함이 자기 몸에 더하고, 순식간도 떠나지 않아 보기할 찬선과 아름다운 과품을 가려 먹여 귀중하는 정이 지극하며, 모친을 영모하는 심사 처연 비절함을 이기지 못하여, 학사를 대하여 처연(悽然) 하루(下淚) 왈,

"내 비록 이친(離親)하나 형장이 계실진대 어찌 가사를 여념(慮念)하며, 자위 봉양을 근심하리오마는, 밖으로 형장이 기세(棄世)하시어 세월이 오래 되었고, 안으로 수수(嫂嫂)를 실리(失離)하여 지금 계신 곳을 알지 못하니, 우리 집의 변괴 이상한지라. 내 유질함으로부터 안에 있어 만사를 아는 체하지 못하였거니와, 아지못게라! 너희 형제 어찌 수수의 거처를 알려 않으며, 정·진 이부는 평일 백행 사덕이 남달리 초출(超出) 특이(特異)한가 하였더니, 어찌함으로 간부(姦夫)가 존당에 돌입하여 나를 욕하며, 자위(慈闈)를 상하시게 하고, 진씨는 하·장 이현부(二賢婦)를 대하여 존당 모해를 이르며, 정씨는 유씨를 나 보는 데 질러죽여 살인죄명(殺人罪名)을 자취(自取)하였느뇨? 내 경사의 있을 제는 정신이 혼미한 중 미처 이런 일을 생각지 못하여, 아침에 보아도 저녁에 잊음이 되었더니, 근일에 잠깐 기운이 소쾌(蘇快)하고 정혼(精魂)이 모이는지라. 수수의 실산과 정·진의 죄과가 만만 이상하고, 광천의 유자(乳子)를 실리(失離)함이 문운의 대불행이라. 모름지기 너는 전후 곡절과 정·진 이질부(二姪婦)의 죄명 허실(虛實)을 자세히 이르라."

학사 부공의 옛 마음이 점점 환연(渙然)함을[396] 불승영행(不勝榮幸)하여 인간낙사(人間樂事) 이 밖에 없으나, 모친이 외가의 계신 연유와 정·진 이수(二嫂)의 죄명이 만만 무거(無據)함을 고코자 하나, 조모와

---

395) 하염없다 : 어떤 행동이나 심리 상태가 자신의 의지와는 상관없이 계속되다.
396) 환연(渙然)하다 : 의혹이 풀리어 가뭇없다.

양모의 허물이 끝끝내 드러나는 고로, 차라리 자기는 모르는 듯이 대답하여 부친의 노기를 요동치 말고자 하여, 모친이 옥화산에 계신 줄 아시면 조모께 이 사연을 통하여 조부인을 청하여 한가지로 지냄을 청하실 지라. 태부인 고식(姑媳)의 앎이 된즉, 모친께 대화(大禍)가 있을 줄 짐작하고, 낯빛을 화(和)히 하고 말씀을 부드러이 하여, 대왈,

"가변이 기괴하와 자위 실산지화(失散之禍)를 만나시니, 인자(人子)의 정리 망극하오나 형이 팔황구주(八荒九州)[397]로 돌아 자위 거처를 알려 하되, 오직 대모와 야야 여차여차 이르시니, 형의 마음대로 못하게 하시매, 소자는 불초무상(不肖無狀)하와 거지(擧止) 평상하오나, 형은 이로써 근심하옵고, 지어(至於) 정·진 이수(二嫂)의 죄과는 평일 행사로써 비겨 의논컨대, 소양불모(宵壤不侔)하와 곧이들을[398] 바 아니오, 또 정수(鄭嫂)가 유수(劉嫂)를 지름이 '증삼(曾參)의 살인(殺人)'[399] 같으되, 대인이 친견(親見)하신 바요, 망측 기괴하와 소자지심(小子之心)인즉, 행여 요얼(妖孼)의 작해요, 정수의 실사(實事)가 아닌 듯하오나, 아무리 생각하여도 알지 못하옵고, 질아(姪兒)를 실리(失離)함이 일마다 차악한 지라. 도시(都是) 문운의 불행과 형의 액회 비상한 연괸(然故)가 하나이다."

공이 탄식 왈,

"서모는 선인(先人)의 총애하시던 바로, 그 어쥚이 자손을 귀중하고

---

397) 팔황구주(八荒九州) : 온 세상. 팔황(八荒)은 여덟 방위의 멀고 너른 땅을, 구주(九州)는 고대에 중국을 나눈 9개의 주를 뜻하는 말로, 둘 다 '온 세상'을 이르는 말임.

398) 곧이듣다 : 남의 말을 듣고 그대로 믿다.

399) 증삼(曾參)의 살인(殺人) : 헛소문, 또는 잘못된 소문. 증자의 어머니가 증자가 사람을 죽였다는 헛된 소문을 듣고 베 짜던 북을 던지고 사건 현장으로 달려갔다는 고사 곧 '증모투저(曾母投杼)'에서 유래된 말.

자위 실덕을 보익(輔翊)하여 직간(直諫)하던지라. 내 서모 섬김이 자위 버금으로 하더니, 한번 절강 행도에 실산지환(失散之患)을 만나되, 내 유질(有疾)하여 친히 찾지 못하고 너의 형제 두루 찾아본 일이 없으니, 청문(聽聞)에 아는 자가 우리 부자숙질의 무상함을 꾸짖을까 하노라."

학사 이성화기(怡聲和氣)로 위로 주왈(奏曰),

"구조모 거처를 모름이 또한 차악하오나, 소자 등은 자위 가신 곳도 알지 못하오니, 자연 마음이 구조모께는 버금이 되올 뿐 아니오라, 조모의 질자(姪子)들이 서로 돌려가며 여러 일월에 동서남북으로 자취를 심방하는 바이오니, 미구(未久)에 들으실지라. 복원(伏願) 대인은 이런 일에 성녀(聖慮)를 허비치 마르시고, 일이 되어 감을 보시어 필경 자연 회합할 시절을 기다리시고, 교지의 가사 국사를 선치(善治)하시고, 가간(家間) 세밀지사(細密之事)를 염려치 마소서."

공이 가장 울울불락(鬱鬱不樂)하여 탄식 양구(良久)에 안수(眼水)를 금치 못하여 왈,

"오아(吾兒)는 비록 가사를 불념(不念)하라 하나, 가중(家中)에서는 내 마음이 연무중(煙霧中) 사람 같아서 주견(主見)이 없더니, 이제 만리(萬里)를 격(隔)하여 삼년을 교지에 있게 되니, 천백사(千百事)가 나의 슬픔과 근심이 되는지라. 여매(汝妹)를 데려오다가 도중에서 잃음과, 수수의 거처를 모름이 비도차악(悲悼嗟愕)한 일이요, 서모의 자손 사랑하시던 은혜를 갚지 못하고, 그 실산함을 당하되 우리 부자숙질이 하나도 내달아 찾을 이 없음을 생각하니, 어찌 참연치 않으리오. 가변이 이다지도 이상 기괴할 줄은 몽리(夢裏)에도 생각지 못한 바라. 한 일도 마음이 합하여 기쁜 일이 없어, 첩첩한 괴란과 망측지화(罔測之禍)가 오가(吾家)에 다 몼겨[400], 정・진 등의 누얼도 오아(吾兒)의 말 같아서 귀매(鬼魅)의 작변이요, 몸소 행함이 아니라. 아깝고 참절함이 형상치 못할 바라.

만일 그 신설할 시절을 못 본즉, 죽기 전에 한이 풀리지 않을까 하노라."

학사 다시 위로 왈,

"만사명야(萬事命也)라. 인력으로 미칠 바 아니오니, 정·진 양수의 누얼과 구조모와 모친의 거처를 모르오미, 다 명도의 괴이함이니 현마 어찌하리까? 소자 등은 만사에 생각이 미치지 못하옵고, 자위 거처를 모름이 인자(人子)의 참지 못할 슬픔이니이다."

공이 혀 차 왈,

"자정과 내 비록 병중에 일을 잘못 생각하고, 질아의 수수 찾기를 막음이 있은들, 너희 인자지도(人子之道)로써 천하를 다 돌아도 수수의 계신 곳을 알아냄이 옳거늘, 어찌 차사(此事)에 다다라 평일 효행을 잊어버리고 사람의 괴이히 여김을 취하느뇨? 금번 돌아가 형제 돌려가며 일 년씩 그음하여[401] 수수의 거처를 찾으라."

혹사 배이수명(拜而受命)하고 다시 말을 않더라.

사오일을 더 행하여 교지에 다다르매, 관아의 장려함이 궁실 같고, 위의 부려영요(富麗榮耀)하여 왕공(王公)의 존귀나 다름이 없는지라. 참정이 그 너무 부성(富盛)함을 깃거 아냐, 일절 숭검(崇儉) 절차(切磋)하기를 위주하며, 연향(宴饗)하는 상과 조석 식반(朝夕食飯)의 찬선을 남달리 간략히 하여 청빈한 한사(寒士)의 모양 같으니, 교지 이민(吏民)이 호호(戶戶) 대열(大悅)하여 떠났던 부모를 만난 듯, 덕화를 감격할 뿐 아니라, 전관(前官)의 미결하였던 옥사(獄事)가 뫼같이 쌓였던 바를 하루 아침에 다 처결하매, 밝음이 신명(神明) 같고, 위엄이 광풍제월(光風

---

400) 뭇기다 : 모이다. 모여들다. 뭇다; 모이다.

401) 그음하다 : 끝을 내다. 한계나 기한 따위를 정하여 무슨 일을 하다.

霽月) 같아서, 애매한 자를 벗기며 유죄자를 벌하되, 발간적복(發奸摘伏)[402]이 사람의 심폐를 사무쳐, 그 말을 듣지 않아 각각 그 행사를 지기하여, 치송(治訟) 결옥(決獄)이 신명(神明) 특달(特達)함은 한갓 참정의 총명이 돌아왔을 뿐 아니라, 학사사 범백(凡百) 만사(萬事)를 정도로 부공을 도와, 결옥(決獄)함이 있으나, 학사의 행지(行止) 동용(動容)이 나직하여, 성음이 높지 않고, 여러 이민(吏民)들이 관사를 간예치 않은 줄로 알게 하니, 이러므로 참정께 근시하는 하리(下吏) 등도 학사의 일을 알지 못하더라.

참정이 인읍(隣邑) 하관을 거느려 여러 장교(將校)[403]를 모아 번국(藩國)의 도적(盜賊)을 방비함이 십분 계교 있고, 사민(士民)을 교유하여 화홍인덕(和弘仁德)이 사람의 허물을 용납하고, 개과천선을 힘써 권하니, 이로 좇아 도임(到任) 월여에 사민이 그 교화를 무릅써 득죄한 이 드무니, 관중(關中)이 가장 고요하여 어지럽게 정변(呈卞)할 이 없더라.

학사 말미 기한이 지날까 두려워하여 무한한 하정(下情)과 출천(出天)한 대효를 펴지 못하고 돌아올 새, 군관 송잠 등이 충근 순후하여 참정을 위한 정성이 지극하고, 사리를 아는 위인이라. 학사 천만 당부하여 부전에 일시도 떠나지 말며, 좌와기거(坐臥起居)를 살펴 삼년 사이 혹자 풍한 서열에 질환이 계실지라도, 의치(醫治)를 착실히 하고 조심하여 시봉(侍奉)함을 당부하니, 송잠 등이 절하여 응명하고 눈물을 흘려 원별을 슬퍼하니, 학사 추연이 낯빛을 고쳐 면면이 무위(撫慰)하고, 부전에 임행하직(臨行下直)을 당하매, 공이 부중에 서간을 부치며, 아자의 손을

402) 발간적복(發奸摘伏) : 숨겨져 있는 정당하지 못한 일을 밝혀냄.
403) 장교(將校) : 조선 시대에, 각 군영과 지방 관아의 군무에 종사하던 낮은 벼슬아치. ≒군관.

잡아 삼재(三載) 원별이 아득함을 참비(慘悲)하여, 회포 암암(暗暗)하고[404], 체루(涕淚) 산산(潸潸)함을 깨닫지 못하니, 이 한갓 이별을 슬퍼할 뿐이거늘, 뉘 도리어 그 사이 학사 형제 변고 풍상이 망측할 바를 알리오. 참정은 만리 원정(遠程)에 무사히 가, 좋이 있으라 하며, 형제 돌려가며 수수와 서모며 질녀의 거처를 찾으라 하며, 길이 탄왈,

"자위 봉양은 내 구태여 너희를 당부치 아니 하나니, 너희 행신 만사 중 수수 거처를 몸소 나가 찾지 않음이 대흠(大欠)일지언정, 평생 성효 남다르던 바라. 내 비록 없으나 자위 받듦은 추호도 나의 있을 적과 다르지 않을지라. 다만 모친의 성화(性火)가 성하시고 너의 양모가 사리를 모르니, 일분이나 너의 마음이 불평함이 있을까 염려하노라. 오아 등은 효행을 삼가는 가운데도 각각 몸을 조심하여 여린 옥같이 아끼고, 자위와 너의 양모 이르는 일이라도, 사리에 불가하거든 재삼 간하여, 나의 돌아가기 전 대단한 사고 없이 지내라."

학사 순순 배사 수명하여 부친 염려하심을 요동치 않으려 하나, 환가하여 조모와 모친의 악착히 보채임을 받으며 첩첩히 괴란(乖亂)이 층출(層出)할 바를 생각하니, 자기 등이 능히 보전하여 부전에 다시 절하기를 기필치 못할지라. 심회 차악하여 촌장이 끊어지는 듯하되, 겨우 강인하여 안색을 화히 하고 이성 대왈,

"해아(孩兒) 금일 엄하를 이측(離側)하오매 하정이 결훌(缺欻)함을 이기지 못하오나, 삼년지내에 두어 순 근친 정소(呈疏)하여 황상의 윤허하심을 얻자온즉, 다시 내려와 삼사 삭 시봉(侍奉)하오리니, 복원 대인은 가사를 염려치 마시고, 성체 안강하시어 삼년 기한을 지내시어, 평안히

---

404) 암암(暗暗)하다 : ①기억에 남은 것이 눈앞에 아른거리는 듯하다. ②깊숙하고 고요하다.

환경하심을 바라나이다."

공이 차마 아자의 손을 놓지 못하고, 팔을 어루만져 연연(戀戀) 교애(嬌愛)함이 강보유자(襁褓乳子) 같으니, 문득 탄식 왈,

"삼년 내에 혹 부자가 만남도 있으려니와, 세사는 미리 알기 어려우니, 무슨 마얼(魔孼)이 있을 동 알리오. 금번 너를 떠남이 천수만려(千愁萬慮)가 갖추 어지러우니, 장부 웅심이 자연 설설(屑屑)함을[405] 면치 못하리로다."

학사 무한한 이회(離懷)를 품고 심회를 굳게 하여 부전에 배례 하직할새, 보내는 정이 참연 비절하여 양항루(兩行淚)를 금치 못하나, 돌아가는 마음이 더욱 측량이 없어 차마 돌아서지 못하니, 공이 길이 희허(唏噓) 태식(太息)하여 언언이 보중함을 당부하니, 학사 우러러 보중하심을 천만 고하매, 소리 엄열(奄咽)[406]하여 재삼 하직하니, 걸음을 돌이키는 바에 추수봉정(秋水鳳睛)[407]에 물결이 요동하니, 군관하리 등이 위하여 저마다 슬퍼하며 탄복하더라.

공이 학사를 보내고 이별의 차아(嗟哦)한 심사 무궁하니, 본디 휴휴장부(休休丈夫)[408]로 만사 대체(大體)하여 잔 곡절을 모르는 고로, 총명이 돌아왔으나 모친과 유씨의 간험 대악은 오히려 깨닫지 못하는 고로, 가사를 염려할지언정 회곡(回曲)한[409] 의심은 나지 아니하고, 또한 괴이한 바는 자기 해춘각 지게를 나지 못하고, 황황(遑遑) 침닉(沈溺)하여,

---

405) 설설(屑屑)하다 : 자잘하게 굴다, 구구(區區)하다.
406) 엄열(奄咽) : 목이 메어 말을 제대로 잇지 못함.
407) 추수봉정(秋水鳳睛) ; 가을 물처럼 맑은 눈동자.
408) 휴휴장부(休休丈夫) : 사소한 일에 얽매이지 않아 도량이 크고 마음이 편한 대장부.
409) 회곡(回曲)하다 : 휘어서 굽다.

아는 바 다만 유씨요, 귀중한 바 유씨 뿐이런 줄 생각하니, 도리어 가소롭고, 신혼지시(新婚之時)도 애중하는 정이 업던 부부간이, 그때 유질(有疾) 후(後)로, 인하여 부인을 귀중하던 일이 괴이하고 기괴함을 측량치 못하고, 이제 만 리 밖에 상리(相離)하였으되, 지금 이때는 마음에 생각되는 바가 조금도 없음을 스스로 의괴 난측하고, 군관 송잠이 학사의 지효를 생각고 스스로 주야 공의 앞을 일시도 떠나지 않아, 좌와기거(坐臥起居)에 지극함이 효자와 충노(忠奴) 같으니, 공이 적이 관회(寬懷)함이 되더라. 학사 교지를 떠나 빨리 행하되 도로가 요원한 고로 일삭 안에 황성에 미치지 못하니라.

어시에 국구 김탁의 일가(一家)가 국구의 사화(死禍)를 크게 슬퍼할 뿐 아니라, 하원광이 평초(平楚)하매 첩음(捷音)이 자주 단봉(丹鳳)[410]에 오르고, 초왕의 멸국(滅國) 망신(亡身)함을 들으니, 더욱 근심이 비할 곳이 없는지라. 김중관이 등과하여 문화전 태학사가 되었더니, 남후의 발간적복(發奸摘伏)으로 전전과악(前前過惡)이 낱낱이 드러나니, 김국구의 죄 호대(浩大)하다 하여, 취리(就理)[411]함을 인하여 벼슬을 갈고 집에 들어있어, 의사 공교롭고 극악함은 승어부조(勝於父祖)라. 제 집 화란이 급함을 초조(焦燥) 우황(憂惶)하여, 부디 면죄할 도리를 생각하매 못할 일이 없고, 아니 사귀는 사람이 없는지라.

신묘랑의 요술(妖術) 신행(神行)이 만고무쌍(萬古無雙)함을 들으매 중관이 친히 태암산 선경사에 나아가 예물을 두터이 하고, 묘랑을 청하니, 류(類) 유(類)를 좇는지라. 묘랑은 요정이요, 중관은 소인(小人)이라. 처

---

410) 단봉(丹鳳) : ①목과 날개가 붉은 봉황. ②'궁궐'을 달리 이르는 말.
411) 취리(就理) : 죄를 지은 벼슬아치가 의금부에 나아가 심리를 받던 일.

음으로 보나 평생 알던 바 같아서, 심중소회(心中所懷)를 펼 새, 조부에 면사케 함을 애걸하니, 묘랑이 눈썹을 찡기고 양구(良久) 후, 가로되,

"이런 일이 극히 어렵거니와, 상공이 산문(山門)에 친림하여 지성으로 공경하시니, 빈도 진심(盡心) 갈성(竭誠)하려니와, 문양 공주 뜻을 보니, 국구 노야의 면사하시기는 도모치 않아, 정병부에게 조금이나 유해할까 두려하니, 속담에 '외손 사랑이 거짓 것이라' 하거니와, 문양공주 같이 무정한 사람이 어디 있으리오. 이제 국구노야를 면화(免禍)케 할 도리는 정부를 모해하여, 이부노야(吏部老爺)의 수지(手指)를 벤 것을 헛일로 대고[412], 존부의 화를 도리어 정 부마에게 돌려보내고자 하되, 빈도 공주와 지극한 정이 있으니, 아직 전정(前程)을 유해케 못할지라. 차라리 여차여차하여 노야를 면사케 하고, 일이 되어 감을 보아 세세히 결단함이 옳을까 하나이다."

중관이 고두(叩頭) 사례(謝禮)하고 하원수의 전부(戰斧)[413]를 다 구하고, 의논을 정하여 흩어지니, 일이 비밀하여 알 이 없더라.

원래 김국구는 하가를 참해(慘害)함이 있으나, 초왕이 있고, 상이 귀비를 총애하시는 고로 아직 옥에 가두어 왕의 일이 정한 후 다스리려 하시고, 김후는 오히려 죄 지음이 국구만 못한 줄로 아시어, 죽이든 않으려 하시거늘, 중관은 천의(天意)를 모르고 황겁하여 묘랑을 애걸하니, 아비 살리기를 도모하여 타일 정병부의 원(怨)을 갚으려 맹세하더라.

묘랑이 김중관과 날을 기약하고 밤을 당하여 금위부(禁衛府)[414] 옥에 나아가, 철쇄(鐵鎖)한 문을 통하여 앙연(央然)히[415] 돌입하여, 국구 부

412) 대다 : 어떤 사실을 들어내어 말하다.
413) 전부(戰斧) : 예전에, 전쟁할 때에 쓰던 도끼. 부월(斧鉞).
414) 금위부(禁衛府) : 금오부(金吾府). 의금부(義禁府)
415) 앙연(央然)히 : 한 가운데로, 거침없이.

자를 엄수(嚴囚)한 옥을 찾아 나아가, 진언(眞言)을 염하니 문이 절로 열리매, 다시 변화하여 문득 큰 갈회(葛虎)416)되며, 흉독을 발하여 급히 국구를 업어 공중에 솟으니, 옥리와 순시군이 대경하여 일시에 소리하여 죄인 김국구를 범이 물어간다 하니, 좌우 역경(亦驚)하여 금의(禁義)417) 직숙관원(直宿官員)에게 급고(急告)하니, 금오관원(金吾官員)이 대경하여 위사(衛士)를 발하여 두루 살피라 하나, 거처(去處) 없더니, 또 갈회 파람418)하며 뛰어들어 이부 김후를 가둔 옥에 나아가 김후를 업고, 공중에 아아히 솟아 운무 사이에 몸을 숨기니, 입각에419) 간 곳이 없는지라. 위졸(衛卒)420)이 모두 측량치 못하고, 김후 부자를 잃으매 죄 경치 않은지라. 차악하고 상심하여 날이 새기를 기다려, 평명(平明)421)에 김후 부자를 비회(飛虎)가 일시에 문을 차고 물어가되, 운무 중에 날아 자취를 찾을 길이 없음을 주달(奏達)하고 청죄하니, 상이 대경대로(大慶大怒)하시어 왈,

"짐이 만기(萬機)422)를 임하여 사해구주(四海九州)를 부림(俯臨)423)하되, 덕이 박하여 그런가, 비호가 있어 사람을 능히 물어가 자취 없음은 의외(意外)일 뿐 아니라, 천고 이래에 듣지 못한 변괴니, 이는 위관

---

416) 갈호(葛虎) : 갈범(葛-). 칡범. 몸에 칡덩굴 같은 어룽어룽한 줄무늬가 있는 범.
417) 금의(禁義) : 의금부(義禁府).
418) 파람 : ①휘파람. 입술을 좁게 오므리고 혀끝으로 입김을 불어서 맑게 내는 소리. 또는 그런 일. ≒구적(口笛) ②포효(咆哮). 으르렁. 크고 사나운 짐승 따위가 성내어 크고 세차게 울부짖는 소리. 또는 그 모양.
419) 입각(立刻)에 : 눈 깜짝할 사이에. 순식간에, 바로, 즉각, 즉시.
420) 위졸(衛卒) : 어떤 대상을 지키는 군사.
421) 평명(平明) : 해가 뜨는 시각. 또는 해가 돋아 밝아질 때.
422) 만기(萬機) : 세상의 온갖 일. 정치상의 온갖 중요한 기틀.
423) 부림(俯臨) : 굽어보다. 굽어 살피다. 아랫사람이나 불우한 사람을 돌보아 주려고 사정을 살피다.

이 무슨 일이 있어 짐짓 놓은 일인가. 위관의 죄 경치 않으니 직숙하던 나졸을 저주어[424] 물으라."

하시니, 동평장사 양필광이 주왈,

"신의 장녀가 정천흥의 처실이러니, 성교(聖教)로 이이절혼(離異絶婚)함을 인하여 신의 집에 데려왔사옵더니, 일야지간(一夜之間)에 비호가 물어가 지금 사생존망을 미득(未得)함이 천고의 둘이 없는가 하옵더니, 김탁 부자를 잃음이 역시 신의 집 변괴와 일체오니, 복망 성상은 명찰하시어 위관과 나졸의 무죄함을 살피시고, 성대치화(聖代治化)[425]에 이 같은 변(變)이 종종(種種)하오니[426], 구주팔황(九州八荒)[427]에 전지하시어 요정(妖精)을 잡게 하소서."

상이 양공의 충직함을 아시는 고로, 그 딸의 잃음을 들으시고 그 말을 좇으시어, 드디어 나졸을 사(赦)하시고, 양공을 대하여 가라사대,

"경의 딸을 잃음이 차악한 변괴라. 어찌 벌써 조정에 고하여 요정을 잡지 못하뇨? 김탁의 부자를 잃음은 금의관(禁義官)이 엄히 지키지 못한 허물이 없지 아니하되, 경의 주사가 여차하니 다 물시(勿視)하여 죄를 사하거니와, 세상에 요정이 있음은 길조(吉兆) 아니라. 사해에 전지하여 비호 요정을 잡아 바치는 자는 천금상(千金賞)과 만호후(萬戶侯)를 봉하리라."

하시니, 삼공이 수명하여 즉일에 전지하여 구주(九州)에 반포(頒布)하고, 각각 장졸을 발하여 비호를 착포(捉捕)하라 하나, 둔갑하는 요정이 암자에 깊이 숨었거늘 어디에 가 잡으리오. 상이 김탁의 불인무상(不仁

---

424) 저주다 : 형신(刑訊)하다. 심문하다.
425) 성대치화(聖代治化) : 현 임금이 다스리는 시대의 다스림과 교화.
426) 종종(種種)하다 : 어떠한 일이 가끔 있다.
427) 구주팔황(九州八荒) : 온 세상. 온 나라.

無狀)함을 통해(痛駭)하시나, 그 간정(奸情)을 알지 못하시고, 김후는 본디 죽이지 아니랴 하시던 바라. 부자가 일시에 비호에게 죽음을 측은하시어, 중사(中使)를 보내어 중관을 위로하시고, 궁녀로 하여금 귀비를 붙들어 지통을 위로하라 하시니, 대개 귀비를 북궁에 수계(囚繫)하시나 총애하시는 뜻이 적지 않으시더라.

어시에 중관이 묘랑으로 더불어 요악한 계교를 베풀어 부조(父祖)를 사지(死地)에서 벗겨내 선경사로 돌아오니, 망명지죄(亡命之罪) 타일(他日) 나타나 사지(四肢)가 이처(離處)할 줄은 모르고, 사지(死地)에서 구한 줄만 즐겨 저의 지혜를 자랑하고, 정병부를 절치하여 원수 갚기를 모의하니, 국구(國舅) 중관을 어루만져 칭찬 왈,

"손아의 비상한 재주로 우리를 구하니, 여부(汝父)가 너 같은즉, 정천흥이 비록 무지모야(無知暮夜)[428]에 물은들 실상(實狀)을 일렀으리요. 천흥의 흉휼(凶譎)함은 이르지 말고 이 화(禍)를 자취함은 여부의 허겁(虛怯)한 연고라."

하고, 서로 모의함이 밀밀(密密)하여, 불의를 더욱 행하고, 묘랑으로 더불어 나라 사정을 탐지하고 계교(計巧)하더라.

차설 정병부 사친지회(思親之懷)가 간절하고, 자기 행사를 절절이 뉘우치고 슬퍼하더라.

---

428) 무지모야(無知暮夜) : 아무도 모르는 어두운 밤.

ꕥ

명주보월빙 권지사십육

차설 정병부 사친지회(思親之懷)가 간절하고 자기 행사를 절절이 슬퍼 뉘우치매, 야야의 경책(警責)이 과도치 않으심을 헤아리나, 사명(赦命)이 어느 때의 있을 줄을 모르니, 주야 번뇌하여 조석 식음을 나오지 못하고, 평생 즐기던 술이 있으나 돌아보지 않아, 두문사객(杜門謝客)하여 관부(官府) 공사(公事)가 번다하되 전폐하여, 종일(終日) 달야(達夜)토록 제제의 소매를 이끌어 북당훤초(北堂萱草)[429]의 무채지락(舞彩之樂)[430]이 난득(難得)일 듯, 신혼모정(晨昏暮定)[431]에 존당 부모를 앙모하매 식불감미(食不甘味)[432] 하고 침불안석(寢不安席)[433] 하여 기거(起

---

429) 북당훤초(北堂萱草) : '어머니'를 이르는 말. '북당'은 집의 북쪽에 있는 건물로 집안의 주부(主婦)가 거처하는 곳이어서 어머니를 이르는 말로 쓰였다. 훤초 또한 『시경』 〈위풍(衛風)〉 '백혜(伯兮)'편의 "어디에서 훤초를 얻어 북당에 심을꼬.(焉得萱草 言樹之背 *背는 이 시에서 北堂을 뜻함)"라 한 시구에서 유래하여, 주부가 자신의 거처인 북당에 심고자 했던 풀이라는 데서, 어머니를 이르는 말로 쓰였다.

430) 무채지락(舞彩之樂) : 색동옷 입고 춤을 추어 어버이를 즐겁게 해 드림. 중국 춘추 때 초나라 사람 노래자(老萊子)가 70세에 색동옷을 입고 어린애 장난을 하여 늙은 부모를 즐겁게 해드렸다는 고사에서 유래한 말.

431) 신혼모정(晨昏慕情) : 부모를 떠나 있는 자식이 아침저녁 또는 신성(晨省) 혼정(昏定) 때를 당해 부모의 안부를 생각하며 그리는 마음.

432) 식불감미(食不甘味) : 근심과 걱정으로 음식을 먹어도 맛이 없음.

居)를 임의로 못하니, 예부 등 제제 우황초조(憂惶焦燥)하여 호언으로 위로하나, 엄전(嚴前)에 배알치 못 한 후는 병이 나을 길이 없는지라.

의형이 환탈하고 혈기 돈감(頓減)하여 보기에 위태한지라. 예부 등이 우황하여 부전에 회과자책(悔過自責)함이 성병(成病)함을 고코자 하되, 부공의 엄정함이 점점 더하시니 감히 번득이지[434] 못하더니, 상이 병부의 병이 오래감을 근심하시어, 날마다 어의로 간병하시고, 중사(中使)를 명하시어 시절 음식과 상방(尙方) 어선(御膳)을 보내시어, 병구(病求)에 진정(眞情)[435]하라. 하시며, 금평후에게 전교하시어 부마의 병을 치료하라 하시어, 차성(差成)케 함을 하교하시니, 금후 예부로 하여금 병부에게 전어 왈,

"불초(不肖)가 본디 아비를 없는 것같이 여겨 범사를 자행자지(自行自止) 하니, 내 앞을 떠나매 너의 쾌활한 시절이라. 무행 방탕을 임의로 하려든, 무슨 일로 병을 이뤄 직임(職任)을 전폐하고, 군상(君上)께 우려하심을 끼치오며, 부질없는 의류(醫類)[436]와 약물(藥物)을 끊이지 않게 하며, 문병하시는 중사(中使)가 도로에 이었으니, 날로 하여금 네 병을 치료하라 하교하신지라. 내 이미 너와 윤의(倫義)를 끊은 후는 얼굴을 대할 길이 없으니, 비록 군명이 계시나 위월(違越)하니 불충이 더하는지라. 이 또 불초의 연고니 죄 없으랴? 사사에 나의 심화를 돕지 말고, 행공찰직(行公察職)하여 황야의 염려를 덜어드리고 나의 분완함을 더하지 말라."

---

433) 침불안석(寢不安席) : 걱정이 많아서 잠을 편히 자지 못함.

434) 번득이다 : 물체 따위에 반사된 큰 빛이 잠깐씩 나타나다. 또는 그렇게 되게 하다.

435) 진정(眞情) : 참되고 애틋한 정이나 마음. 정성(精誠).

436) 의류(醫類) : 여기서는 '의원(醫員)들'을 이르는 말.

예부 부복(仆伏) 문파(聞罷)의 소리를 화히 하여 고 왈,

"형이 근간 병세를 더함은 전후 허물을 뉘우치고, 존당 부모를 영모(永慕)하는 하정(下情)으로 병이 더하니, 직사(職事)의 염(念)이 없사올지라. 엄교 (嚴敎)[437] 여차하시나 능히 강질(强疾)[438]치 못할까 하나이다."

공이 정색 왈,

"불초의 사생을 내 실로 염려하지 않나니, 어찌 괴로이 나의 심화(心火)를 돕느뇨? 천흥의 남활 흉휼함이 거짓 뉘우침이라. 어찌 여등의 말을 곧이들어 행하리오."

예부 황공이퇴(惶恐而退) 하여 별유정의 이르러 병부를 보아 엄교를 전하니, 이때에 병부 죽음(粥飮)을 토(吐)하고 기운이 혼미(昏迷)하여 금금(錦衾)에 싸였더니, 야야의 전어(傳語)하심을 듣잡고 경황하여 겨우 몸을 움직여 듣잡기를 마치매, 봉안(鳳眼)에 누수(淚水) 여우(如雨)하여 왈,

"내 심곡의 가득한 소회(所懷)를 엄하(嚴下)의 주달할 길이 없으니, 전어로 회주(回奏)함이 더욱 황공한지라. 두어 줄 글로 하정(下情)을 주(奏)하리라."

언파에 정신을 수습하여 필연(筆硯)을 나와 공경하여 상서를 이룰 새, 체루(涕淚) 여우(如雨)하여 화전(華箋)[439]에 연락(連落)하니, 쓰기를 마치매 아우를 돌아보아, 왈,

"대인이 우형의 심사를 모르시고, 선조의 유완하시던 정자에 머무는 것을 미안하시니, 장차 어디로 가리오."

예부 위로 왈,

---

437) 엄교 (嚴敎) : '아버님의 말씀'을 이르는 말.
438) 강질(强疾) : 병을 억지로 참음.
439) 화전(華箋) : 화전지(花箋紙). 시나 편지 따위를 쓰는 종이.

“대인이 비록 엄정(嚴正)하시나 유정을 떠나라 하심이 없으니, 형장은 과도히 초황(焦惶)치 마시고, 병회(病懷)를 안보(安保)하시어 명이 내려 엄하에 절하심을 기다리소서.”

병부 추연 왈,

“우형이 불초무상하여 엄전에 죄를 지었으니, 엄의를 헤아리매 사명을 쉬이 바라리오. 생각이 이에 미치매 경혼(驚魂)하니, 초사(焦思)한 심장이 끊어질 뿐이라. 우형의 전전행사(前前行事)가 다 망측(罔測)하니 스스로 괴해(怪駭)함을 이기지 못하노라.”

예부 재삼 위로하고 상서(上書)를 가져 돌아와 부전에 드리니, 공이 받아 보지 아니하더니, 혼정 후 외헌에 촉을 밝히고 비로소 서간을 피열(披閱)[440]하니, 사에 왈,

“불초자 천흥은 백배(百拜) 돈수(頓首)하고 죄를 무릅써 앙달하옵나니, 불초자 무상하와 엄훈을 저버리옵고, 작죄하온 바 만사무석(萬死無惜)이라. 슬하의 내치심을 입사와 수월에 이르오니, 불초의 죄는 죽어 족(足)하오나, 어린 정성이 일찍 이측(離側)하와 사모하오미 국사 밖은 집을 나감이 없삽는지라. 몽혼(夢魂)이 전도(顚倒)히 훤정(萱庭)[441]을 임하옵다가, 추연이 황공(惶恐) 경각(驚覺)하온즉 앙모지회(仰慕之懷) 시시(時時) 층익(層益)하와 엎드려 조석성정(朝夕省定)에 안항(雁行)으로 참예하와 슬하무휼지은(膝下撫恤之恩)[442]을 받잡던 바 약여춘몽(若如春夢)이오. 엄안을 앙모하오매 구회(舊懷)[443] 전색(塡塞)[444]하오니,

440) 피열(披閱) : 서류 따위를 펴서 읽거나 살펴봄.

441) 훤정(萱庭) : 어버이의 뜰. 훤(萱)은 훤초(萱草) 곧 ‘원추리’로 어머니를 상징하는 화초(花草)인데, 여기서는 아버지와 어머니를 함께 이르는 말로 쓰였다.

442) 슬하무휼지은(膝下撫恤之恩) ; 무릎에 두고 어루만져 길러준 은혜.

443) 구회(舊懷) : 지난날을 생각하고 그리는 마음.

불초아(不肖兒)가 비록 무상하오나 또한 인자지심(人子之心)이라. 사정(私情)에 전후 회포를 어찌 잘 견디리까? 죄를 헤아리오매 가히 대인(對人)할 안면이 없사온지라. 조석에 체읍하고 숙야(夙夜)에 전송(戰悚)[445] 하와, 한번 엄하의 책(責)을 당하옵고 슬하에 예같이 모시기를 바라오나, 구구한 하정이 엄하를 사무치지 못하오니, 한 번 앙모하오미 주주야야(晝晝夜夜)에 엎드려 부지소향(不知所向)하온 심회(心懷)를 달(達)하고자 하오나, 불승황공(不勝惶恐)하와 불감진득(不敢進得)[446]이라. 불초가 오세부터 훈교를 받자와 충효(忠孝)는 백행(百行)의 원야(源也)임을 아옵나니, 어찌 엄책을 받자와 내치심을 당하와 망극함을 알지 못하고, 임타(任他)[447] 자전(自專)하여 국사를 버리리까마는, 미(微)한 병이 찰임을 능히 못하올지라, 엄교를 위월하오니, 이 또 죄 일단이 더함이라. 명교(明敎)를 받자와 불효불충하오미 황황(惶惶) 송률(悚慄)하와 욕사무지(欲死無地)[448]로소이다. 당시에 급히 내치시는 명을 받자와, 동구(洞口)에 머물기를 허치 않으시니, 부끄러운 낯을 들어 친척을 대할 뜻이 없사오니, 평일 성자(聖慈)[449]를 믿사옵고 유정의 고요함을 생각고, 불초의 누행은 창졸에 깨닫지 못하와, 이에 엄류(淹留)[450]하오매, 다시 일어나지 못하오니, 낮은 집 기슭에 엎드려 황민(惶憫)한 소유를 품달치 못하옵더니, 엄교를 받자오매 아뢰올 바를 알지 못하리로소이다. 천질(賤疾)이 차성(差成)하오나 엄전(嚴前)의 용납지 못하온 후는,

---

444) 전색(塡塞) : 메어서 막힘. 또는 메워서 막음.
445) 전송(戰悚) : =전율(戰慄). 몹시 무섭거나 두려워 몸이 벌벌 떨림.
446) 불감진득(不敢進得) : 감히 나아가 볼 수 없음.
447) 임타(任他) : 남의 일에 간섭하지 아니하고 내버려 둠.
448) 욕사무지(欲死無地) : 죽고자 하나 죽을 땅이 없음.
449) 성자(聖慈) : 임금 또는 부모의 은혜.
450) 엄류(淹留) : 오래 머무름.

천윤의 죄인이라. 어찌 병권(兵權)과 절제사(節制使) 대작(大爵)을 받자와 열후(列侯)에 충수(充數)하와 국가 중임을 욕하오며, 금차(今此) 외람하온 성은이 불초에게 과도하시어, 문병하시는 중사 낙역하니, 우구불안(憂懼不安)하와 진퇴를 정치 못하옵더니, 금일 하교를 듣자오매 황황함을 이기지 못하옵나니, 마땅히 군상께 조회하옵고, 직임에 나아감이 인신(人臣)의 도리(道理)오나, 엄전에 사죄(赦罪)를 받잡지 못하온 후는, 무슨 마음으로 금자(金紫)[451]를 띠고 안여평석(晏如平席)하리까? 차고로 엄훈을 받들지 못하고 머리를 두드려 일만 번 죽기를 무릅써, 황민(惶憫)한 정사를 진달하오나, 엄교를 위월하와 첩첩한 죄 만사무석(萬死無惜)이로소이다. 복망 대인은 해아(孩兒)의 불초무상한 죄를 다스리시고, 면전(面前)에 용납하시어 끊어져 가는 목숨을 이으시고, 아득한 회포를 펴게 하시면 부애자은(父愛慈恩)[452]하시는 성덕일가 하나이다."

하였더라.

신기한 필획은 창룡(蒼龍)이 서리고, 간절한 회포엔 충효 나타나, 천성지효 출천하고, 화한 거동이 글 위에 벌었으니, 공의 적은 노(怒)함은 춘설(春雪)이 양춘(陽春)에 아우러지고, 큰 귀함은 만심을 농준(濃蠢)하니[453] 어찌 오래 집미(執迷)[454]하리오. 추월(秋月) 같은 면모와 춘양(春陽) 같은 화기로 승안(承顔)하던 것을 보지 못하니, 중심이 훌연(欻然)[455]하여 못 잊는 정이 유출(流出)하니, 서간을 어루만져 재삼 피람

---

451) 금자(金紫) : 금인(金印)과 자수(紫綬)라는 뜻으로, 존귀한 사람을 비유적으로 이르는 말.

452) 부애자은(父愛慈恩) : 아버지는 사랑하고 어머니는 은혜를 베풂.

453) 농준(濃蠢)하다 : 꿈틀거리다. 생각이나 감정 따위가 크게 일다.

454) 집미(執迷) : 고집이 세어 갈팡질팡함.

455) 훌연(欻然) : 어떤 마음이나 생각이 갑작스럽게 떠오름.

(披覽)하다가 날호여 연갑(硯匣)의 넣으니, 제자가 마침 없는 때라, 공의 간절함을 알 이 없더라.

이러구러 수십 일이 지나고 병부 유정에 침병(寢病)[456]함이 삼삭이 된지라. 사친지회 시일(時日)[457]로 층가(層加)하니, 병세 점점 더하여 식음을 거스르고, 풍광(風光)[458]이 환탈(換奪)하여 십분 위경(危境)에 미치니, 예부 등이 십분 우려하여 의약으로 치료함을 청하니, 병부 함루(含淚) 휘지(揮之)[459] 왈,

"아니라, 천방(千方)[460] 백약(百藥)이 가득하나, 비위만 패(敗)할[461] 따름이오. 무익하니 엄전에 가 차색(借色)[462]을 허하심을 얻으면 절로 차성(差成)하려니와, 흉장(胸臟)이 칼로 베며, 노[463]로 자르는 듯한 바에 편작(扁鵲)[464]이 부생(復生)하나 무가내하(無可奈何)[465]라."

예부 등이 하릴없어 한 첩(貼) 약을 쓰지 못하고 초조할 뿐이라.

낙양후 삼곤계 듣고 대경하여 유정에 간즉, 병부의 홍년(紅蓮) 같은 얼굴이 변하여 백설(白雪)의 무광(無光)함과 낙화(落花)의 쇠잔(衰殘)함

---

456) 침병(寢病) : 병석(病席)에 누움.
457) 시일(時日) : 시(時)로 날로. 때와 날을 아울러 이르는 말.
458) 풍광(風光) : ①경치(景致). ②사람의 용모와 품격.
459) 휘지(揮之) : 손을 흔들다. 여기서는 거부의 뜻으로 손을 흔듦.
460) 천방(千方) : 온갖 처방.
461) 패(敗)하다 : 실패하다. 해치다. 상(傷)하다. 망하다. 야위다.
462) 차색(借色) : '얼굴빛을 빌리다'는 뜻으로, 남으로부터 용서를 받거나 용납을 얻음.
463) 노 : 실, 삼, 종이 따위를 가늘게 비비거나 꼬아 만든 줄.
464) 편작(扁鵲) : 중국 전국 시대의 의사. 성은 진(秦). 이름은 월인(越人). 임상 경험을 바탕으로 치료하였다. 장상군(長桑君)으로부터 의술을 배워 환자의 오장을 투시하는 경지에까지 이르렀다고 전한다.
465) 무가내하(無可奈何) : 달리 어찌할 수 없음.

이 되었거늘, 충천(衝天) 호기(豪氣)는 십년 이학(理學)[466]을 배웠으니 또 어떠하리오. 봉안(鳳眼)에 체루(涕淚) 방방하여 마를 적이 없고, 기거(起居)를 임의로 못하여 한 번 서매 두 번 엎어지니, 낙양후 삼곤계 참연(慘然) 경아(驚訝)하여 손을 잡고 머리를 짚어, 일시에 가로되,

"너의 장기로써 수삼삭 사이의 이다지도 위악(危惡)히 환형(幻形)하였느뇨? 정형의 인자 관후함으로 너에게 이리 박절할 바 아니거늘, 저토록 성질(成疾)하기에 미쳤느뇨? 범사 과도하매 중도를 얻지 못하니, 지난 바를 추회하여 회심(回心) 자책(自責)하여도, 엄부의 노(怒)를 돌이키는 날, 평상한 웃는 낯으로 부자의 정의를 폄이 아니 옳으냐?"

남후 척연 대왈,

"소질이 범사를 잘 참지 못하는데, 부모의 곁을 일각(一刻)만 떠나도 못 견디는 바거늘, 삼 삭을 물러 있어 앙모지정(仰慕之情)이 유아(幼兒)의 실회(失懷)[467]함 같은지라. 능히 견디고 참지 못하옴이라. 구구하온 천성을 엄하에 사무치지 못하오니, 전과(前過)를 뉘우치고 죄를 헤아려 참황 수괴하옴이 대인할 면목이 없나이다."

제진이 위로하여 왈,

"너의 호방을 제어하여 온중한 데 나아가게 함이 전혀 남에서 낫게 하고자 하므로 그러함이라. 너의 쾌히 깨달았음을 들으면 어찌 형이 감동치 않으리오."

---

466) 이학(理學) : 성리학(性理學). 중국 송나라·명나라 때에 주돈이(周敦頤), 정호, 정이 등에서 비롯하고 주희가 집대성한 유학의 한 파. 이기설(理氣說)과 심성론(心性論)에 입각하여 격물치지(格物致知)를 중시하는 실천 도덕과 인격과 학문의 성취를 역설하였다. 우리나라에는 고려 말기에 들어와 조선의 통치 이념이 되었고, 길재·정도전·권근·김종직에 이어 이이·이황에 이르러 조선 성리학으로 체계화되었다. ≒도학(道學)

467) 실회(失懷) : 어버이의 품속을 떠남.

하고 좌우로 향온(香醞) 수배를 나와 왈,

"죽음(粥飮)도 내리지 못하고 비위(脾胃) 상하였으니 이를 마시고 진정하라."

남후 술을 공경하여 받아 놓고, 탄식 왈,

"소질이 비록 불초(不肖)하오나 가친께 득죄한바 으뜸이 주색이라, 이제 다시 술을 접구(接口)하리까?"

진후 찬조 왈,

"현재(賢哉)라! 네 말이 옳으니 아이[468]의 술을 권함이 부질없도다."

남후 함구 묵연하니, 낙양후 삼곤계 재삼 위로하고,

"쉬히 사(赦)를 입어 부전의 부르는 명을 얻을 것이니 번뇌하여 병을 이루지 말라."

하고 돌아가니, 병부 사례하여 배별하더라. 제공이 취운산에 돌아가 금후를 보고, 병부의 병이 중하여 자못 비경(非輕)하고, 개과수행(改過修行)하여 전일과 소양불모(宵壤不侔)함을 이르고, 권하여 사죄(赦罪)함을 이르니, 금후 심리(心裏)에 경려(驚慮)하나, 단연이 사색치 않고 양구(良久) 후 답왈,

"형 등이 천흥을 사랑함이 과도함으로 그 흉휼(凶譎)[469] 능측(能測)[470]함을 채 모르나, 소제는 지자막여부(知子莫如父)[471]니 혼암하나 밝히 아나니, 인물이 졸연히 남활함을 없이 할 유(類) 아니라. 소제 같은 아비는, 남활(濫闊) 능경(凌輕)함이 아니 미친 곳이 없으니 그런 자식은, 보지 않으려 하나이다."

---

468) 아이 : =아우.

469) 흉휼(凶譎) : 간사하고 능청스럽게 남을 잘 속임.

470) 능측(能測) : 남의 마음을 잘 헤아려 앎.

471) 지자막여부(知子莫如父) : 아들을 알기는 아버지만한 사람이 없다.

진공 왈,

"윤보는 실로 비인정이로다. 자식에게도 위엄을 부리고 호령을 세움이 곡절이 있으니, 천흥 같은 아자를 흉휼 능측한 곳에 미루어, 이렇듯 부귀 호화 중 생장하여 세상 괴로움을 모르던 바로, 불시에 엄전에 내쳐져, 용녀(用慮)하여 성질하기에 이르니, 단명할 징조로써, 고집함이 아니리오."

금후 미소 왈,

"형 등이 소제를 격동하나, 천흥의 기운이 하늘을 받들며, 품질이 산악의 굳음을 가졌으니, 좀 병은 침노치 못하고, 상모의 장원함은 백세를 기약하리니, 그만 용려(用慮)에 단명토록 하리오."

낙양후 금후의 박절함을 이르고, 진각노 날호여 가로되,

"천흥이 경씨를 불고이취하고, 제창을 모아 연락하던 바, 단중타 이를 것이 아니요, 위인부(爲人父)하여 남활한 자식을 엄히 경계함이 가하거니와, 경한 허물로 중한 사죄같이 하고, 개과수행(改過修行)하되 사명(赦命)이 없으니 형의 처사 그르지 않으냐? 이때에 당하여는 전일 호방을 뉘우치고, 발월한 기운을 고쳐 단정하며, 쾌활한 성질이 온중하여, 형에게 내치임으로부터 불견천일(不見天日)하고, 불식화미(不食華味)하며, 관잠(冠簪)을 해탈(解脫)하여, 두문사객(杜門謝客)하고, 유정 소실(小室)에 금화채석(錦畵彩席)을 물리치고, 조석 식반이 낮은 상에 찬선이 육채(肉菜)[472] 두 그릇에 넘지 않고, 일두주(一斗酒)를 적게 여기던 주량이, '주색(酒色)에 수죄(受罪)하다'[473] 칭하며, 금일 여차여차 권주(勸酒)하니 대답이 여차여차하여, 뉘우치고 슬퍼하며 사모지정이 간절

---

472) 육채(肉菜) : 고기와 나물을 함께 이르는 말.

473) 주색(酒色) 수죄(受罪) : '술과 여색 때문에 죄를 입었다'는 말.

하여, 쇠부(衰膚)[474]하고 병근(病根)이 위경(危境)하니 소제, 불명하나 사람의 작위하는 거동을 모르며, 혈심진정(血心眞情)을 알아보지 못하리오. 천 질(姪)이 진정 내외 가즉하며 성행이 빈빈하여, 도덕 수행이 안맹지측(顔孟之側)[475]의도 불급(不及)지 않으리니, 저의 기상인즉 천고 영준으로, 겸하여 만고무적(萬古無敵)한지라. 형이 희한한 복록으로 그 같은 아들을 두어 교훈함이 진선진도(盡善盡道)하니, 과연 아비 되미 부끄럽지 않으리라. 금일이라도 불러 부자천륜(父子天倫)의 자별한 정을 이을 것이니, 어찌 강위(强爲)를 전주(專主)하여 사람의 이름을 곧이 듣지 아니하고, 상모(相貌) 장원(長遠)한들 침병함이 무엇이 유익하뇨? 형의 이런 일은 진실로 항복지 아니하노라."

말씀이 절당온중(切當穩重)하니, 원래 진각노 한 조각 비례 불법을 용납함이 없어, 도리어 장부의 쾌활함이 부족하여 세쇄한 듯하되, 행사 빈빈숙숙(彬彬肅肅) 한지라. 일세(一世) 사류(士類)의 추앙하는 도학군자로 미루는 바니, 낙양후와 태상의 위인이 구태여 각로만 못함이 아니라, 영웅 준걸로 대장부의 쾌활함은 각로에게 지나나, 침중(沈重) 예공(禮恭)함은 각로에게 미치지 못 할지라. 금후 각로의 말을 신중(愼重)하는지라. 미미히 웃고 왈,

"부자지간은 사람의 시비(是非)할 바 아니니, 익계의 예법 알기로써 이를 모름이 아니라, 어찌 순설(脣舌)[476]을 수고로이 하리오."

태상이 소왈,

---

474) 쇠부(衰膚) : 살갗이 까칠하고 마름.

475) 안맹지측(顔孟之側) ; 중국의 유학자인 '안자(顔子; 顔回)와 맹자(孟子; 孟軻)의 곁'이라는 듯으로, 안자・맹자와 대등한 경지라는 말.

476) 순설(脣舌) : ①입술과 혀를 아울러 이르는 말. ②수다스러움을 비유적으로 이르는 말.

"형이 부자지간을 남이 들놓지 말고자 하나, 아등 곤계는 천흥의 외구(外舅)니, 형의 부자간에 감치 아니하고, 형이 우리로써 범연한 처남으로 알지 못하여, 죽마지의(竹馬之誼)와 관포지교(管鮑之交)를 겸하여 골육동기(骨肉同氣) 같으니, 이제 새로이 심곡을 내외하여 서어할 것이 아니니, 형의 처사 너무 집벽(執僻)[477]하고, 생아(甥兒)[478]의 심사 자닝할 새, 시러금[479] 백씨와 중씨 말리고자 하시거늘 도리어 절책하느뇨? 소제 소학(所學)이 박누(薄陋)하고 식견이 천단(淺短)하나 형의 일은 실로 답답하여 보지 못하리로다."

금후 함소(含笑) 왈,

"원간 천흥의 방일함이 누구를 닮아 그러하뇨? 내 집은 본디 예행(禮行)을 섭렵(涉獵)하고 주색을 원거(遠居)하거늘, 순계 등의 호방함을 품수(稟受)하매, 천아가 전습(傳襲)하여 이같이 우환 된지라. 마침 익계 일인이 단중할지언정, 제진에 노소 없이 정대한 이 어디 있으리오."

낙양후 형제 소왈,

"윤보가 복이 높아 아매(我妹)를 취하여 천흥 같은 영자를 두어, 그 오소(迂疎)[480]한 아비를 담지 아니하고 우리 같은 호걸을 품수하여 특이하니, 가히 아등을 대하여 염복(念福) 배사(拜辭)함 즉하지 않으리오."

정언간에 정국공이 이르러 사오 교친(交親)이 정화 밀밀하니, 진후가 금후의 고집을 일러 병부의 병세 비경함을 이르니, 하공이 경려하여 역권(力勸)하나, 금후 미미한 소안으로 돌이키지 아니하더라.

일일은 상이 금후를 명초하시어, 수돈(繡墩)을 밀어 사좌(賜座)하시고

---

477) 집벽(執僻) : 지나치게 고집스럽고 편벽됨.
478) 생아(甥兒) : 생질(甥姪).
479) 시러금 : 이에, 능히
480) 오소(迂疎)하다 : 오소(迂疎)하다. 세상 물정에 어둡고 예민하지 못하다.

천흥의 병을 물으시니, 천심이 울울하여 옥색에 시름을 띠어 계시니, 공이 성은의 이 같으심을 황공 감은하나, 병부를 경이(輕易)히 사할 뜻이 없거늘, 천의(天意) 여차(如此)하시니 길이 민면(黽勉)하여[481] 돈수 주왈,

"천흥의 병이 차성(差成)치 못하오나 크게 염려하올 바 아니오니, 성려에 거리끼지 마시고, 천흥이 원래 위인이 무식 소활하와 문무 대작을 받자와 국가 중임을 어지럽힘이 되오니, 복망 폐하는 천질을 여념(慮念)치 마시고, 새로 청현 도덕의 영걸을 택출(擇出)하시어 용두각(龍頭閣) 중임과 병부상서 절제사를 바꾸심이 행심(幸心)일까 하나이다."

상이 경아(驚訝)하시어 왈,

"천흥은 짐의 고굉주석(股肱柱石)으로 군신의 대의와 옹서의 정을 겸하니, 사랑하고 믿음이 산두(山斗)[482]의 위라. 아직 연소함으로 큰 모[483]에 미룸이 없으나 타일 중지(重地)를 맡길 뜻이 있거늘, 경이 비록 겸퇴(謙退)하나 이런 말을 하느뇨?"

금평후 미급대주(未及對奏)에, 동평장사 양공이 금평후의 병부를 내쳐 유병(有病)하여 비경(非輕)함을 주할 새, 전후사를 세세히 주하오니, 상이 양공의 주사로 좇아 병부의 유질한 사고를 들으시매, 천안이 도리어 함소하시어, 금평후를 보아 가라사대,

"천흥이 경씨 취함은 공주 하가 전 저의 주사로 좇아 짐은 벌써 알았으니, 전혀 연소함으로 일시 삼가지 못함이라. 구태여 비법비의지사(非法非義之事)[484] 아니거늘, 경이 과도히 책망하여 멀리 내쳐 성질(成疾)

481) 민면(黽勉)하다 : ①부지런히 힘써 하다. ②마음이 내키지 않는 일을 억지로 힘써 하다.

482) 산두(山斗) : 태산북두(泰山北斗)의 줄임 말. 세상 사람들로부터 존경받는 사람을 비유적으로 이르는 말.

483) 모 : 모서리, 모퉁이. 일정한 범위의 어느 부분.

하도록 염려치 않음은, 부자의 종용한 정이 아니라. 더욱 무명 유생과 달라, 열후(列侯) 육경(六卿)으로 소임이 문무(文武)에 대용(大用)하는 바 되어, 여러 관부의 소임공사(所任公事)를 여러 달 폐하고 짐의 마음을 우려케 하니, 경의 훈자함이 너무 엄절하고 짐의 우려하던 바 너무 구구하도다. 이제 개과수행(改過修行)하였은즉 바삐 불러 관사(寬赦)함이 가하니, 금일 돌아가 죄를 사하여 쉬이 행공 찰임케 하라."

옥음이 순순(諄諄) 유화하시되 엄정하시니, 정공이 연망(連忙)이 돈수 왈,

"미신이 무상하와 탕자를 엄칙(嚴飭)지 못하온 고로, 연소지시로부터 주야 위업(爲業)하는 바 주색이오되, 신이 망연히 속은 바 되어 혼암 불명하오니, 비록 옥주 하가 전이오나, 이제 주처(住處)[485] 어지럽사옵고, 먼저 취하온 바 윤·양·이 삼녀가 여염(閭閻) 소녀(少女)오나, 성행이 저에게 외람한 처실이로되, 제가(齊家)함을 무상히 하와, 망측한 누얼로 절의하시는 성지를 좇아 각각 돌아 보내올 새, 다 각각 사생 거처를 모르게 되오니, 경녀 아니라 철옥지인(鐵玉之人)이라도 천흥의 처실이라 하온즉, 보전키 어렵사온지라. 저의 명도 기박하옴이, 일년지내(一年之內)에 네 자식을 실리하오니, 신이 그윽이 염려하옵는 바는, 타일 옥주 남녀간 생산하여도, 천흥의 험한 팔자로 잘 장성키를 기필치 못하려든, 불초는 제 죄를 알지 못하고, 가득하매 찢어지는 화를 두려운 줄을 모르며, 귀주 하가함을 조심할 줄 모르옵고, 요악한 기녀(妓女)로 음주 단란을 일삼으니, 신이 해연(駭然) 분(憤)해 하와, 멀리 내쳐 면목을 상견치 않으려 하옵더니, 성심이 미세한 곳에 과우(過憂)하오시니, 천흥이 무슨 사람이라 이 같은 총우를 당하리까? 신이 황공 불안하와

---

484) 비법비의지사(非法非義之事) : 불법(不法)·불의(不義)한 일

485) 주처(住處) : '거주하는 처소'란 뜻으로 여기서는 '처(妻)의 위계(位階)'를 말함.

아뢸 바를 알지 못하와, 물러가와 저를 불러 성은을 이르옵고, 종신토록 천은을 저버리지 말게 하리이다."

상이 흔연이 우대하시고, 재삼 부탁하시니, 공이 배사이퇴(拜謝而退)하여 본부에 돌아와 자정께 소유를 고하니, 태부인이 병부를 잊지 못하나, 부인의 품질이 화열하고 덕성이 유한하니, 예법이 삼엄하여 규각(閨閣)의 사군자(四君子)라. 자손을 교훈하매 비례를 이르지 않음으로, 병부의 남활함을 근심하고 다스림이 과도함을 이르지 않을지언정, 병든지 삼사 삭에 이른 줄 알되, 일양 잠잠하여 말을 아니하더니, 성교로 좇아 이르되,

"천흥의 부드러운 거동과 화열한 소리의 재미로움이 일시를 잊지 못하나, 너의 처사 또한 그르지 아니하기로 이르지 않더니 상교 여차하시니 금일 사하여 부르라."

원래 정공이 제자를 당부하여 병부의 병을 자전에 고하는 자는 병부와 같이 죄 주리라 하니, 이러므로 부인이 병부의 병이 이다지도 한 줄은 모르더라. 공이 배사 왈,

"아해 죄과(罪過) 태중하오나, 성교(聖敎) 여차하시고 자교(慈敎) 지극하시니, 삼가 명을 받들리이다."

하고 예부를 명하여,

"유정의 가 여형(汝兄)에게 사하는 명을 전하고 자교를 좇아 불러오라."

언미필의 예부 배사 수명하고 영명(領命)[486]하여 환천희지(歡天喜地)[487]하되, 안모 나직하고 거지(擧止) 안서(安徐)하여 아는 듯, 모르는

486) 영명(領命) : 수명(受命). 명(命)을 받음.

487) 환천희지(歡天喜地) : 하늘도 즐거워하고 땅도 기뻐한다는 뜻으로, 아주 즐거워하고 기뻐함을 이르는 말.

듯, 한 자는 오직 진부인이라. 천성의 냉정함과 위인의 단중함이 그 거거 각로(閣老) 공과 흡사하더라.

예부 즉시 유정의 나아가니, 병부 사친지회 촌장(寸腸)을 사르고 뉘우침이 골돌하여, 능히 잠을 자지 못하고 식음을 내리지 못하여 근일 더하니, 장기(壯氣) 소삭(消索)하여 한낱 어림장이 아해 같더니, 차일도 아침 죽을 물리치고 오읍(嗚泣)하여 기진하매, 서동의 무리 붙들어 황망하더니, 예부 다다라 보고 역시 비읍(悲泣)이라. 연망이 약을 갈아 들이오고 수족을 주물러 이윽고 회소(回蘇)하매, 눈을 들어 아우를 보고 소리 오열하여 훤당 안부를 묻자오니, 예부 연망(連忙)이 엄정의 사명을 전하고 이르되,

"형장이 능히 기거를 하실까 싶거든 이제 가사이다."

병부 여취여광(如醉如狂)하여 번연 기신 왈,

"이 엇진 말가! 이 진정 말이냐, 날을 위로함이냐?"

예부 정색 왈,

"소제 어찌 엄명을 주작(做作)하리까?"

병부 비로소 사하심을 즐겨, 양익(兩翼)을 부쳐 운천(雲天)에 비등(飛騰)할 듯, 두부(頭部) 가볍고 흉해(胸海)[488] 상연(爽然)하니, 연망(連忙)히 세수를 나와 삼삭 진애(塵埃)를 없애고 건즐(巾櫛)을 갖추매, 청풍에 금편(金鞭)을 바야 예부를 재촉하여 부중에 돌아올 새, 예부 칭하 왈,

"형장이 아자(俄者)[489]에 위악하시던 경색으로 방금에 성후(聖候)가 여상(如常)하신 듯하니, 그 사이 초우(焦憂) 민박(憫迫)하시던 바를 묻지 않아 알리로소이다. 소제 심신이 새로이 절절(切切)하고 기운을 강작(强作)

---

488) 흉해(胸海) : 가슴.

489) 아자(俄者) : 이전, 지난번, 조금 전, 갑자기.

함이, 대인이 이르신 바에 어기지 않으시니 불승행심(不勝幸甚)하이다."

병부 탄 왈,

"우형의 병이 다른 근위(根位) 아니라 전혀 망극(罔極) 초황(焦惶)함으로 비롯함이니, 근본인즉 백사를 뉘우치고 한심하여 병을 이루니, 대인이 뜻을 정하시매 경이(輕易)히 돌이키지 않으시니, 사명(赦命)이 이때에 있음은 망외(望外)라. 금일이 하일(何日)이관데, 엄전에 절할 줄 알았으리요. 석사(夕死)나 무한(無恨)이로다."

드디어 부문에 다다라 예부 문득 먼저 들어가니, 존당의 식반을 갓 파하고 공이 자전에 시좌(侍坐)하였더니, 예부 형의 사죄청대(赦罪請待)함을 고하니, 태부인이 바삐 들어오라 재촉하는지라. 공이 명하여,

"태명이 계시니 바삐 들게 하라."

예부 형을 돌아보아 존명을 고하고, 조모의 재촉하심을 전하니, 병부 계하의 다다라 돈수 청죄하니, 그 축척한 거동과 근심하는 모양이 수삼삭 떠났다가 보매, 완순한 화풍은 태양이 승조(昇朝)[490]하는 듯, 신신요요(新新曜曜)한 광휘는 일천양류(一千楊柳)가 금당(金塘)[491]에 고고(高高)하고, 일만화신(一萬花信)이 춘원(春園)에 광량(廣量)한지라. 머리에 관을 벗었으니 두렷한 천정(天庭)은 청공(青空)의 미월(微月)이요, 양미(兩眉)에 화기를 띠여 시첨(視瞻)이 고요하나, 풍광(風光)이 소삭(消索)하여 얼음을 새기고, 눈을 뭉쳤으니, 맑은 뼈 비추고 화(華)한 살이 여위었는지라[492]. 부공이 일안에 대경(大驚) 연애(憐愛)하고, 왕모는 반김을 띠어 연애하며 경동하니, 공이 평상(平常)히 이르되,

---

490) 승조(昇朝) : 아침에 해가 떠오름.

491) 금당(金塘) : 연꽃이나 버드나무 등을 심어 아름답게 가꾼 연못.

492) 여위다 : 몸의 살이 빠져 파리하게 되다.

"임의 오르기를 허하였으니 빨리 올라 존전의 명을 순하고 슬하에 뫼시라."

병부 배사 승당하여 왕모와 존전의 배례하고 공수시립(拱手侍立)하니, 식불여야(息不如也)[493]며 호흡여야(呼吸如也)[494]하여, 감히 존후를 묻잡지 못하니, 태부인이 집수 경계 왈,

"내 아해 사림에 충수(充數)하고 백료(百寮)에 충반(充班)하매, 부모께 효함이 하자할 것 없거늘, 한갓 호기를 장축(藏蓄)하여 아비에게 득죄하니 엄부의 처사 응당한지라. 노혼(老昏)한 한미 신혼모정(晨昏慕情)에 안전에 삼삼하니, 애정을 잘 금하리오. 너의 액회 괴이하여 처실(妻室)과 자녀를 실산하고, 수삭을 부모를 이측하여, 형모 소삭하여 대병을 이룬 모양 같으니, 노모의 마음이 끊어질 듯싶도다."

설파에 함루 척연하니, 병부 사사(事事)에 불효를 슬퍼함을 마지아니하여, 민망한 중, 손을 받들어 관계치 아니한 줄을 고하고, 상하 정의 무궁하나, 부공은 일언을 않으니, 황공함이 배한(背汗)이 첨의(沾衣)하니, 사색(辭色)[495]에 나타나는지라. 공이 그 사정을 보고 아는 바의, 이 아들을 경계함이 잇브지[496] 아니할 줄은 알되, 사색을 온유히 하여 차차 세흥 같은 아들을 가차(假借)하여[497] 계칙(戒飭)한즉, 그 자손으로 천흥 같은 작란(作亂)이 무수할까 양자(兩者)를 제어(制御)함이라.

야심토록 태부인이 병부의 손을 잡아 침수(寢睡)를 잊으시니, 금평후 친히 침석을 바로하여 취침하심을 보고, 제자를 거느려 청죽헌으로 퇴

493) 식불여야(息不如也) : 숨을 쉬지 않는 듯함.
494) 호흡여야(呼吸如也) : 숨을 쉬는 듯함.
495) 사색(辭色) : 말과 얼굴빛을 아울러 이르는 말.
496) 잇브다 : 힘들다. 수고롭다.
497) 가차(假借)하다 : 편하고 너그럽게 대하다. 관용을 베풀다. 사정을 봐주다.

할 새, 병부 예부 등으로 더불어 야야의 침금(寢衾)을 포설하니, 공이 상요에 나아가매 병부 상하(床下)에 국궁(鞠躬) 시좌(侍坐)하였으니, 기운이 허약하여 허한(虛汗)이 낯에 흐르고 옷에 사무치니, 공이 아자 등을 다 물러가 쉬라 하매, 예부 제제 등을 대하여 왈,

"금일은 나와 필흥이 숙직 차례니 제제 등은 물러가라."

하고, 상하에 헐숙(歇宿)할 새, 병부 부공이 말씀을 않으시매 엄의를 탁량(度量)치 못하고 축연(蹴然)하여[498] 장침(長枕) 한 모흘 취하나, 만심이 구송(懼悚)하여 침상(針上)에 앉은 듯, 종야(終夜) 수매(睡寐)함을 얻지 못하여 전전(戰戰)하니[499], 공이 근심하여 곁에 누움을 명하니, 대개 제자 가운데 위인이 걸출함과 종장(宗長)의 중탁(重託)을 가졌으니, 가히 만금(萬金) 소탁지재(所託之者)라. 명효(明曉)의 신성 후 예부와 학사 조참하고, 제애 독서당의 강학하니, 서헌이 적연(寂然)하고, 공이 좌우를 돌아보니 병부 관을 정히 하고 의대를 수렴하여 공수 시좌하였으니, 봉목(鳳目)이 나직하고 거지 안정하여, 전일 부전에 작위(作爲)하나 발월함을 장축지 못하던 바, 홀연 기운이 온용 온중하여 유유도자(唯有道者)[500]의 틀을 이뤄, 중산(重山)의 무거움과 하해(河海)의 깊음을 겸하니, 동동촉촉(洞洞屬屬)한 효심은 증삼(曾參)[501]을 계적(繼蹟)하였으니, 가히 이 아들을 무엇이라 하자(瑕疵)하며 견집(堅執)하여 책하리오. 공이 미우(眉宇)에 화안(和安)함을 띠어 집수 왈,

---

498) 축연(蹴然)하다 : 삼가고 조심하다.

499) 전전(戰戰)하다 : 몹시 두려워서 벌벌 떨다.

500) 유유도자(唯有道者) : 천도(天道) 곧 '하늘의 도'를 갖춘 사람.

501) 증삼(曾參) : 중국 노나라의 유학자. 공자의 덕행과 사상을 조술(祖述)하여 공자의 손자인 자사(子思)에게 전하였다. 후세 사람이 높여 증자(曾子)라고 일컬었으며, 저서에 《효경》이 있다.

"네 삼삭 유정에서 아비를 그렸으면, 노부지심(老父之心)이 역자부정(亦玆父情)[502]이니, 부자는 천성(天性)이라. 그 귀중하고 무거오미 만물에 비할 것이 없거늘, 왕사(往事)는 한심하나, 허물을 살피고 죄를 뉘우쳐 행실을 닦으면, 내 또한 감동함이 없으랴?"

인하여 맥을 본즉, 크게 허약하여 근위 가볍지 않은지라. 가장 경려(驚慮)하여 왈,

"내 너를 내침이 병들라 함이 아니요, 개과 수행코자 함이거늘, 어찌 이다지도 병을 이뤘느뇨? 네 또 의리(醫理) 망매(茫昧)치 아니하거늘, 치약 치병치 않음은 어찌오?"

병부 야야의 이 같으신 자애는 생세지후(生世之後) 처음이라. 비로소 쾌히 사(赦)하심을 얻으니 환열함이 황감(惶感) 협골(浹骨)[503]하니, 인정이 즐거운 바에 슬픔이 깨치는지라. 유정에서 황황 초조하고 야정(爺情)[504]을 사모(思慕)하던 바를 상냥(商量)컨대, 비회(悲懷) 열열(咽咽)한지라. 불승이경(不勝以敬)[505]하여 슬전(膝前)에 꿇어 사죄를 일컫고 병의 치료를 고하여, 쉬이 차도 있을 줄을 주할 새, 공이 다시 경계 왈,

"군신 사이의 의(義)가 어느 시대엔들 없을 것이랴마는, 황상의 너를 총우하심은 도리어 인신이 즐겨 바랄 것은 아니지만, 네 삼삭 불출에 유병할까 염려하심은 노부에서 더하시고, 미세한 일에도 다 살피사 총애하심이 백료(百寮)의 바랄 바가 아니라. 은권의 융중(隆重)하심을 분골쇄신(粉骨碎身)하나 다 갚삽지 못하올지라. 더욱이 님군이 주시는 바는 견마(犬馬)라도 사랑하며 가벼이 여기지 못하나니, 하물며 만승천자(萬

---

502) 역자부정(亦玆父情) : '또한 이 부모의 정이 있다'는 말.
503) 협골(浹骨) : 뼈에 사무침.
504) 야정(爺情) : 아버지의 정.
505) 불승이경(不勝以敬) ; 공경하는 마음을 억제하지 못함.

乘天子)의 생(生)하신 바 공주이랴. 아직 드러난 허물이 없고 원하고, 우리 구함이 아니나, 너의 하위의 비굴(卑屈)하여 일생이 즐겁지 못 한 바니, 비록 만악(萬惡)이 구비하고 칠거(七去)의 죄과(罪過)[506] 가득할 지라도, 네 가히 박대치 못하고, 합가(闔家) 염오(厭惡)치 못 할지라. 차후 공주를 예우(禮遇)하여 군상의 구구(區區)하오신 염려를 덜고, 아비의 경계를 저버리지 말며, 국사에 몸을 버려 나라의 은혜를 갚고, 님군 앏을 아비같이 하면, 거의 불충을 면하리니, 성상이 너의 기승(氣勝)[507]이 병이라 하시니, 이제는 범사를 근신(勤愼) 겸퇴(謙退)하여 소심익익(小心翼翼)하라[508]."

병부 배이수명(拜而受命) 왈,

"불초가 무상하오나 삼가 엄훈을 간폐(肝肺)에 새기리이다."

인하여 모셔, 누월 이측한 회포지정(懷抱之情)을 펴지 못하나, 부자지정이 자별하더라.

차일 진후 등 삼 곤계(昆季)와 정국공이 병부의 돌아왔음을 듣고 이르러 볼새, 기이한 거동과 풍광을 사모하여 집수 연애하매, 병부 원수의 입공반사(立功班師)[509]하는 바를 칭하하니, 하공이 또한 화답하며, 진태상이 금후를 향하여 소왈,

"형이 천아를 절의(絶義)타 하더니, 이제는 어찌 하형 등 제좌(諸座)로 정의(情誼) 이이(怡怡)하니[510], 금일이 하일(何日)이관데 삼 삭 망극

---

506) 칠거(七去)의 죄과(罪過) : 칠거지악(七去之惡). 예전에, 아내를 내쫓을 수 있는 이유가 되었던 일곱 가지 허물. 시부모에게 불손함, 자식이 없음, 행실이 음탕함, 투기함, 몹쓸 병을 지님, 말이 지나치게 많음, 도둑질을 함 따위이다.
507) 기승(氣勝) : 성미가 억척스럽고 굳세어 좀처럼 굽히지 않음. 또는 그 성미.
508) 소심익익(小心翼翼)하다 : 조심스럽고 겸손하다.
509) 입공반사(立功班師) : 전장에 나가 승리하여 공을 세우고 군사를 이끌고 돌아옴.
510) 이이(怡怡)하다 : 이연(怡然)하다. 기쁘고 좋다.

하던 유정 적막(寂寞)이 일장춘몽(一場春夢)이 되었느뇨?"

진각노 광수(廣袖) 사이로 소수(小手)를 내어 병부를 진맥 왈,

"기운이 허약하나 장자와 영웅의 기운이니 관계는 없거니와, 어찌 병들지 않으리오."

하니, 하공이 정공을 보아 왈,

"창백의 병이 그리 깊을진대 수삭을 고렴(顧念)치 않으뇨?"

공이 소왈,

"형 등이나 소제나 다르리오. 비로소 작석(昨夕)에야 알았노라."

낙양후 소왈,

"고수(瞽瞍) 같은 아비 효자의 병(病)을 놀랄 바 아니라. 내 실로 윤보의 마음을 모르나니, 평일 도덕을 힘쓰더니 질아에게 미처서는 인정이 이리 박절하여, 위질(危疾)에 이르되 놀라지 않더니, 작석은 어찌 사(赦)하뇨?"

공이 함소 왈,

"형 등이 훈자(訓子)할 줄을 모르고 나를 고수로 꾸짖으니, 내 족가(足枷)하리오[511]."

낙양후 대소왈,

"훈자에 너무 강위(强爲)함으로 자제가 가중(家中)을 떠나매 불고이취(不告而娶)하고 창녀를 실어 오도다."

금후 소왈,

"요순지자(堯舜之子)도 자못 불초하니, 천흥이 여차고(如此故)로 삼삭을 내처 개과 수행을 가르침이라."

---

511) 족가(足枷)하다 : 도망치지 못하도록 발에 족가(足枷; 차꼬)나 족쇄(足鎖; 쇠사슬) 따위를 채우다. 아랑곳하다. 참견하다. 다그치다. 탓하다. 따지다.

태상이 소왈,

"훈자에 너무 엄정한 연고라."

하고, 이렇듯 희소(喜笑) 단란(團欒)[512]하되, 병부 웃는 빛이 없고, 신광이 찬란하여 영채(靈彩) 좌우의 쏘이니, 승안화기(承顔和氣)[513] 영웅호걸이 바뀌어 도학군자지풍(道學君子之風)이 가즉한지라. 부공이 만심 환애(歡愛)[514]하고 진・하 사공(四公)이 만구칭하(萬口稱賀)하며 종일 음주 단란하고 흩어지다.

차일 공주 부마의 옴을 듣고 수삭 사모지정(思慕之情)을 이기지 못하여, 상부에 이르러 부마를 기다리되, 낮 문안에 옴이 없으니 심리에 훌연하여 돌아왔더니, 능히 참지 못하여 혼정에 이르니, 바야흐로 금후 제자를 거느려 이르니, 공주 일어 맞아 부마를 바라보는 눈이 황홀하여 어린 듯하고, 병부는 눈을 낮추었으니 이런 줄 모르고 안항(雁行)[515]에 머리 지어[516] 앉고자 하거늘, 태부인 왈,

"공주 계시니 서로 보는 예를 폐치 말라."

남후 왕모 말씀으로 좇아, 눈을 들어 공주의 서있는 곳을 살피고 팔을 들어 예하니, 공주 부마의 풍완 윤택하던 기질이 수패(瘦敗)하여 일월의 화기 걷혀 맑음은 전일로 승(勝)한지라. 연망(連忙)히 답배하매 유정(有情)하되, 부마는 모르는 듯, 다시 공주를 살핌이 없고, 부형의 경계로 영절하든 아니하려 하나, 경씨 찾기 전은 공주에게 식음과 의건(衣

---

512) 단란(團欒) : 단란(團欒). 여럿이 모여 화목한 가운데 즐김.
513) 승안화기(承顔和氣) : 웃어른을 대하는 화(和)한 기색.
514) 환애(歡愛) : 매우 기뻐하고 사랑함.
515) 안항(雁行) : 기러기의 행렬이란 뜻으로, 남의 형제를 높여 이르는 말. 여기서는 '형제의 항렬'을 말함.
516) 짓다 : 한데 모여 줄이나 대열 따위를 이루다.

巾)[517]을 전치 않으랴 하는지라. 중심에 공주 미움이 원수 같아서 통완함이, 자기 천금 같은 자녀를 실산하고, 혹자 현기 등이 죽었을진대 공주께 보수(報讐)코자 하니, 어찌 몽중(夢中)에나 공주를 생각하리오. 공주는 그 마음을 모르고 용광(容光)을 사모하여 새로이 백년을 느껍게[518] 아는지라. 염치를 생각지 않아, 예부 등이 가까이 앉아있으되 분분이 눈을 떠 부마를 보아 음일(淫佚)한 거동이 측량없으니, 좌상 제인이 공주의 거동을 보고 해연(駭然) 묵묵하고, 금후도 공주로 화답함을 괴로워하여, 아자로써 공주를 후대하라 이르다가도, 공주의 거동을 보면 해연하여 그윽이 탄하여, 윤・양 같은 현부를 보전치 못함을 그윽이 슬퍼하더라.

혼정(昏定)[519] 후 금평후 병부더러 왈,

"금야는 독서당에 몸을 쉬여 죽헌에 시침(侍寢)하라."

남후 배사 수명하고 모친 침전의 나아가니, 진부인이 촉하에서 예기(禮記)를 보다가, 남후를 보고 탄식 왈,

"너의 방일함이 행실의 유해하니 누구를 탓하리요. 차후나 개과(改過) 섭신(攝身)하라."

병부 배이사죄(拜而謝罪) 왈,

"불초아(不肖兒)가 자교(慈敎)를 봉승치 못하고 허다 불효를 증(贈)하오니, 소자의 죄 만사유경(萬死猶輕)이라. 절절이 뉘우치고 슬퍼하옵다가, 친전에 겨우 용납하오니, 자정은 소자의 수패함을 거리끼지 마소서."

부인이 추연 왈,

---

517) 의건(衣巾) : 의복과 두건을 아울러 이르는 말.

518) 느껍다 : 어떤 느낌이 마음에 북받쳐 벅차다.

519) 혼정(昏定) : 잠자리에 들 때에 부모의 침소에 가서 잠자리를 살피고 밤 동안 안녕하기를 여쭘.

"너의 호방(豪放)과 남사(濫事)로 이제 하나도 너의 처실을 소임할 이 없고 화란만 상생(相生)하니, 아직 경씨는 데려오지 못하였거니와, 실로 보전할 줄 모르니, 나의 염려 촉처(觸處)에 번다하고, 윤・양과 현기 등 사생(死生) 거처(去處)를 모르고, 영주의 전정이 아무리 될 줄 모르니, 그 몸이 용담(龍潭) 호혈(虎穴)에 든 동 알리오."

남후 만안 소색(笑色)으로 관위 왈,

"만사 천수요, 이합(離合)이 때 있사오니, 복망 자정은 천백 시름을 다 살라버리시어, 타일 윤・양과 소매 전정이 편함을 기다리실 따름이라. 소자는 각각 상모(相貌)의 완전함을 믿사오니, 현아 남매 독수(毒手)의 해를 만나오나 힘힘히 죽지 않으리니, 소자 거의 의심된 사람을 짐작하오니, 자연 간당이 망하고 아해 수복(收復)하리이다."

부인이 탄식 묵연이러라. 남후 모친을 위로하고 서당의 나와 제제로 더불어 자리의 나아갈 새, 학사 왈,

"대인이 형장을 물러가 쉬라 하심은, 약물(藥物)[520]의 당제(當劑)를 써 병을 고치고자 하심이거늘, 형장은 어찌 버려두시나니까?"

남후 옳이 여겨, 단의(單衣) 침건(寢巾)[521]으로 앉아, 약류를 가르쳐 스스로 십여 첩 약을 달이게 하고, 더불어 누어 형우제공(兄友弟恭)[522] 하는 정이 비길 데 없더라. 이후 남후 당약(當藥)[523]을 먹고 심려를 풀어버리니, 의형(儀形)이 점점 나으매, 부모 존당이 다 깃거하고, 금후의 두굿김과 거가(擧家)가 다 환희함이 측량없더라.

일일은 태부인이 병부를 불러 안에 들어가고, 공의 좌우의 제재 없으

---

520) 약물(藥物) : 약의 재료가 되는 물질.
521) 침건(寢巾) : 잠잘 때 머리에 두르거나 쓰는 헝겊 따위로 만든 두건.
522) 형우제공(兄友弟恭) : 형은 우애하고 동생은 공경함.
523) 당약(當藥) : 당제(當劑). 어떤 병에 딱 들어맞는 약.

니, 금후 웃으며 왈,

"제족이 홀로 나의 교자(教子)를 칭선(稱善)하고, 오아의 아름다움을 모르니 내 밝히 이르리라. 세상 경박자는 아비 앞을 떠날수록 연음 희락하는 행사 크거늘, 오아는 부끄러워하고 슬픔을 겸하여, 나의 내침으로부터 종일 근심하고 병을 일위며 호방함을 깨달아, 경계(警戒)를 당하는 듯이 하니, 어찌 한갓 교자 잘 하기로 가리오."

제객이 옳이 여겨 만구 칭선하더라. 금후 경공을 대하여 신부를 택일하여 보내라 하니, 경공이 비록 훤훤[524] 장부나, 여아 위한 정이 구구하여, 공주의 작용을 두려 현알지례(見謁之禮)를 한 후, 일삭은 집에 두려 하노라 하니, 금후 소왈,

"여필종부(女必從夫)요, 백리(百里)에 불분상(不奔喪)[525]이라. 형의 슬하 적막한들 매양 딸을 슬하에 두리오. 소제 며느리 데려오며 두기는 내 임의로 하리니, 형의 사정대로 못 할지라. 부질없는 말 말라."

경공이 자기 뜻과 다르나, 여필종부(女必從夫)로 당연하니 무엇이라 하리오. 다만 소왈,

"형은 슬하 번성하니 나의 사정을 모름인가. 또한 산계비질(山鷄卑質)[526]로써 감히 만승교아(萬乘嬌兒)로 동렬(同列)에 두며, 미약한 기질로 창백의 배우(配偶)가 되지 못하리니, 어찌 한가지로 예(禮)를 세우리오. 다만 배알지례(拜謁之禮)를 행한 후, 나의 슬하의 버려 두어 서로 위회(慰懷)하기를 바라노라."

금후 경공의 뜻을 알건마는 다만 가로되,

---

524) 훤훤 : 시원시원함.

525) 백리(百里) 불분상(不奔喪) : (여자는 한번 시집가면) 부모가 죽어도 백리 밖에서 달려와 조상(弔喪)할 수 없다는 말.

526) 산계비질(山鷄卑質) : 꿩처럼 자질이 비천함.

"만사 관수(關數)[527]하니 당치 않은 근심을 미리 말고, 영녀(令女)를 쉬이 보내라."

경공이 다시 말이 없어 빈주(賓主) 다른 말 하다가 흩어지다.

상이 병부의 찰임을 재촉하시니, 병부 군은을 감격하여, 누월 밀린 공사(公事)가 많고 부친이 재촉하시는 고로, 이에 조참하고 관사(官事)를 처결하매, 상이 기뻐하시어 구태여 금평후에게 내치었던 말을 아는 체 않으시니, 병부 황공 감은하여 나와, 날이 맞도록 관부 공사를 처결할새, 상벌이 분명하고 덕홰 가즉하여 인인이 불감앙시러라. 병부 정사(政事)하매, 도덕군자지풍(道德君子之風)과 요순(堯舜)의 치화(治化)로 환과고독(鰥寡孤獨)[528]을 살피고, 기렴함이 일가(一家) 숙친(熟親)은 이르지도 말고, 범연한 남과 허다 만민에게 평등하니, 일신이 한가치 못하나, 정제(整齊) 엄숙하며, 관사(官事) 여가에 존당을 받들고, 종일 빈객을 수응(酬應)하여, 자기 녹봉과 남국 봉진(奉進)하는 재물을 물리치나, 남은 것은 고중(庫中)에 두어 평후로 더불어 일가권당(一家眷黨)[529]의 구급(救急)을 위업(爲業)하고, 극한 부귀로 사람 구제함을 근심 삼아 적선을 일삼으니, 가히 일로 좇아 정부에 경사(慶事) 중첩하리러라.

병부의 처자를 실리(失離)함이 세월이 오랠수록, 순태부인이 통절(痛切)하여 적선(積善)도 거짓 것이라 이르니, 금후 화성 유어로 위로하더라.

---

527) 관수(關數) : 운수소관(運數所關). 모든 일이 운수에 달려 있어 사람의 힘으로는 어찌할 수 없음.

528) 환과고독(鰥寡孤獨) : 늙어서 아내 없는 사람, 젊어서 남편 없는 사람, 어려서 어버이 없는 사람, 늙어서 자식 없는 사람을 아울러 이르는 말.

529) 일가권당(一家眷黨) : 일가친척(一家親戚). 자기집안과 친족(親族), 인척(姻戚; 혼인으로 맺어진 친척)을 아울러 이르는 말.

차설, 윤부에서 추밀은 교지로 가고, 학사는 부친을 모셔 가 미처 돌아오지 못하였으나, 위태부인과 유부인 간계 백출하여, 태우 형제와 하·장 등을 없이하여 소원을 이루고자 할 새, 명천공의 씨를 없이하여 황부인의 자취가 없어진 후, 유씨는 추밀이 돌아오기를 기다려 아름다운 명령(螟蛉)[530]을 얻어 후사(後嗣)를 정(定)키를 결단하니, 흉심이 일일 백층하더라.

평일은 하·장 이소저의 비홍이 완연하니 그려도 남녀간 생산이 끊어짐을 바랐더니, 춘간에 하씨 일삭을 하부의 머물러 학사로 더불어 이성지락(二姓之樂)[531]을 이루고, 또 장사마가 여아로 일삭을 동처(同處)케 하여 금슬이 하씨에게 지지 않으니, 시에 하씨 잉태 육삭이요, 장소저는 오삭이니, 양인의 위인이 침정(沈靜)하여 태중(胎中)에 천단고상(千端苦狀)이 있으나 천연(天然)하고[532], 존고의 용심을 더욱 두려 섬요(纖腰)를 졸라매어 사색치 아니하되, 위흉과 유녀 심히 살피고, 신묘랑이 운수를 추점하여 고하니, 분기 일천 굽이[533] 뛰놀아 착급히 하·장을 없애고자 할 새, 유씨와 경아 태부인께 고하되,

"하씨는 하원수 입공반사 시에 데려갈 것이니 자연 묘계로 없이 하려니와, 장씨는 여중군자(女中君子)라, 하씨의 섬약함과 같지 않으니, 차라리 짓두드려 진씨처럼 없애버림이 가(可)하니이다."

위흉이 바삐 없애라 하니, 유씨 문득 추연 왈,

---

530) 명령(螟蛉) : 나비와 나방의 '애벌레'. '나나니'('구멍벌'과에 속한 곤충)가 '명령(螟蛉)'을 업어 기른다는 데서 온 말로, 타성(他姓)에서 맞아들인 양자(養子)를 이르는 말.

531) 이성지락(二姓之樂) : 금실지락(琴瑟之樂). 부부간의 사랑.

532) 천연(天然)하다 : 아무 일도 없는 듯이 하다.

533) 굽이 : 휘어서 구부러진 곳.

"존고는 첩의 모녀를 이같이 유렴하시나, 인심을 헤아리니 즐거움이 없어, 불관한 두 여아를 출가한지 여러 세월에 갈수록 행로(行路)534) 같고, 현아는 오년을 촉지(蜀地)에 간고(艱苦) 비상하다가, 천신의 도움으로 하가(河家) 원(寃)을 신설하고 모녀 모드나, 마음이 대상부동(大相不同)535) 하여 정의(情誼)를 통할 길이 없어 슬플 뿐이요, 또 광천 등이 하・장을 어질게 여기니 어찌 분개치 않으리까? 일마다 기구하여 희천을 죽이고 다른 명령(螟蛉)을 얻은들, 첩이 또 어찌 마땅할 줄 알리까? 석랑의 마음을 돌이켜 유자생녀(有子生女)하고 화락키만 원하나이다."

태부인이 탄식 왈,

"일이 어찌 애달지 않으리오. 혹자 석랑의 마음을 돌이킬 도리 있을까 묘랑과 의논하여 경아의 전정을 도모하라."

유씨 슬퍼 왈,

"묘랑을 사귄 지 오륙 년에 억만금을 드려 부처를 공양하고, 보암사를 이뤘으되, 경아의 전정은 하릴없으니, 묘랑이 또 문양 공주를 사귀어 선경사를 짓다 하니, 첩이 전일 허비한 재물이 만금에 지난들, 다시 어찌 공주의 재물을 당하리까? 다시 암자는 이루기 어려우니 삭망(朔望)으로 공양을 하려 하되, 다시 척푼(隻分)536)이 없으니 어찌 생의(生意)537)하리까?"

태부인이 탄 왈,

"선세로 재물이 흙 같아서 궁진(窮盡)치 않을까 하였더니, 이제 푼전(分錢)이 없으니 개미 쑤시듯 하던 노복도 없으니, 차후는 경아를 위하

---

534) 행로(行路) : '길가는 사람' 곧 '남'을 뜻함.
535) 대상부동(大相不同) : 조금도 비슷하지 않고 아주 다름.
536) 척푼(隻分) : 몇 푼 안 되는 적은 돈.
537) 생의(生意) : 어떤 일을 하려고 마음먹음.

여 내 의상을 팔아 삭망으로 부처나 공양하라."

유씨 본디 재물이 구산(丘山)[538] 같으나 일가의 친족 불상한 이를 구하는 일 없고, 빈궁한 친척은 거절하되, 무녀(巫女) 복자(卜者)는 아끼지 아니하더니, 더욱 제 딸을 위하매 몸을 팔아도 아끼지 아니하니, 대열하여 누대 제향을 궐하며, 제기(祭器)를 다 파는지라. 삭망으로 묘랑을 주어 부처 공양(供養)에 탕진(蕩盡) 갈력(竭力)하고, 삭망(朔望) 다례(茶禮)를 폐하니, 태우 정색 왈,

"조선 제향을 무고히 폐치 못하리이다."

하고 말리니, 위씨 대로하여 만만 수욕(數辱)이 불가형언(不可形言)이라. 태우 조모의 흉패함을 보고 선조와 부공의 제향 끊음을 비통하더니, 사묘(四廟)[539]를 매안(埋安)[540]하렸노라는 말에, 하 어이없어 말을 못하더니, 사묘에 올라가 실성 체읍할 뿐이러라.

가중사(家中事)가 일일(日日)이 기사(饑死)하기에 가까우며 조석(朝夕)을 잇지 못하되, 태부인 고식(姑媳)은 다만 묘랑을 주고 부처를 위해 의복 세간을 다 팔아 공양하니, 태우 여러 세월에 호읍(號泣)이 진하여 피를 토하고, 새도록 앓아 신성(晨省)을 못하고 물러 사죄하고, 혜충으로 조선(祖先)의 옷을 팔라 하여 팔아 왔거늘, 태우 생각하되, '은자를 드려간즉 조모 달리 허비할 것'이니, 혜충으로 하여금 도로 조모 등의 의상을 사오라 하여, 내당의 들어가 유씨께 드려 왈,

"유자(猶子) 등의 불초는 꾸짖으실 뿐이요, 이로써 계부 대인께 매명(罵名)[541]이 되지 아니하되, 대모 의상을 이같이 하시니, 원간 유자 등

---

538) 구산(丘山) : ①언덕과 산을 아울러 이르는 말. ②물건이 많이 쌓인 모양을 비유적으로 이르는 말.

539) 사묘(四廟) : 고조부모, 증조부모, 조부모, 부모 등 4대 조상의 신위를 모신 사당.

540) 매안(埋安) : 신주(神主)를 무덤 앞에 묻음.

은 자모의 거처 모르는 죄인이라. 전정은 의논할 것이 없으되, 혹자 계부께 유해한즉 이만 불행이 없을 것이니, 유자(猶子)[542] 비록 불초하나, 조모 의복이 이러하심을 차마 뵈옵지 못하와, 이 의상을 사드리니 고치게 하소서."

유씨 극히 간악할지언정, 저의 출천대효와 태부인의 치고 꾸짖고 죽이랴 하는 뜻을 알 것이로되, 반점 원망이 없고 태부인이 괴이한 헌 옷을 입고 있음을 민망하여 함을 심리에 탄복하여, 혜오되,

"숙숙(叔叔)은 어떤 사람이관데, 실로 저런 아들을 하나도 두기 어려운데, 쌍자를 생하여, 해를 연하여 용방(龍榜)에 비등하고, 문장기절과 황상의 총애하심이 비할 데 없고, 만조가 한가지로 경복하는 바요, 사림의 추앙함이 되고, 일가의 추중(推重)함이 광천 형제를 큰 그릇으로 미룸은, 숙숙 재시(在時)에서 더한지라. 광천 등의 도량이 심원하여, 만리은하의 무궁한 조화로, 하늘이 도와 광천 등이 죽지 않는 날이면, 나는 초사(焦思)하여 죽는 귀신이 될지라도, 이에 광천 등을 죽이고 아름다운 명령(螟蛉))을 얻어 가군의 종통(宗統)을 받들고자 함이러니, 당차시 하여 십만 재산이 일 푼이 없고, 봉사지전(奉祀之田)[543]이 없으니, 바삐 광천 형제를 다 죽이고 가군(家君)의 명령(螟蛉)을 얻어 삼종(三從)[544]을 의탁함이 마땅하도다."

하고, 공교롭고 요악한 의사 경각의 백출하니, 자연 안색이 다르고 심

---

541) 매명(罵名) : 오명(汚名). 이름을 욕되게 함.
542) 유자(猶子) : 자식과 같다는 뜻으로, '조카'를 달리 이르는 말.
543) 봉사지전(奉祀之田) : 제사를 지낼 비용을 마련하기 위해 마련해 둔 전답.
544) 삼종(三從) : 삼종지도(三從之道). 예전에, 여자가 따라야 할 세 가지 도리를 이르던 말. 어려서는 아버지를, 결혼해서는 남편을, 남편이 죽은 후에는 자식을 따라야 하였다.

신을 정치 못하는지라. 태우의 사광지총(師曠之聰)으로 어찌 몰라 보리오. 탄식하고, 다만 '새 의복을 입으소서.' 할 뿐이라. 다시 하올 바 없으니 천도의 순환함과 세사의 되어 감만 볼 따름이러라.

차시 하원수 행군 반사하여 경사 수십일(數十日) 도정(道程)에 이르러, 선성(先聲)이 천문에 오르매, 천자가 교외(郊外)에 나가 맞으려 하실새, 그 부모의 굴지계일(屈指計日)하여 기다리는 정을 어이 다 측량하리오. 정국공이 윤씨더러 왈,

"원광이 수일 후 상경하면 제 정리(情理)에 일매를 급히 반기고자 하리니, 현부는 금일 옥누항에 가 사친지회를 펴고 명일 여아로 더불어 동교(同轎)하여 돌아오라."

윤소저 수명 배사하고 즉시 거교(車轎)를 차려 옥누항에 이르니, 유부인이 여아의 오는 줄 알지 못한 고로, 창창발발[545]한 옷을 갈아입지 못하였는지라. 소제 존당과 모친께 예하고 하·장 양소저로 예필의 미처 좌를 정치 못하여, 조모와 모친의 놀라온 주제[546]를 보고, 한심 차악하여 이 반드시 괴이한 간계믈 깨달으니, 겨우 존후를 묻잡고, 이의 가로되,

"예로부터 공검(恭儉) 절차(切磋)는 군자 숙녀의 응당한 규구(規矩)오나, 일찍 조모와 모친이 사치를 취하시며 검박함을 달게 여기지 않으시던 바거늘, 이의 닙으신 바 의복이 검소 공검하기에도 당치 않아, 완연이 노상(路上) 걸인의 모양 같으시니, 야야 재렬(宰列)의 거하시고, 희천 형제 옥당 한원의 청현을 자임하는 명환(名宦)으로 녹봉(祿俸) 환미

545) 창창발발 : 옷 따위가 갈기갈기 찢겨져 매우 추(醜)하고 험한 모양. *발발; 종이나 헝겊 따위가 여러 가닥으로 갈라지거나 찢어진 모양.

546) 주제 : 주제. 꼴. 변변하지 못한 처지.

(宦米)[547] 재열(宰列)에 내리지 않을 바라. 만사를 제치고 조모와 모친이 한 벌 신의(新衣)를 하여 입으려 하시면 뉘 못하게 할 것이라, 이런 괴이 망측한 거조를 하시어, 청문(聽聞)의 해괴할 바는 이르지 말고, 소녀 보오매 놀라온 뜻을 진정치 못하리로소이다."

태부인이 이연(怡然) 소왈,

"너는 귀근(歸覲)하여 봉친(逢親) 초에 부질없는 말을 하느뇨? 연이나 내 집이 길이 등양(騰揚)하기를 매양 즐거이 못하여, 너의 큰 아비 금국에 가 참사함이 되니, 노모 세월이 오랠수록 심장에 칼을 겻는[548] 듯한 지통이 되었거늘, 금차지시(今此之時) 하여 즐겁지 않은 집에 과경(過境)[549]이 연하여 나니, 내 마음이 숙야(夙夜)에 우구(憂懼)하여, 네 모친과 의논하고 짐짓 낡은 옷을 취하여 숭검(崇儉)한 덕을 기르고자 함이거늘, 광천이 하 병되이 이르니, 바야흐로 의자(衣資)[550]를 장만하여 시방 짓나니, 너는 모름지기 놀라지 말지어다."

인하여 하원수의 승전 입공함을 만만 칭선하여, 진정으로 어리게 즐김이 모양치 못하기에 미치니, 소저의 총명 특달함으로써 어찌 흉특(凶慝)한 조모의 능숙(能熟)히 둘러대는 이세(利勢)[551]한 말을 곧이들으리오. 그 심폐(心肺)를 헤아리매 스스로 자기 큰 죄를 지음도곤 더하여 절박한 근심이 봉황미(鳳凰眉)를 잠그니, 효성(曉星) 쌍안(雙眼)에 징파(澄波)가 어림을 깨닫지 못하여, 누삭(累朔)만의 귀녕이 든든함을 알지 못하고, 원수의 입공 승전함도 기쁘지 않은 듯, 흥황(興況)이 사연(捨然)

547) 환미(宦米) : 벼슬아치에게 녹봉(祿俸)으로 주던 쌀.
548) 겻다 : 끼이다. 틈새에 박히다.
549) 과경(過境) : 불행하고 어려운 처지.
550) 의자(衣資) : 옷감.
551) 이세(利勢) : 어떤 형편이나 세력에 유리하게 처신함.

하여 가로되,

“백부 대인은 이미 기세하신 지 해포 되오니 뵈올 가망이 없사옵거니와, 소녀 이 곳에 오면 회포 창감(愴感)하옴은 백모의 거처를 모름이라. 또한 가중의 예법이 아주 없어 대모와 모친의 하시는 바가 다 다르고, 의복이 완연이 행로걸인(行路乞人)과 같으시니, 뵈옵는 바와 듣잡는 말이 다 가치 않으며 당치 않으니, 돌려 생각컨대, 백모 집에 계시면 가사가 이 모양이 되지 않을 것이요, 태모를 저 지경에 이르도록 받들지 않으시리이다.”

이 때 태우는 마침 친우를 보러 나간 사이요, 유부인이 하・장을 휘쫓아 침선을 다스리라 하고, 즉시 딴 방으로 보낸 뒤라. 여아의 조부인을 이다지도 잊지 못하여 하는 것이, 친생 자모도곤 더하게 여김을 발연(勃然) 대로(大怒)하여, 낯을 붉히고 독한 눈을 부릅뜨고 포악한 소리로, 가로되,

“조씨 음흉한 년이 어떤 간부를 얻어 따라간 지 여러 일월이 뒤이자나[552], 거처를 알지 못하거늘, 너는 어찌 올 적마다 음분도주(淫奔逃走)한 아자미를 생각하여 눈물을 흘리며 어미에게 불공이 하느뇨? 광천 형제는 하 부끄러우니 그 어미 간 곳을 찾으려 아니하거늘, 네 홀로 조가 음부를 스승만 여겨 어미는 배척하는다?

소제 모친의 간악한 거동이 점점 더하고, 자기 조부인이 조부의 계심을 알아 왕래 서찰이 빈빈하거늘, 모친이 몹쓸 말로 참혹히 욕함을 한심(寒心) 차악(嗟愕)하여, 필경 모친의 과악이 드러날 바를 헤아리니, 심장이 타는 듯, 구슬 같은 눈물이 화협(花頰)[553]에 황란(遑亂)하더라.

---

552) 뒤이자다 : 뒤집히다. 뒤집어지다.

553) 화협(花頰) : 꽃처럼 아름다운 뺨.

∞

명주보월빙 권지사십칠

어시에 윤소저 구슬 같은 눈물이 화협(花頰)에 환란(汍亂)[554]하여 가로되,

"백모의 숭덕 명행은 일가가 다 흠앙하는 바라. 조모 부자(不慈)하시고, 모친이 한 일도 백모의 뜻 같게 하심이 없으나, 일찍 조모의 부자하심과 모친의 불혜(不慧)하심을 허물치 아니하시고, 효우를 갈력(竭力)하시니, 모친이 감격도 아니하시관데 이런 악악(惡惡) 패만지설(悖慢之說)을 기탄(忌憚)치 아니하시나니까? 아지못거이다! 타일 백모 돌아오시면 모친이 하면목으로 뵈오려 하시나니까? 소녀 누년(累年)을 슬하를 떠나 비로소 금춘(今春)에 상경하여 이따금 얼핏 다녀가니, 오히려 가간(家間)의 세밀지사(細密之事)와 모친의 괴이하심이 한갈 같으시며, 심화(心火) 상하심이 전보다 더하심을 아득히 몰랐더니, 이 다 모친이 태모의 실덕을 도우시고, 형이 모친의 패덕을 도우니, 장래 일이 어느 지경에 이를 줄 알리까? 소녀 차라리 어서 죽어 세사를 모르고자 하나이다."

유씨 비록 친생 여아의 말이나, 절절이 자기를 낯 둘 곳이 없게 함을 들으니, 독한 노기 백장이나 높으니, 저의 그름은 생각지 못하고, 철골

---

554) 환란(汍亂) : 눈물 따위가 어지럽게 흘러내리는 모양.

(徹骨)한 분한이 철철하여[555] 도리어 생각하되, 천지간 친하며 귀함이 친생 모녀 사이 같음이 없거늘, 이제 내 팔자 기박하여 친녀가 허물을 수죄(數罪)하기를 이렇듯 하니, 불초 무상하여 서어(齟齬)함이 이 같음을 어찌 알았으리요. 노분(怒忿)이 충격하니 부지불각(不知不覺)에 곁에 놓인 서징(書鎭)을 들어 소저를 두어 번 난타하니, 머리와 팔이 중상하여 두골이 터져 피 난만이 흐르고, 팔의 깁 같은 가죽이 벗어지고, 응지(凝脂) 같은 설부(雪膚) 으깨져 피 급히 흐르니, 태흥이 놀라 급히 소저의 팔을 잡고 유씨더러 왈,

"이 아해 본디 아시로부터 조씨 모자를 각별이 추앙(推仰)하고 정의 무궁하여, 어미와 대상부동(大相不同)[556]함을 현부 익히 알거든, 어찌 금일 부질없이 난타하여, 저의 체위 존중함을 모르고 한갓 자식이라 하여 거죄 괴이하기의 미쳤느뇨?"

유씨 구태여 여아를 피 나도록 치려함이 아니로되, 일시 노기를 참지 못하여 두어 번 때린 것이 머리와 팔이 중상하여, 피 흐름을 보니 심리에 놀라온지라, 한갓 눈물을 뿌리고 태부인께 대왈,

"현애 조씨의 거처 없음을 첩의 탓을 삼아, 광천 등과 도모하여 첩을 죽일 거동이니, 음분 도주한 아자미를 위하여 십 삭 태교한 어미 은혜를 잊으니, 저런 원수의 것이 어이 있으리까? 첩이 저 보는 데 쾌히 죽어 저의 마음을 시원케 하려 하나이다."

태흥은 유씨 모녀 다 노하지 않게, 가장 소견 있는 체하여 사색을 순히 하고 소리를 부드러이 하여 가로되,

"현아의 조씨 위함이 병통이거니와, 본디 효우한 아해(兒孩)니 어찌

555) 철철하다 : 크게 넘쳐흐르다.

556) 대상부동(大相不同) : 조금도 비슷하지 않고 아주 다름.

광천 등 사나운 유(類)를 동심(同心)하여 현부를 해코자 할 리 있으리오. 현부 심화 성(盛)하여 말이 과도함을 면치 못한 연고라. 현부의 총명함으로 경아의 위인을 모르며, 현아의 위인을 모르지 않으리니, 종용이 경계하고 모녀 자애를 합하여 종요로운 정을 일치 말라."

유씨 추연(惆然) 함척(含慽)하여 말이 없고, 소제 모친의 거동과 조모의 말씀을 들으매, 차라리 자기 몸이 없어져 타일 모친의 만고일악(萬古一惡)의 매명(罵名)을 취함을 보지 말고자 하는지라. 도리어 상처 아픈 것을 잊고, 수건을 들어 팔과 머리의 피를 씻고, 탄하여 가로되,

"고인이 유운(有云) 왈, '부모 그르시거든 세 번 간하라.' 하였으니, 소녀의 불초한 말씀이 능히 효험이 없고, 모친의 뜻을 맞추지 못하여 점점 거죄 이 지경의 미치시니, 인생이 풀끝에 맺힌 이슬이라. 소녀 본디 세렴(世念)이 사연하니, 타일 모친이 참참한 악명을 실어 사람마다 포악함을 꾸짖을 때에, 소녀 어느 낯으로 평상이 지내리까? 생세 십칠 년의 괴롭고 슬픔이 무한하니, 차마 생아(生我)하신 부모를 생각하여 스스로 자결(自決)치 못하오나, 주야 죽기를 지극히 원하옵나니, 광・희 양제의 문명 도덕과 대효의 군자를 조모 몹쓸 놈들이라 하시니, 어찌 원억치 아니하리까? 설사 모친이 어질지 못하여도 조모 사리로써 계칙하시고, 가중 법령을 예전대로 하시면, 이다지도 괴이히 되지 않으리이다."

언필의 애읍(哀泣)함을 그치지 아니하니, 태흫은 재삼 위로하고, 유녀는 비록 친생 여아나 강포한 호령을 나는 대로 못하고, 역시 분완하여 침소에 가 머리를 싸고 움직이지 않으니, 소제 그 실덕을 각골 애달아하나, 다시 순설(脣舌)[557]을 아니하더라.

---

557) 순설(脣舌) : ①입술과 혀를 아울러 이르는 말. ②'여러 말' 하는 것을 비유적으로 이르는 말.

이미 저물매 태우 입내(入內)하여 저저를 무궁히 반기나, 그 옥모 화안의 누흔이 가득하고, 팔자춘산(八字春山)[558]에 수한(愁恨)이 만첩(萬疊)하여 유사지심(有死之心) 하고 무생지기(無生之氣) 하니 태우 가장 놀라 가로되,

"하형이 도적(盜賊)을 탕멸하고 대공을 이뤄, 승전개가(勝戰凱歌)로 호호탕탕(浩浩蕩蕩)이 경사(京師)에 임하니, 만승지존(萬乘之尊)이 교외의 맞고자 하시고, 백료(百寮)가 그 재덕을 추앙하니, 부영처귀(夫榮妻貴)는 당당한 상사(常事)라, 하형의 영화롭기로써 저저의 존귀는 팔좌(八座)[559]를 누리실 것이니, 소제 치하할 바를 알지 못하거늘, 하고(何故)로 척척(慽慽)하시나니까?"

소제 추연 탄 왈,

"구가는 가정이 예사롭고, 하군이 승전 반사하니 내 또한 깃거함이 없지 않으나, 구가에서 날을 거느리는 바와 자애 무휼함이 수하 사람이 편토록 하거늘, 우리 집은 가중 변괴 점점 기괴망측하기에 미처, 조모와 모친의 실덕이 날로 더하시니, 실로 현제 등의 터[560]가 위란하고, 지어 현제 하여는 누대봉사(累代奉祀)를 영(領)할[561] 중함을 가져, 만금 소중(所重)이 조모께는 현제거늘, 대모 마침내 귀중하실 줄을 모르시고, 마음이 크게 상하여 계시니, 아무리 생각하여도 가내를 편히 할 도리 없는 지라. 나의 유약함이 오히려 몰랐더니, 금일 모친과 조모의 하시는 말씀

558) 팔자춘산(八字春山) : 화장한 눈썹.

559) 팔좌(八座) : 여덟 개의 고위 관직. 곧 중국 수나라・당나라 때에, 좌우 복야와 영(令)과 육상서를 통틀어 이르던 말.

560) 터 : ①활동의 토대나 일이 이루어지는 밑바탕. ②집이나 건물을 지었거나 지을 자리.

561) 영(領)하다 : 종통이나 제사 따위를 이어 받다.

을 듣자오매 심골이 경한하니, 무릇 일이란 것이 지극히 어진 일과, 남달리 포악지사는 소문이 자연 잘 나는지라. 타일 대모와 태태의 무궁한 실덕과 패도(悖道)가 나타나는 때는, 내 차마 부끄러운 낯을 들어 사람을 대하기 어려운지라. 생각이 이에 이르면 주야 통곡고자 하노라."

태우 문득 척연이 화우(華宇)를 찡기고 오래 말이 없더니, 날호여 탄식 대왈,

"천하에 무불시저부모(無不是底父母)562)시니, 수상(手上)이 구태여 부자(不慈)하시리까? 재하자(在下者)가 어질지 못하고 효도롭지 못하여 가변이 남이 알까 두려운지라. 소제 하면목(何面目)으로 입어세(立於世)하리까마는, 스스로 죽지 못하는 바는 차마 조선봉사(祖先奉祀)와 자모를 저버리옵지 못함이라. 능히 아무리 할 줄 모를소이다."

소제 탄식 답왈,

"제순(帝舜)이 만고 대효대성(大孝大聖)이시나, '소장즉수(小杖則受)하고 대장즉주(大杖則走)하라' 하여 계시니, 시금의 현제 등의 당한 바 남다른 경계 많은지라. 만일 슬프고 괴롭기를 견디지 못하여 힘힘히 성명(性命)을 돌아보지 아니하면, 한갓 조선후사(祖先後嗣)563)와 백모의 의탁이 없을 뿐아니라, 조모 손자 죽이신 누명이 천지간에 용납하시기 어려우리니, 현제 등의 불효를 장차 어느 곳에 쌓으리오. 사기(事機)를 보아 진실로 위란한 형세를 당하거든 잠깐 몸을 피할지언정, 가벼이 죽을 의사를 말라."

태우 추연 왈,

"저저의 명달하신 말씀이 소제의 어두운 심장을 밝히시니, 소제 비록

---

562) 천하의 무불시저부모(無不是底父母) : 천하에 옳지 않은 부모는 없다.
563) 조선후사(祖先後嗣) : 조상의 대(代)를 이을 자손.

불초(不肖) 무상(無常)하오나, 어찌 받들지 아니하리까? 이러므로 만사를 파탁(把度)[564]하여 헤치기[565]를 위주하여 공부(工夫)하[566]대, 근일 대모 의식지절을 괴이히 하시고, 새로 규구(規矩)를 내사 삭망(朔望) 다례(茶禮)[567]를 연고 없이 폐하시니, 조선(祖先) 기사(忌祀)[568]를 다 궐(闕)하시기를 정하시는지라. 이런 망극한 일이 어디 있으리오."

소제 듣는 말마다 한심하니, 다만 주루(珠淚) 연락(連落)하여 죽고자 싶은지라. 다시 답지 않고 태우 이윽한 후 출외하니, 소제 모친과 조모께 자기 소고(小姑)를 데리러 왔음을 고하고, 명일 한가지로 가기를 청하니, 유씨 이 조각을 타 하씨를 없이 하려 하거늘, 어찌 여아로 동행시켜 자가의 계교를 헛 곳에 던지게 하리오. 묵묵 부답이러니, 소제 잠깐 몸을 일어 경아 침소로 향하거늘, 즉시 하시를 불러 앞에 세우고, 눈을 독히 떠 소리를 모질게 하여, 가로되,

"너 요괴년이 윤문에 속현(續絃)[569]한 지 삼년이라. 한 일도 취할 곳이 없고, 간교 요악이 극진하여 가부 잠깐 나간 사이 음심을 참지 못하여 어떤 남자를 유정하여 두고, 이 곳에서 쾌히 화락치 못하여, 짐짓 취운산에 돌아가 두려울 곳 없이 연락(宴樂)고자 함으로, 네 부모께 통하여 여아 구고 명으로 너를 데리러 왔으니, 간부와 즐기려 하거든 명일

---

564) 파탁(把度) : 헤아림. 헤아려 앎.

565) 헤치다 : 방해되는 것을 이겨 나가다.

566) 공부(工夫)하다 : 애쓰다. 노력하다.

567) 다례(茶禮) : =차례(茶禮). 음력 매달 초하룻날과 보름날, 명절날, 조상 생일 등의 낮에 지내는 제사. '다례'라는 말은 중국 고례(古禮)에서 매월 초하룻날과 보름날에 조상에게 제사를 올릴 때 간략하게 차 한 잔만 올린 데서 유래한 말이라 한다.

568) 기사(忌祀) : 기제(忌祭). 기제사(忌祭祀). 해마다 사람이 죽은 날에 지내는 제사.

569) 속현(續絃) : '거문고 줄을 잇는다.'는 뜻으로, '혼인(婚姻)'을 비유적으로 이르는 말.

한가지로 돌아가고, 그렇지 않거든 예 있으라."

하시 존고의 말이 이같이 더럽고 측하기에 당하여는, 아니꼽기 심하니 무엇이라 답하리오. 오직 심리에 스스로 팔자를 탄하여, 삼년 고상(苦狀)의 천만 곡경(曲境)이며 만단 간액(艱厄)이, 차라리 정숙렬의 장사(長沙)[570] 찬적과 진소저의 죽음을 칭하여 본부에 편히 있음을 부러워할 지경이라. 감히 원억함을 발명치 못하고, 다만 봉관을 숙여 오직 잠잠코 오래도록 대치 않으니, 유녀 대로하여 고성 질왈,

"현아는 어미를 반하고 하가의 흉휼한 꾀에 들어 일당이 되었는지라. 네 가고자 하거든 가고, 있고자 하거든 있으라. 소제 낮빛을 정히 하고, 좌를 떠나 가로되,

"첩이 비록 밝지 못하나 사족 여자가 차마 듣지 못할 누언을 몸 위에 실은 후, 어찌 친정을 생각하리까? 첩의 부모 가형(家兄)의 입공 승전하여 돌아옴을 한가지로 보고자 하심이나, 존고의 의심이 이 같으시니, 가형을 반김이 그 무슨 대사(大事)이리까?"

유씨 하소저를 전후에 조르고 보챔이 한두 번이 아니로되, 소제 사기 안정하고 화열하여 순순이 사죄(赦罪)를 청할 뿐이요, 일의 진가를 변백(辨白)하는 바 없어, 아무리 천만 원억한 일이 있어도 애매함을 일컫지 않더니, 금번 말씀은 전일 사죄를 청할 적과 다른지라. 이 반드시 여아를 끼고 자기를 업신여김인가 하여, 대로 대분하여, 본디 적축(積蓄)한 미움이 가슴 가운데 쌓였으니, 어찌 헤아릴 것이 있으리오. 찻던 장도를 빼어 분연이 하씨의 가슴을 찌르니, 소제 무심 중 찔려 붉은 피 돌져[571]

---

570) 장사(長沙) : 중국 호남성의 동부 곧 동정호(洞庭湖) 남쪽 상강(湘江) 동쪽 하류에 있는 도시. 수륙 교통의 요충지이며 호남성의 성도(省都)이다.

571) 돌지다 : 솟아나다. 돌돌 흐르다. 똘[도랑]을 이루다. '돌'은 '똘[도랑]'의 옛말. '-지다'는 '여울지다' '방울지다' 따위의 말에서처럼, '그런 성질이 있음' 또는

흐르고, 혼절하여 인사를 모르니. 유녀 행여 여아 알까 괴로이 여겨 세월 비영으로 하여금 하시를 끌어 소당(小堂)의 두라 할 즈음에, 현아 소제 이르러 이 경상을 목도하니, 한갓 소고의 명이 끊겼는가 황황할 뿐 아니라, 모친의 거동이 결단하여 집을 망해오고 자부를 다 죽여, 천대(千代)의 둘 없는 일악흉인(一惡凶人)이 될 듯한지라. 이에 바삐 태우를 불러 약을 얻어 하씨를 구하며, 가슴을 어루만져 스스로 마음을 진정코자 하나, 만신이 떨리기를 면치 못하여, 신색(身色)이 청옥 같아서 슬픈 한이 막힐 듯하거늘, 태우 하부인의 급히 부름을 놀라 급히 들어와 차경을 보고, 두어 말로 유씨를 간(諫) 왈, '하수를 친히 칼로 찌름이 차마 부인 여자의 자부 거느리는 도가 아님을' 고하니, 유씨 분노를 이기지 못하여 태우를 향하여 큰 목침을 던지고, 벽상에 걸린 수건을 가져 스스로 결항코자 하며, 악악히 가로되,

"광천 패자(悖子)가 요괴로운 제수와 지각 없는 현아로 모의하여 무지모야(無知暮夜)에 나를 죽이려 하니, 차라리 내 스스로 결(決)하리라[572]."

언파에 수건을 들어 목을 독히 매니, 이 때 태우 목침에 머리를 맞아 관이 벗어지고 두골이 상하여 피 솟아나되, 아픈 것은 깨닫지 못하고, 유씨의 거동이 갖추 괴악하여 합문(闔門) 제인을 다 죽일 형상이니, 절박한 근심을 이기지 못하나, 그 결항하는 거죄 더욱 대변이라. 연망이 한삼을 떼어 머리를 동이고, 바삐 숙모의 결항한 수건을 끄르고 체읍여우(涕泣如雨)하여 온 가지로 위로하여 왈,

"유자(猶子)가 언급하여 간함이 도리어 이 지경의 이르시니, 아지못게

'그런 모양임'의 뜻을 더하고 형용사를 만드는 접미사.

572) 결(決)하다 ; 어떤 일을 결단하거나 결정하다.

이다! 가변을 어찌 이다지도 이루시나이까?"

유녀 갈수록 대로하여 머리를 마구 부딪쳐 죽으려 하는 거동으로, 고성 대매 왈,

"몹쓸 놈이 무슨 일로 나를 조르는다? 숙녀로 유명하던 조씨는 음분 도주하였거늘, 우리 같은 조급한 성정에 흉한 놈과 요괴로운 년이 조르니, 능히 견뎌 죽지 않으리오. 네 어미 음분 도주하니, 이것은 대변이 아니요, 예사이관데, 날더러 네 집의 변을 이룬다 하느냐?"

태우 차언에 다다라는 비록 하해지심(河海之心)[573]과 천지대량(天地大量)[574]이나, 분노 치밀어 머리털이 관(冠)을 가르치되, 자기 저를 갈와[575] 숙질지의(叔姪之義)를 폐함이 견융(犬戎)[576] 같아서, 도리어 자약히 웃고 가로되,

"숙모 대기인자(對其人子)[577] 하여 그 자모 욕함을 능사로 아시나, 우리 자정은 천황지로(天荒地老)[578]하여도 성행 숙덕을 잃으실 부인네 아니시라. 아직 거처가 없으므로 좇아 후일에 다시 볼 일이 없을 줄로 아시어, 사족 부녀가 입에 담지 못할 말씀으로 욕하시거니와, 천우신조(天佑神助)하여 타일 자정을 모셔 오는 날은, 숙모 비록 언족이식비(言足以飾非)[579]에 지모재정(智謀才精)[580]하셔도 우리 자위를 뵈올 안면이 없

---

573) 하해지심(河海之心) : 큰 강이나 바다처럼 넓은 마음.
574) 천지대량(天地大量) : 하늘과 땅처럼 큰 도량.
575) 갈오다 : 맞서다. 다투다. 견주다.
576) 견융(犬戎) ; 오랑캐. 중국 고대에, 산시 성(陝西省)에 살던 서융(西戎)의 일족.
577) 대기인자(對其人子) : 그 사람의 아들을 대하여.
578) 천황지로(天荒地老) : '하늘은 황폐하고 땅은 늙었다'는 뜻으로, '오랜 시간이 흐름'을 나타낸 말.
579) 언족이식비(言足以飾非) : 말로써 그른 것을 잘 감춤.
580) 지모자정(智謀才情) : 슬기로운 꾀와 재치 있는 생각.

으리이다.”

언파에 웃는 얼굴이 준열하고 노(怒)하는 미우(眉宇) 서리 같아서 종매(從妹)를 돌아보아, 가로되,

“저저는 하수를 착실히 구호하시고 이런 변을 하형이 알게 마소서.”

소제 이 때 심회 비황 참괴하여 입이 뻣뻣하여 말을 못하더니, 태우의 말을 듣고 탄식 왈,

“하군이 효우에 다다라는 인사를 알지 못하니, 그 일매(一妹)를 모친이 친히 찌름을 알진대 자연이 연좌가 뉘게 돌아오리오. 반드시 나를 칼로 찔러 분을 풀려하리라.”

소저의 이 말은 잠깐 모친을 격동하는 마디라. 태우 어찌 몰라 들으리오. 짐짓 탄 왈,

“숙모 한번 그릇 생각하시매 연좌가 저저에게 미침이 쉬운지라 저저의 전정이 위태하니 이제란 사정이 결연하실지라도 다시 왕래치 말아 숙모의 행사에 참예치 않음을 하가(河家)가 알게 하소서.”

언파의 몸을 일어 밖으로 나가니, 소제 모친께 한 말을 아니하고 하씨를 붙들어 안정한 처소를 가려 새도록 구호함을 극진히 하니, 가장 오랜 후 소저 인사를 차려 눈을 들어 윤씨를 보고, 추연이 낯빛을 고쳐 손을 잡고 말을 아니하거늘, 윤씨 체읍하여 가로되,

“모친의 실덕하심이 다시 이를 바 없는지라. 다만 첩이 부인의 화액을 죽어 모르고자 하나니, 이제 구고의 명으로 소저를 데리러 왔다가, 도리어 큰 변을 이루니, 이 부끄러운 낯을 들어 다시 구고께 뵈올 뜻이 없는지라. 소저의 아니 옴을 무엇이라 고하리오.”

하소저 문득 슬퍼 하던 얼굴을 고쳐 위로 왈,

“소매 불초불의(不肖不義)하여 한 일도 존고의 성의를 영합치 못하고, 백행에 취할 곳이 없으니, 존고 분두(忿頭)[581]에 그렇듯 하시나, 이 구

태여 깊이 미워하시는 일이 아니라, 명일 저저 돌아가시어, 부모께 소제 질양이 있어 잠깐 낫기를 기다려 나아갈 바를 고하소서."

윤소저 차마 구고께 뵈올 낯이 없어, 계명을 기다려 시녀를 취운산의 보낼 새, 소고의 유질함을 고하고, 차성함을 기다려 한가지로 돌아감을 고하니, 하씨 또한 천만 강작하여 부모께 상서하여, 병이 잠깐 낫기를 기다려 감을 고하여 시녀를 당부하여 차사를 불출구외 하라 하니, 이 때 하공 부부 여부(女婦)[582] 동교(同轎)하여 오기를 기다리더니, 시비 상서를 올리니 보건대, '여(女)의 유질하여 오지 못함을 고하고, 윤씨도 소고의 병을 구호하노라 차성 후 데려 오렷노라' 하였으니, 공의 부부 여아의 질양이 있음을 근심하나, 원수 돌아오기를 당하여 빈객이 작벌(作閥)[583] 운집(雲集)[584]하니, 대객의 주찬을 수응(酬應)함이 윤씨 밖에 없는 고로, 시녀를 바삐 돌아 보내어 여아의 병이 대단치 않거든 구호치 말고 어서 오라 하니, 하소저 역시 권하여 바삐 돌아가 대객 주찬을 수응하라 하니, 윤소저 소고를 이 곳에 던지고 감이 실로 참연한 염려 간절하나, 자기 아니면 원수 돌아오는 때 번극(煩劇)한 가사와 대객지절(對客之節)에 존고 근로하실 바를 불안하여, 마지못하여 소고(小姑)로 분수하여 무한한 염려와 가득한 무안(無顔)을 겨우 참고 돌아갈 새, 태부인께 하직하니, 태고(太姑)가 작야사를 알고 바야흐로 하가의 분노가 손녀에게 미칠까 염려하다가, 그 돌아감을 결연하여 하원수 돌아온 후 다시 오라 하니, 소제 체읍 대왈, 양제와 하·장을 편케 거느리심을

581) 분두(忿頭) : 분결. 분김. 분한 마음이 왈칵 일어난 바람.
582) 여부(女婦) : 딸(女)과 며느리(婦)를 함께 이르는 말.
583) 작벌(作閥) : 떼를 지음. 집단을 이룸. 벌(閥); 특수한 세력이나 권력을 지닌 집단.
584) 운집(雲集) : '구름처럼 모인다'는 뜻으로, 많은 사람이 모여듦을 이르는 말.

재삼 고간(苦諫)하고, 해춘누에 들어가 모친께 돌아감을 고할 새, 유씨 여아의 말로 하씨를 요란히 칼로 찌름을 뉘우치고, 실로 하원수 앎이 있어 자기 사나운 연좌를 여아에게 쓰일까 새도록 근심하고, 반일이 되도록 염려하여 애달기를 이기지 못하더니, 돌아감을 들으니 모녀의 정리로써 작일 부질없이 두드려 그 머리와 팔을 상해오고, 총총히 돌아감을 당하니, 자연 훌훌(欻欻)[585] 비결(悲缺)[586]하여 덮은 바 이불을 열고, 눈물이 주줄[587]하여 가로되,

"내 심화 괴이하여 분기 일어나면 앞뒤를 살피지 못함으로, 하씨를 우연이 찔렀으나, 진실로 미워한바 아니라. 하랑이 돌아온 후 이 말을 듣고 네게 노분을 풀진대, 내 어찌 견디리오."

윤씨 지금 돌아가며, 불평한 사색으로 모친을 격동치 못하여 탄식 대왈,

"모친이 우리 형제로써 복을 누리게 하고자 하시거든, 덕(德)을 기르시고 인(仁)을 행하시어, 광·희 양제를 친생같이 자애하시고, 하·장으로 하여금 참혹히 죽는 일이 없게 하시면, 소녀 오히려 구가에 용납하오려니와, 마침내 고치지 않으시면, 소녀의 전정을 모친이 마치시는 일이니이다."

언파의 총총히 하직하고, 경아로 분수하여 거교에 올라 취운산으로 나아가니, 유씨 훌연(欻然) 비결(悲訣)함이 일흔 것이 있는 듯한지라. 경애 문득 혀 차고 가로되,

"모친이 현아로써 오히려 열직(烈直)한 인물로 아시나, 소녀 작야의 하씨로 하는 말을 들으니, 크게 전일과 달라 인사가 그릇 되어 실성하였

585) 훌훌(欻欻) : 덧없이 빠름. 덧없음. 허전함.

586) 비결(悲缺) : 슬프고 서운함.

587) 주줄 : 줄줄. 굵은 물줄기 따위가 잇따라 부드럽게 흐르는 모양.

는지라. 하가 요괴년이 모친의 아니한 말과 않은 일을 무수히 주작(做作)하매, 현애 이르대, 모친이 본디 어질지 못하신데 그대를 부자(不慈)히 거느리심이 괴이치 않은지라. 능히 설치할 도리 없으니 가내의 우리 형이 없은즉, 모친이 자연 의지할 데 없게 되어, 그대를 사랑하실 것이니, 하군이 돌아오거든 석상서를 보고 형의 사나운 말을 전하여, 석가로 하여금 형을 잡아다가 깊이 가두어, 이 곳 왕래를 끊게 하리라 하니, 친생 자모와 동생을 땅 아래 누충(陋蟲)같이 여기니, 어찌 분완치 않으리까."

유씨 총명하나 경아를 사랑함이 본디 인사를 잊고, 하물며 그 신세 적막(寂寞)하여 단장 박명이 지극하니, 참연 자닝하고 유(類) 유(類)를 따르는 고로, 모녀 악사 이 같으니, 이 딸 사랑은 비할 데 없어 하던지라. 이 말을 들으매 발연한 노기 불 일어나 듯하니, 뉘 도리어 경아가 현아의 부귀를 시기(猜忌)하고 하씨를 없이 하려 하는 줄 알리오. 유씨는 경아가 하원수 부인을 못되도록 죄어, 하씨를 급히 죽여 하원수가 그 연좌를 부인에게 씌워, 금슬(琴瑟)의 마얼(魔孼)[588]이 되고자 함을 모르고, 바삐 일어나 앉으며 가로되,

"내 원래 하랑이 돌아올 조각을 타, 하녀를 없이 하고, 계교를 행코자 하였거늘, 생각 밖에 여아가 데리러 왔으니, 하 분하여 요녀를 칼로 찔러 없애고자 하였더니, 어찌 도리어 나를 미워하며 너를 연좌하여 의논이 요사(妖邪)할 줄 알았으리요. 내 결단하여 오늘날 하씨를 마치리라."

이에 세월로 하여금 하소저를 잡아 오라 하니, 월이 수명하여 하소저 누운 곳에 이르러 부인의 명을 전하니, 하씨 지란(芝蘭) 같은 약질이 칼에 중상하니 비록 윤씨 보는 데 못견디는 눈치를 않았으나, 상처가 비상

588) 마얼(魔孼) : 재앙. 마장(魔障). 귀신의 작용으로 일어난 재앙이라는 뜻으로, 일의 진행에 나타나는 뜻밖의 방해나 헤살을 이르는 말.

하여 능히 기거할 길이 없으되, 존고의 부름이 필유묘맥(必有妙脈) 함을 깨달아 자기 가지 말고자 하여도, 부르기를 시작한 후는 끌어서라도 데려갈지라. 이에 소두(蕭頭)589)를 헤쓸고590) 의상을 수렴(收斂)하여 겨우 세월에게 붙들려 해춘루에 나아가 명을 응하니, 유녀 하씨를 보매 고대 죽일 듯하되 간악 요사함이 여러 이목을 괴로이 여기는 고로, 하씨를 휘몰아 자기 협실에 넣고 세월로써 개용단을 먹여 하씨를 만들어, 일습(一襲) 명부(命婦)의 옷을 입히고 하씨의 쌍봉관(雙鳳冠)을 벗겨 씌울새, 이리 할 즈음에는, 하소저는 유씨 협실로 몰아넣고, 쇠 방패를 들어 그 몸을 울혀591) 연(連)하여 대여섯 번을 두드리매, 혼절(昏絶)하여 인사를 모르거늘, 협실 문을 닫고, 세월로 하씨를 만들어 도로 하씨 누었던 곳에 가 있으라 하니, 이 비자(婢子)는 유녀를 응시(應時)하여 난 요비(妖婢)라. 진정 하씨(河氏)인 체 하여 소당에 와 금금(錦衾)을 추켜 덮고 도로 누우니, 하소저 비자 중 초벽이 있으면 어찌 소저가 해춘루에 나아갈 제 따라 가지 않았으리요마는, 마침 윤부인 거교를 좇아 하부에 나아간 사이요, 그 밖 제 비자는 밤이 새도록 경야(經夜) 진동하여 소저를 구호하느라 종야(終夜)하고, 비로소 합장 뒤에서 졸음이 몽롱한지라. 어찌 소저가 사화를 만나고 세월이 소저 됨을 뜻하였으리요. 일인도 알 이 없으니, 이 또 소저의 액회 비상함이라.

유씨 세월로 하씨를 만들어 보내고 경희전에 들어가니, 장씨 태부인 앞에서 경아의 수원삼(繡圓衫)592)을 짓거늘, 유씨 눈 주니 위흥이 알아

589) 소두(蕭頭) : =봉두(蓬頭). 쑥대머리. 머리털이 마구 흐트러져 어지럽게 된 머리.
590) 헤쓸다 : 긴 머리를 풀어헤친 뒤 손으로 머리카락을 쓰다듬어 가지런히 고르다.
591) 울히다 : 울리다. 땅이나 건물 따위가 외부의 힘이나 소리로 떨리다.
592) 수원삼(繡圓衫) : 수(繡)를 놓아 지은 원삼(圓衫). 원삼(圓衫); 부녀 예복의 하나. 흔히 비단이나 명주로 지으며 연두색 길에 자주색 깃과 색동 소매를 달고

보고, 장씨를 내어 놓지 않으려 가로되,

"온갖 일이 다 종용한 것이 좋으니 협실에 가 지으라."

장씨 수상하고 의심 되나 무엇이라 마다하리오. 즉시 협실로 들거늘 유씨 쾌활하여 침루로 돌아와, 경아로 방을 지키게 하고 친히 철편을 포집어[593] 들고 협실에 들어가니, 하소저 혼절하였다가 스스로 깨어 정신을 수습하더니, 존고 철편을 가지고 들어옴을 보니 거의 자기를 마치려 함을 짐작하고 심혼이 비월(飛越)하니, 자기 살기를 구함이 아니라, 그 부모 위로 삼자를 참망하고, 당시하여 자기 남매로써 만금에 비겨 사랑이 타인의 자애로 다르거늘, 이제 태중 육 삭에 능히 살지 못하게 되니, 양부모(養父母)의 호천 대은(昊天大恩)과 부모께 참참한 불효를 생각하니, 오내 미여지나 겨우 일어 맞으니, 유씨 마주 앉아 독안(毒眼)을 노려 첨시(瞻視) 양구(良久)에 이를 갈며, 꾸짖어 왈,

"네 죄 죽음직 하니, 아는다?"

소제 이같이 물음을 당하여 답(答)함이 시호(豺虎)같으니, 눈을 낮추고 부답하거늘, 유씨 철편을 번득여 그 이마를 치며 왈,

"어찌 대답지 아니하느뇨?"

소제 쇠채로 맞으니 머리 터지는 듯하여, 겨우 대왈,

"첩이 불초하와 존고 효봉이 극진치 못하오니 생불여사(生不如死)[594] 오나, 오히려 십악대죄(十惡大罪)는 지은 일 없삽나니, 첩의 부모 팔자 기박(奇薄)하와 여러 상척(喪慽)[595]을 겪어 상명지통(喪明之痛)[596]이

옆을 튼 것으로 홑옷, 겹옷 두 가지가 있다. 주로 신부나 궁중에서 내명부들이 입었다.

593) 포집다 : 거듭 집다. 포개어 집다.

594) 생불여사(生不如死) : 사는 것이 죽는 것만 못함.

595) 상척(喪慽) : 참척(慘慽). 자손이 부모나 조부모보다 먼저 죽는 일.

있으니, 첩의 초로잔천(草露殘喘)[597]을 빌리시면, 다시 서하지탄(西河之嘆)[598]을 끼치지 않을까 바라나니, 첩이 출화(黜禍)를 보아 친당의 돌아가나, 화봉인(華封人)[599]의 청축성인(請祝聖人)[600]을 효칙(效則)하리이다."

언파에 옥안성모(玉顔星眸)에 주루(珠淚) 연락(連落)하니, 어여쁜 형상이 갖추 기이하여, 석목(石木)도 요동하며, 금불(金佛)이 돌아설지라. 숙덕성행(淑德聖行)이 출어면모(出於面貌)하니, 삼대원수(三代怨讐)와 백년대척(百年大隻)[601]이라도 이 같은 기질과 출류(出類)한 용화(容華)를 대하여, 차마 죽일 마음이 없을 것이로되, 유녀의 극악 흉독이 처음부터 명천공과 조부인을 시애(猜礙)하던 마음이 끝을 여물고[602] 말려 함으로, 그 자(子)와 부(婦)를 다 죽이려 하는지라. 태우 형제와 하・장은 아름다울수록 밉게 여기고, 그 어질며 효순함을 통완(痛惋)하여 조금도 감동하는 뜻이 없어, 여성(厲聲) 대매(大罵) 왈,

---

596) 상명지통(喪明之痛) : 눈이 멀 정도로 슬프다는 뜻으로, 아들이 죽은 슬픔을 비유적으로 이르는 말. 옛날 중국의 자하(子夏)가 아들을 잃고 슬피 운 끝에 눈이 멀었다는 데서 유래한다.

597) 초로잔천(草露殘喘) : 풀잎에 맺혀있는 이슬처럼 겨우 붙어 있는 목숨.

598) 서하지탄(西河之嘆) : 자식을 잃은 탄식. '서하의 탄식'이라는 뜻으로, 공자(孔子)의 제자인 자하(子夏)가 서하(西河)에 있을 때 자식을 잃고 너무 슬퍼한 나머지 소경이 된 고사에서 온 말.

599) 화봉인(華封人) : 중국 요임금이 화(華) 지방을 순시하였을 때 요임금을 위해 세가지 복(福) 곧 수(壽)・부(富)・다남자(多男子)를 축복하였다는 현인(賢人). 『장자(莊子)』〈외편(外篇)〉 천지(天地) 장에 나온다.

600) 청축성인(請祝聖人) : "성인을 위해 복을 빌겠다"의 뜻. 앞의 주에서 화봉인(華封人)이 요임금을 만나, 수(壽)・부(富)・다남자(多男子)를 축복하겠다며 꺼낸 말.

601) 백년대척(百年大隻) : 백년 곧 일생토록 잊지 못할 원수.

602) 여물다 : ①맺다. 일이나 말 따위를 매듭지어 끝마치다. ②영글다. 과실이나 곡식 따위가 알이 들어 딴딴하게 잘 익다.

"요녀 희천이 나간 사이를 타 괴이한 남자를 유정하니, 가히 음행 대죄 아니며, 시어미를 모르고 설치(雪恥)하기를 의논하며, 소고(小姑)를 없애고자 도모하니, 일마다 간험(姦險) 지악(至惡)이 아니리오. 내 비록 일개 여자의 약한 심장이나 너 같은 음악 발부를 살려두어 윤·하·정 삼문의 욕되고 부끄러움을 이루지 않으리라. 발부(潑婦)는 죽으나 네 죄를 헤아려 나를 원망치 말나."

하고 흉억(胸臆)에 적축(積蓄)한 미움을 풀녀 할 새, 깁으로 소저의 두 팔을 뒤로 매고, 두 다리를 단단히 동히고, 청운 같은 녹발(綠髮)을 풀쳐 소저의 목을 휘감아 소리를 못하게 하고, 철편을 들어 강악한 힘을 다하여 머리로부터 낯과 몸을 혜지 않고 짓두드리기를 시작하니, 철편을 포집어 벼락같은지라. 울히는[603] 곳마다 붉은 피 솟아 입은 옷에 사무치니, 경색이 참담하여 참불인견(慘不忍見)[604]이로되, 유씨는 악악한 흉심이 지은 원수 없이 미움이 삼킬 듯하여, 만신에 혈출(血出)함을 보대, 측은한 뜻이 없고 갈수록 이를 갈며, 목전에 죽는 거동을 보고자 하는지라.

하씨 흉독한 매를 당하여 골절이 녹는 듯하거늘, 녹발로 목을 잘려[605] 눈이 빠질 듯하니, 오래지 아녀 반생반사(半生半死)하여 정혼을 차리지 못하는 가운데나, 부모와 양부모께 다시 뵈옵지 못하고, 죽을 바를 각골지원(刻骨至願)하여 천만금을 드릴지라도 자기 일명을 부모 생전의 빌고자 한들 어이 얻으리오. 의의히 두어 번 소리의 진진이 느끼며 명이 진하니, 차호(嗟乎)라! 천의(天意) 소소(昭昭)하나, 어찌 살려냄이

---

603) 울히다 : 울리다. 떨리다. 움찔거리다.
604) 참불인견(慘不忍見) : 참혹하여 차마 눈뜨고는 볼 수 없음.
605) 잘리다 : 단단히 죄여 매이다.

없으시뇨?

유녀 소저의 죽음을 보고, 반드시 생도 없을 바를 깃거, 문을 열고 경아를 불러, 가로되,

"이제야 요녀 진(盡)했겠다."

하니, 경아 천고의 짝 없는 요악 간흉이나, 형봉의 머리 벤 것을 본 후는, 세월이 오래되 매양 무섭고 두려워 사람의 시신 봄을 원치 아니함으로, 머리를 흔들어 가로되,

"하씨 죽었을진대 어서 바삐 시신을 없애시어, 사람의 의심을 이루지 않는 것이 옳으니, 소녀는 그 흉참히 마친 거동을 보기 아니꼬워 아니 보옵나니, 그러나 아주 염려 없이 죽었는가. 다시 보소서."

유녀 소왈,

"제 아무리 모질어도 목을 머리로 단단히 감고 수족을 동였는데, 내 힘을 다하여 철편으로 두드려, 옷 위로 피를 짜게 되었나니, 이러한 후 죽지 않을 이 있으리오."

경애 손을 저어 소리를 낮추어,

"빨리 없이 하소서."

하니, 유녀 큰 궤를 움직여 협실에 들여놓고, 비영으로 더불어 하씨를 끌어 궤중에 넣을 새, 비영이 홀연 상감(傷感)하여 눈물을 흘리고 가로되,

"석년에 정부인을 이같이 두드려 농중에 넣어 야반에 형봉을 주었더니, 참혹히 마친 후 여러 세월이 되었으되, 지금에 그 죽인 자를 알지 못하니, 천비는 친척의 정리로 슬픔을 이기지 못하거든, 세월의 마음이야 일러 무엇 하리까?"

인하여 춘월을 생각고 슬퍼하거늘, 유씨 비영을 지극히 위로하며, 하씨를 궤중에 넣어 쇄금(鎖金)[606]으로 잠근 후, 비영으로 하여금 심복노자 충학을 불러, 가만히 이르대,

"네 본디 충근하여 대사를 맡김직 한지라. 금일 큰 궤를 줄 것이니 남강에 가 물에 들이치고 돌아오면, 금백(金帛)으로 상사함이 각별하리라."

충학이 본디 주한 계집이 없고, 도로에 다니며 미녀를 유정하여 호강[607]을 일삼되, 매양 미녀의 마음을 깃길[608] 금은이 없어 가장 우민하여, 태중원 하리(下吏)가 본디 얻어 쓸 것이 많으니, 그윽이 구실[609]에 오르고자 하되, 태우 엄정 씩씩하여 저 같은 유(類)를 가까이 부리지 아니하니, 태중원 금백 가음아는[610] 으뜸 구실을 얻기 어려워, 정히 위태부인께 진보(珍寶)를 얻어드리고 구실에 오름을 청코자 하다가, 유부인 말을 듣고 크게 깃거 만구응순(萬口應順)하고, 이어 태중원 하리 됨을 청하니, 유씨 왈,

"이는 실로 쉬운 일이라. 존고 한 번 이르시면 태우 너를 즉시 태중원 하리 금백 빗[611]을 삼을 것이니, 어찌 벌써 이르지 아니하뇨?"

충학이 희열하여 이제는 태중원 구실에 오르리라 하여 양양하며, 궤를 내어 달라 하니, 유씨 비영과 마주 들어 청사에 겨우 내어놓으니, 충학의 힘이 영한함으로 큰 바를 가져 궤를 가연이 등의 지고 강외로 내다르니, 차호석재(嗟乎惜哉)라! 하소저의 얼음이 맑으며 옥이 티 없는 행사와 천향아질(天香雅質)로써, 구가의 사랑하는 정을 얻지 못하고, 성혼삼재(成婚三載)에 만상곡경과 천단기아(千端饑餓)를 좋은 일 보듯 하다가, 오늘날 유녀의 모진 수단에 아주 짓두드려 궤중에 넣어 강수의 띄우

606) 쇄금(鎖金) : 자물쇠.
607) 호강 : 호화롭고 편안한 삶을 누림.
608) 깃기다 : 기뻐하게 하다. '깃그다'의 사동형.
609) 구실 : 관아의 임무. 또는 관아의 구실아치.
610) 가음알다 : 관장(管掌)하다. 어떤 일을 맡아 다스리다.
611) 빗 : =색(色). 사무상(事務上)으로 나눈 한 부서. 관청의 과(課) 또는 계(係)와 같은 것.

려 하니, 하늘이 높으시나 살리심은 소소한지라. 마침내 간인의 뜻을 맞혀 하씨 일명을 보전치 못할까, 차하분석(次下分析)하라.

어시에 병부상서 병마절제사 정죽청이 삼 삭을 들었다가 다시 출사하매, 제장 사졸의 해태(解怠)함이 있는가 각각 재주를 보고자 하여, 장졸을 거느려 교외에 습사(習射)하고 날이 늦으매 돌아올 새, 남문 밖에 다다라 금선(金扇)으로 태양을 가리고 노상을 찰시하니, 허다한 사졸과 무수한 하리가 '길을 건넜다' 하여 한 사람을 잡고 힐난하거늘, 자세히 보니 윤부 노자 충학이 큰 궤를 졌는지라. 홀연 마음이 경동(驚動)하여 출인한 총명이 천리를 예탁(豫度)함이 있으니, 어찌 가까이 지고 서 있는 충학의 일을 예탁(豫託)치 못하리오.

석자(昔者)에 윤부인을 두드려 농중(籠中)에 넣어 형봉이 원문(園門)에 들고 앉았던 일을 헤아리매, 이 아니 의심된 궤(櫃)인가 하여, 하리를 분부하여 그 놈을 결박하여 본부로 대령하라 하고, 그 궤를 앗아 조심하여 져오라 하니, 하리 응명하여 충학을 결박하니, 충학이 천만 생각 밖에 정병부를 만난지라. 이 때 군졸을 통솔하여 오는 위의라, 대외 정제하고 기갑이 선명하며 검극이 삼나(森羅)하여 군위(軍威) 십분 엄숙하니, 충학이 길을 건너려 함이 아니라, 궤 가운데 수상한 것을 졌으니 스스로 마음이 황겁하여 좌우를 돌아보아 피코자 하되, 대로가 너르나 무수한 장졸이 오는 가운데, 큰 궤를 지고 길거리에 서 있다가, 만일 군병의 밀친 바 되어 굴헝[612]에 빠질까 두려, 멀리 치워 서 있으면 어떤 사람이 능히 알아보리오. 하고 얼핏 한편으로 건너다가 잡힌바 되어, 핑계의 무슨 말을 하고자 하여도 미처 말을 발치 못하여서, 남후의 분부로

---

612) 굴헝 : 구렁. 움쑥하게 파인 땅.

결박하라 하니, 천지 망망하여 벽력이 두상(頭上)을 임하는 듯한데, 범 같은 군사들이 남후의 영을 들으매 충학을 결박하여 취운산으로 향하고, 저의 졌던 궤는 하리가 앗아 가지고 병부의 뒤를 좇으니, 병부 스스로 궤를 바삐 보고자 마음이 급하여, 미처 취운산으로 나아가지 못하고, 남문 안 초하동에 자기 집 잠정(蠶亭)이 있으니, 비록 도성이나 초하동이 그윽하고, 전후 좌우에 하늘이 뵈지 않게 얽힌 것이 뽕나무라. 비자 십여인이 이곳을 지켜 연년(年年)이 잠충(蠶蟲)을 쳐 길쌈하여 올릴 따름이요, 자기 등도 왕래함이 없더니, 이 날은 영신(靈神)한 심정이 착급(着急)함을 이기지 못하여, 허다 장졸에게 하령 왈,

"여등은 다 집으로 돌아가라. 나는 초하동의 잠깐 머물 일이 있으니 따라오지 말라."

또 하리를 명하여 왈,

"아까 길 건너던 놈을 취운산으로 잡아가대, 요란이 굴지 말고 깊이 가두어 찾기를 기다리라."

각각 일러 돌려보내고, 오직 궤를 진 하리만 뒤를 따르라 하고, 남후 급히 초하동에 들어가니, 비복 등이 황황이 당사를 쓸고 좋은 자리를 펴 남후를 맞거늘, 남후 그윽한 당사를 가려 좌하고, 궤를 들여오라 하여 잠근 것을 비틀고, 뚜껑을 열고 본즉, 이 문득 한 낱 핏빛 된 육괴(肉塊)가 들었으니, 창졸에 뉜 줄 알아보리오. 다만 놀라움이 심한골경(心寒骨驚)하니, 행혀 혐의로움이 있을까 하여, 노숙한 양낭(養娘) 월섬·육향 양 비자를 불러, 가로되,

"이 궤중에 참혹한 시신이 들었으니, 너희 조심하여 들어내어 놓으면, 내 그 맥후를 살펴 행여 생도가 있는가 보리라."

양 비자(婢子)가 대경하나 명을 거스르지 못하여, 무섭고 아니꼬운 마음을 주리잡고[613] 붙들어 방중의 내어 놓을 새, 그 팔을 뒤로 결질

러[614] 잡아맨 것이 피 흐르는데, 살빛이 청화(靑華)[615] 같이 되었으니, 남후 궤 속에 있어 자세히 보지 못하였더니, 방중의 내어놓을 적 그 팔 맨 것을 그르며 얼굴을 살펴보니 어찌 몰라보리오. 비록 한낱 피뭉치나 자기 결약동기(結約同氣)한 바 하소저라. 청운 같은 녹발로 목을 찬찬히[616] 휘감아, 만신이 핏빛이 되었으니, 병부의 중산 같은 무거운 심리로도 차경을 대하여는 심골이 서늘함을 깨닫지 못하니, 하염없이 두 줄 눈물이 떨어짐을 면치 못하고, 월섬으로 하여금 그 맨 것을 그르고 발을 주무르라 하고, 자기는 친히 소저의 손을 주무르며 맥후를 살피니, 오히려 목숨이 아주 끊어지든 않아 일분 생기 있으되, 거동을 보아는 운명한 사람 같아서 수족이 얼음 같고, 만면 일신에 흐르는 피 일신에 사무치는 지라. 남후 낭중에 약을 내어 입에 떠 넣기를 식경이나 하되, 소제 희미한 숨소리도 없어, 육맥(六脈)[617]이 끊어지지 않았을지언정, 아마도 살까 싶지 않은지라. 남후 참연 비절함이 형상치 못하여, 날이 어둡기에 이르도록 온갖 약을 시험하나, 하씨 완연이 죽은 사람이 되었으니, 남후 차마 대(對)치 못하여 양 비자로 지키게 하고, 청사에 나와 길이 탄하여 가로되,

"두 누이를 다 윤가의 속현하여 하나는 참혹한 독수를 만나 한 뭉치 육괴 되고, 하나는 살인죄수로 만리에 적거하니, 윤가와 원수 아니리오.

---

613) 주리잡다 : 줄잡다. 가다듬다. 생각이나 기대 따위를 표준 보다 줄여서 헤아려 보다.

614) 겯지르다 : ①엇갈리게 하여 다른 쪽으로 지르다. ②서로 마주 엇갈리게 걸다.

615) 청화(靑華) : 푸른 물감의 하나. 복숭아꽃 빛깔과 섞어 나뭇잎과 풀을 그리는 데 많이 쓴다.

616) 찬찬히 : 단단하게 자꾸 감거나 동여매는 모양.

617) 육맥(六脈) : 여섯 가지 맥박. 부(浮), 침(沈), 지(遲), 삭(數), 허(虛), 실(實)의 맥을 이른다.

내 초에 하매를 구하여 결의남매(結義男妹)하여 범사에 기렴하는 정이 골육동기 아님을 깨닫지 못하고, 전정이 영화롭기를 바라더니, 이 지경에 이를 줄 어찌 뜻하였으리요. 내 헤아림이 하매는 숙렬매자와는 형세 다른 고로, 그 사이 잊어둠이 되었더니, 위・유의 한악(悍惡)함은 집을 엎치고 말리로다. 그 딸의 안면을 본들 저지경에 이르도록 하리오. 그 마음이 시랑(豺狼)에서 더한지라, 마침내 윤가를 엎치고 말리로다. 창천(蒼天)이 하매의 현행숙덕(賢行淑德)을 살피지 않으시어, 독수를 만나, 인하여 살지 못할진대, 진실로 복선명응(福善冥應)[618]이 있다 하리오."

희허(唏噓) 장탄(長歎)하여 석반을 물리치고, 심중에 애다는 바는 하씨를 구하여 데려와, 윤가로 아직 결혼치 않아서도, 삼오 초춘이 늦지 않을 것을, 부질없이 성친하여 간인의 참화를 받음이, 자기 집 탓인 듯, 혼자 말하여 가로되,

"하매 만일 사지 못할진대, 하 연숙과 조부인이 벌써 상척(喪慽)의 재된 간장이라. 결단하여 세념(世念)을 끊으리니, 한 사람이 죽으매 몇 사람이 통상함이 되리오. 하물며 우리 존당 부모 하매 사랑하심이 친생에 감치 아니하거늘, 그 흉음을 들으시매 심사 장차 어떠하시리오. 만일 하매의 일명을 구치 못하면, 내 처음에 강(江) 중에서 구한 뜻이 헛 곳에 돌아가고, 전정을 그릇 만들었는지라. 또한 내 몸의 적앙이 두렵지 않으리오."

생각이 이에 이르매 소매를 들어 낯을 덮고, 청사(廳舍)에 언와(偃臥)하여, 좌사우상(左思右想)하며 희허(唏噓) 장탄(長歎)함을 마지 않더니, 반야 된 후 월섬이 나아와 향전(向前)[619] 고 왈,

---

618) 복선명응(福善冥應) : 착한 사람에게 복을 내리는 신령(神靈)이 감응(感應).
619) 향전(向前) : 앞을 향함.

"소제 이제야 목 안에 희미한 숨소리 있으되 수족은 얼음 같으시니이다."

병부 그 숨소리 있다 함을 들으매 불승환희하여, 전도(轉倒)히 방중의 들어가 소저를 볼새, 하소저 정신을 차리지 못하되, 흉억의 막힌 것은 적이[620] 트였으므로, 가는 숨소리 엄엄(奄奄)하고 운발에 잘렸던 목이 푸르기 청화(靑華)[621] 같으며, 일신이 핏빛이니, 병부 장탄(長歎) 수성(數聲)에 손을 들어 소저의 운발을 쓸어, 피 무든 낯에 어지럽지 않게 하고, 재삼 진맥하니 생기 점점 나을 뿐아니라, 태기 분명하여 좌맥이 성하고, 양맥이 동하니, 복애 남자임을 알지라. 크게 환희하여 혜오대,

"천도 소소(昭昭)하시어 현인을 돕는지라. 하매 십생구사(十生九死)하여 살아날진대, 어찌 신기치 않으리오. 태기(胎氣) 완연하니, 의치를 각별이 하여 원통히 마치는 일이 없게 하리라. 이에 스스로 약을 생각하여 약류를 헤아려, 이곳에는 한 낱 재료(材料)가 없으니, 계명(鷄鳴)이 되기를 기다려 양 비자를 당부 왈,

"여등은 소저를 지켜 일시도 병소를 떠나지 말고 나의 돌아옴을 기다리라."

월섬 등이 충근한지라 수명하니, 남후 다른 비복을 엄히 분부하여 소제 이곳에 있음을 아무더러도 발설치 말라 하고, 하리 추종이 대후함을 인하여 즉시 조참(朝參)하러 궐하의 나아가, 태의원(太醫院)[622]에 자기 적은 바 약을 십여 첩을 급히 지어 보내라 하였으니, 양참정 문광은 양평장의 백형이라. 즉시 약을 지어 보냈거늘, 남후 친히 소매에 넣고 도로 초하동에 나아가, 금로(金爐)에 불을 피우라 하고 약을 달이되, 시녀

---

620) 적이 : 꽤 어지간한 정도로.

621) 청화(靑華) : 중국에서 나는 푸른 물감의 하나.

622) 태의원(太醫院) : 내의원(內醫院). 조선 시대에 둔 삼의원(三醫院)의 하나. 궁중의 의약(醫藥)을 맡아보던 관아이다.

등을 시키지 아니하고 자기 친히 굽일어[623] 불을 불며, 무궁한 수고를 들여 하씨 살리기를 바라는지라. 이미 달이기를 다하매, 소저 입에 떠 넣으나 하씨 동정이 없으니, 다시 한 첩을 달여 먹이매, 이윽고 수족에 온기 있어, 미미한 숨소리 나며, 피 흐르는 가운데도 수족이 얼음같이 차기를 면하였으니, 병부 혹자 살아남이 있을까 만심 희열하여, 향 등을 재삼 당부하여 소저를 모셔있으라 하고, 취운산으로 나아갈 새, 윤태우를 만나 하씨의 유무를 짐짓 묻고자 하여 옥누항에 들어가니, 윤태우 병부를 맞아 크게 반겨 근일 종용이 상견치 못한 회포를 이를 새, 남후 물어 왈,

"근간 하매 무양하냐? 어찌 취운산 왕래도 일절 않더뇨?"

태우 일택지상에 있으나 하씨의 사변(死變) 당함을 아득히 모르고, 세월로 하씨의 얼굴을 만들어 두었음은 몽중에도 알지 못하는 일이라. 다만 숙모가 하씨의 가슴을 칼로 질렀음을 병부 듣고 이리 묻는가, 참괴하여 대왈,

"하수(嫂) 작일 취운산에 나아가려 하시더니, 마침 질양이 계시어 잠깐 소성(蘇醒)한 후 취운산으로 가신다 하더이다."

남후 청파에 미(微)한 웃음이 면간을 둘러 오래 말이 없더니, 날호여 일어나며 가로되,

"사원이 총명하되 가간 변고를 오히려 채 알지 못하여, 석년(昔年)에 아매(我妹)의 위경을 구치 못하고, 작일 또 제수의 사변(死變)을 알지 못하니 불민함이 이 같으뇨?"

윤태우 남후의 말이 반드시 숙모의 발검(拔劍)하여 하수를 지를 적 자기 구치 못함을 이름인가 하여, 다시 곡절을 묻지 않아 남후를 송별할

---

623) 굽일다 : 굽히고 일어나고 하며 무슨 일을 하다.

따름이라. 남후 취운산에 돌아오니, 작일 길 건너던 놈을 하리 다스림을 품하거늘, 남후 아직 두라 하고, 존당에 들어가 배알하고 야래 존후를 묻자오니, 금후 작일에 오지 않음을 물으매, 병부 피석 부복하여 작석(昨夕)에 습사(習射)하고 돌아오다가, 충학의 길 건너던 일로 좇아 그 등에 진 바 궤를 앗아 본즉, 그 가운데 하매 엄홀하여 시신이 되었거늘, 잠정으로 데리고 가 구호함을 고한대, 태부인과 금평후 부부 차악하여, 면색이 다름을 깨닫지 못하고, 예부 등이 대경 분해함을 마지않되, 설치(雪恥)할 길이 없음을 한하고, 태부인이 눈물을 흘려 왈,

"천흥의 하아를 구함이 곳곳에서 조각을 얻어 살려냄이 기특하거니와, 윤가 변고를 헤아리매 심기 서늘하니, 천하에 어찌 그런 몹쓸 집이 있으리오. 초에 정·하 양문에서 저 집으로 더불어 자녀를 결혼하랴 의사를 두어 언약하였던 일이, 당차시 하여는 뉘우치지 않으리오."

금평후는 하소저의 화란을 자닝할 뿐 아니라, 동기 같은 친우와 연혼(連婚)하여 허다 괴란지사(怪亂之事)가 실로 남이 알까 두려우니, 한심장탄 왈,

"윤가 문운이 불행하여 명천형이 조세(早世)하니 적지 않은 비원(悲怨)이나, 고금에 계모와 양모 없지 않으니, 자녀를 해하는 여자 천고 간악한 유(類)를 이를진대, 여희(驪姬)[624]가 신생(申生)[625]을 죽이고, 여후(呂后)[626] 조왕(趙王)[627]을 짐살(鴆殺)하며, 척희(戚姬)[628]를 인체

---

624) 여희(驪姬) : 중국 춘추전국시대 진(晉)나라 헌공(獻公)의 애첩(愛妾). 자신의 소생으로 왕위를 계승하게 하기 위해 태자 신생(申生)을 모해하여 자결케 한 후, 자신의 아들로 태자를 삼았다가, 헌공 사후 나라를 내란에 휩싸이게 했다.

625) 신생(申生) : 중국 춘추전국시대 진(晉)나라 헌공(獻公)의 태자(太子). 헌공의 애첩 여희(驪姬)의 모함을 받고 자결했다.

626) 여후(呂后) : BC241-180. 중국 한고조의 황후. 성은 여(呂). 이름은 치(雉). 고조를 보좌하여 진말(秦末)·한초(漢初)의 국난을 수습하였으나, 고조가 죽은

(人彘)[629]를 만드니, 전혀 투기와 포악으로 비롯함이라. 지금의 윤가는 전혀 천금 중신이 사원 형제거늘, 모자 숙질과 조손 고식간이 정의(情誼) 통치 못하고, 해할 틈만 엿보며, '고래 싸움에 새우 죽음'[630] 같아서, 사원 형제는 기운이 산악 같음으로 해치 못하고, 먼저 그 처실을 죽이니, 차례로 장씨까지 죽인 후 사원 형제 위태할지라. 만일 윤명천의 영백(靈魄)이 앎이 있을진대, 어찌 그 집이 그러하리오. 골육 같은 친우의 집이 망할 바를 탄하노라."

남후 복수 대왈,

"자고로 영웅준걸과 성인군자 초년이 곤(困)하온지라. 사원 형제 신세와 가변을 이를진대 사람이 하루도 못 견딜 바이오나, 사원과 사빈은 하늘이 유의하여 내신 바 영준(英俊)과 군자니, 그 성효 출천하여 증증예불격간(烝烝乂不格姦)[631]하는 효행이 있사오니, 마침내 조손 모자 화목

뒤 실권을 장악하여, 고조의 애첩인 척부인(戚夫人)과 척부인 소생 왕자 조왕(趙王)을 죽이는 등 포악을 일삼아, 측천무후(測天武后), 서태후(西太后)와 함께 중국의 3대 악녀로 꼽힌다.

627) 조왕(趙王) : 이름 유여의(劉如意). 중국 한(漢)고조(高祖)와 척부인(戚夫人) 사이에 난 아들. 고조가 후계자로 삼고자 했을 만큼 그의 사랑을 받았으나, 고조 사후 여후(呂后)에게 독살을 당했다.

628) 척희(戚姬) : 척부인(戚夫人). 중국 한 고조의 후궁. 고조의 사랑을 받아 아들 조왕(趙王)을 두었으나, 고조가 죽은 뒤, 여후(呂后)에게 조왕은 독살당하고, 그녀는 팔다리를 잘리고 눈을 뽑히는 악형을 당하고 '인간돼지(人彘)'로 학대를 받으며 측간에 갇혀 지내다 죽었다.

629) 인체(人彘) : '인간돼지'라는 뜻으로 중국 한(漢) 고조(高祖) 비(妃) 여후(呂后)가 고조의 애첩 척부인(戚夫人)을 팔다리를 자르고 눈을 뽑는 혹형을 가한 후, 측간에 처넣고 그녀를 지칭해 부르게 한 이름.

630) 고래 싸움에 새우 죽음 : "고래 싸움에 새우 등 터진다."는 속담으로, 강한 자들끼리 싸우는 통에 아무 상관도 없는 약한 자가 중간에 끼어 피해를 입게 됨을 비유적으로 이르는 말.

631) 증증예불격간(烝烝乂不格姦) : 차츰 어진 길로 나아가게 하여 간악한 데에 빠

하여 위·유를 감화하오리니, 어찌 윤가가 망할까 근심하리까. 사원 등의 액회 수년지내에는 진정치 못하려니와, 각각 상모 대길하와, 형은 해내를 기울일 수단이요, 아우는 사시(四時)를 순(順)케 할 덕이 있으니, 송조(宋朝)의 두 낱 고굉지신(股肱之臣)이라. 윤추밀이 또한 하등의 품질이 아니라, 의기걸사(義氣傑士)이오니, 타일 총명이 돌아오면 그 집이 온전할까 하나이다."

금후 점두하더라. 학사 분연 왈,

"위·유 양 흉은 만고일악(萬古一惡)이라. 위씨는 윤추밀 태부인이니, 그 머리를 벤즉 전정이 막히려니와, 유녀는 사빈이 돌아오기 전 그 죄상을 일일이 기록하여 천정에 주달하여 일죄(一罪)로 논죄하사이다."

금후 학사의 말이 이같이 무식 과격함을 한심하여, 진목(瞋目) 질왈,

"위·유 두 부인이 재상의 태부인이요, 명사의 자당이라. 하물며 연인지의(連姻之義)[632] 있으니, 사가간(査家間) 부인의 허물을 들출 것이 아니거늘, 이런 패설로 상문(相門) 부녀를 욕하느뇨? 너의 풍녁(風力)[633] 기절(氣節)이 장(壯)하니 아무려나 남과 의논치 말고, 이제 상소하여 위·유 두 부인 죄를 기록하여 참형함을 네 뜻대로 하면, 너희 풍력을 항복하리라."

학사 무심코 한 말이 부공의 책교(責敎)를 당하니, 대황(大惶)하여 청죄하더라. 태부인 왈,

"하아를 무지한 시녀만 맡겨 두지 못하리니, 일을 주밀(周密)히 하여 간인이 알지 못하게, 하나가 가서 구호하게 하라."

지지 않게 함. 『동몽선습(童蒙先習)』 '부자유친(父子有親)'조에 나오는 말.

632) 연인지의(連姻之義) : 인척(姻戚) 사이의 의리. 사돈 간의 의리.

633) 풍력(風力) : 사람의 위력.

금후 수명하니, 원래 남후는 지식과 원려(遠慮) 있으므로 벽좌우(辟左右)하고 왕모와 부모께 고 왈,

"하 연숙이 상척(喪慽)[634]에 상한 심정에 하매의 위태한 거동을 보아서는, 주검을 곁에 놓음 같이 알리니, 아직 놀라운 소식을 통치 말고, 자의 명일 들어와도 화기 소삭하여 불평한 거동이 있사오리니, 소자 하매의 유무를 알고자 하여 사원을 보고 여차여차 묻자온즉, 사원의 대답이 여차하오니, 전자 윤씨를 농의 넣어 버리고 춘월을 약 먹여 보내던 재주를 또 내었사오니, 자의 기괴한 것을 제 누의로 알아 급히 가보려니와, 이는 대사 아니요, 하매의 살았음을 간인이 알면 작폐(作弊) 있사오리니, 아직 하매를 잠정에 두어 병을 조리함이 옳으니이다. 태태는 가사를 버리시고 가시지 못하리니, 이수(嫂) 잠깐 저 곳에 가서 하매를 지키고, 소자 등이 돌려 가며 왕래하여 의약을 착실히 하면 구할까 하나이다. 윤부 비자가 근간에 문양궁에 왕래하오니, 이 반드시 정도로 사귐이 아니라. 문양궁 소속이 알면 윤부에 누통(漏通)하는 환이 있을 것이니, 이러므로 하매가 생도를 얻거든 하부로 보내어 자취를 모르게 하사이다."

태부인과 금평후 부부 남후의 말이 옳음을 알아, 가중 비자 등이라도 하씨의 말을 들리지 않으려 하며, 태부인과 진부인이 소저의 그대도록 함은 알지 못하되, 자닝코 슬픔이 골절이 녹는 듯하여, 태부인 왈,

"하애 본디 현부로 친모와 달리 앎이 없고, 잠정에 외로이 누어 심회 지향치 못하리니, 현부 친히 잠정에 가 하아를 구호하며 그 심사를 위로하고, 간인이 의심함이 있어도 현부 임호에 다니러 갔다 하면 뉘 곧이듣지 않으리오."

원래 진부인의 외조모 남태사 자정이 지금 재세하니 연기 구십팔세

---

634) 상척(喪慽) : 참척(慘慽). 자손이 부모나 조부모보다 먼저 죽는 일.

라. 자손이 만당(滿堂)하고 현달하여 명사 된 자가 수십여 인이로되, 진부인 모친이 일찍 기세함으로 낙양후 사남매를 각별 사랑함으로, 진부인이 외조모의 연로(年老)하심을 감상(感傷)하여, 경사 미화항에 남부가 있으매 자주 왕래하고, 노태부인이 선군 묘소를 한 번 보아지라 하여 제자손을 보채니, 노인이 망령(妄靈)이 심하고 울고 보채는지라. 자손이 부득이 임호로 내려가니, 진부인의 표종들은 벼슬을 일시에 버리지 못하여 미화항에 있더라.

진부인이 존고의 봉양으로써 스스로 잠정에 감을 구하지 못하나, 하소저를 못 잊는 정이 간절하더니, 태부인 말씀이 여차하시매 즉시 수명하고, 공이 소왈,

"두 며느리 가사를 살피매 족히 부인만 못하지 않으리니 여념(餘念)할 바 없으니, 부인은 하아를 극진히 보호하소서."

진부인이 탄식 무언하더라. 태부인이 이·양 두 손부를 불러 진부인이 잠정에 가는 연고를 이르고, 진부인이 가중 내사를 맡겨 존당 봉양과 대객지절(待客之節)을 당부하매, 이·양 등이 존고의 가심을 훌연하나, 사정을 고치 못하여 재배 수명하더라. 진부인이 문양을 청하여,

"외조모 연로하시어 만나봄을 청하시니, 금일 존고와 군후께 허락을 얻어 임호로 가나니, 그 사이 자연 일월(一月)이나 될 것이니, 귀주는 무양하소서."

문양이 진부인 행차 불의에 발(發)하심을 괴이히 여기나, 임호 말을 이전에도 익히 들었던 고로, 의심이 없어 그리 여기더라.

진부인이 존고께 하직하고 당에 내려 거중에 들새, 이·양 두 소저와 공주 하당 송별하고, 예부와 학사는 모부인 덩을 옹호하여 잠정으로 나아가니, 부인이 한 번 움직이매 삼자가 배행(陪行)하는 가운데, 예부는 경상(卿相)이요, 학사는 명환(名宦)이라. 하리 추종이 수풀 같아서 도로

에 이었으니, 그 유복함을 알리러라.

남후 취운산에 잠깐 머물러 충학을 잡아오라 하여, 궤 가져가던 곡절을 물은데, 학이 감히 은닉치 않고 유부인의 이르던 말을 세세히 고하고, 궤 중에 든 것은 아무런 것이 들었음을 알지 못함으로써, 진정으로 고하니, 병부의 조심경 안광으로써, 한 번 충학을 보건대, 위인이 흉참극악하든 않아 허랑하며 우패(愚悖)한 인물이라. 심리에 생각하되, 하매 살아날수록 충학을 놓아 보내는 것이 의심을 이루지 않는 것이라 하여, 충학더러 이르되,

"네 비록 알지 못하고 궤를 져 갔을지라도 단연코 사죄를 면치 못할 것이로되, 특별이 관전(寬典)을 베풀어 죄를 사하고 일명을 빌리나니, 네 이미 궤를 가지고 가는 뜻이 유부인께 상사(賞賜)를 얻고자 함이라. 이제 내가 궤를 빼앗아갔다고 하여서는, 강수(江水)에 들이침 만치 못여겨, 너를 치죄하는 거조가 없지 아니할 것이니, 내 너를 죽이지 않고, 은덕을 입을 도리를 가르치리니, 모름지기 나를 만나 궤를 빼앗겼다는 말을 하지 말고, 강수(江水)에 사람이 없는 때를 기다려 밤에 들이치느라 더디었음으로 고하고, 상사(賞賜)를 많이 얻고 아무에게도 이 말을 누설치 말라. 만일 누설한즉 너를 잡아다가 촌참(寸斬)하리라."

충학이 하리 등의 벼르는 말을 들어 반드시 중죄를 면치 못할까 망극하다가, 일명이 보전함을 황공 감은하더라.

ꕤ

명주보월빙 권지사십팔

재설 충학이 병부의 덕택이 저의 일명을 사(赦)하고, 또 다시 유부인께 공 이룬 노자가 되게 지휘하니, 감격함이 뼈를 빻아도 갚고자 뜻이 나는지라. 눈물을 흘리고 머리를 두드려 덕음(德蔭)을 일컬으니, 병부 사하여 가라 하니, 학이 감격하여 즐거운 걸음이 더욱 능하여 바삐 옥누항에 이르니, 유녀와 경아가 충학을 보내고 날이 어둡고 밤이 진토록 오지 아니하니, 모녀 겁내어 불의흉사(不義凶事)를 행하매 천신도 두려온 고로, '학이 무슨 일로 아니 오는고?', 죄는 마음이 감수(減壽)하기에 미쳤더니, 이튿날 석양에 학이 밖에 왔음을 아뢴데, 유부인의 반김이 죽었던 아비 살아온 듯하여, 가만히 불러들여, '궤를 어찌 한고?' 물으니, 학이 정병부의 가르친 대로 고하니, 아침에 돌아왔으나 태우 상공이 계시므로, 수상한 사기를 아실까 두려 나가시기를 기다려 이제야 왔음을 아뢰었노라 하고, 저는 진실로 궤 중에 든 것은 모르되 무거움이 심하던 바를 고하니, 유녀 비로소 가슴이 시원하여, 은자 삼십 냥을 겨우 얻어 충학을 상사(賞賜)하고, 또 태중원 구실을 시켜주마 하니, 학이 은자를 사양하는 체하고, 구실에 오르기를 청하더라.

유녀가 위태에게 하씨 없앤 말을 고하니, 위태 무릎을 치고 칭찬 왈, "현부는 여중호걸이라. 간악한 년을 차례로 없애니 얼마 하여 광천을 죽이리오."

유씨 모녀 양양하여, 모녀 고식이 서로 대하여 점점 서릊어[635] 감을 칭하하니, 사람의 흉독 포악함이 위씨와 유씨 모녀 삼인 같은 이 어디 있으리오. 위·유는 타문 여자거니와 경아는 윤문에 난 바, 어찌 이다지도 악착하리오. 세사를 측량치 못하리러라.

남후 모친 행거를 모셔 함께 가지 못함은, 충학을 돌려보낸 후 가려함이나, 모친이 불의에 들어가 보시면 크게 놀라실 것이므로, 부전에 고 왈,

"하매 실로 상함을 참혹히 하였사온지라, 자위 그 거동을 보시면 놀라실 것이니, 소자 급히 행하여 잠깐 지정여[636] 보심을 고하려 하나이다."

금평후 탄 왈,

"여자의 팔자란 것이 과연 두려운지라. 하아의 백사 처신(處身)이 온 가지로 헤아려도, 부가(夫家)의 저 같은 화를 받음은 생각지 못한 바라. 내 이제 가보려 하였더니, 네 마저 가려 하니 자정의 시봉할 이 없으니, 너는 먼저 가고 나는 명일이나 가리니, 네 모친 행거를 따르기 어려울까 하노라."

병부 배사하고 즉시 말을 달려 초하동에 이르니, 예부와 학사 공자 등으로 모친 거교를 붙들어 벌써 문 안에 들었거늘, 병부 내정에 들어가 주렴을 걷고 모친을 붙들어 청사에 오르매, 모든 시비 일시에 현알하고, 부인과 제상공의 이르렀음을 경황치 않는 이 없는지라. 남후 모친의 머무실 방사(房舍)를 가리니, 부인이 가로되,

"하아의 병소(病所)가 용슬(容膝)[637]할 만 할진대 다른 처소가 부질없

635) 서릊다 : 거두어 치우다. 정리(整理)하다.
636) 지정이다 : 지체하다. 시간을 끌다.

으니 어찌 다른 방사를 가리느뇨?"

남후 대왈,

"자교 마땅하시나 하매의 형용을 차마 보시지 못하시리니, 이 곳에 모셔 옴은 매제 잠깐 생도에 이르러도, 죽음(粥飮)과 찬선을 맞갖게[638] 하여 줄 이 없으므로, 자정이 친히 보살피시게 하오미니, 즉금은 한 덩이 핏조각이라. 인사를 알지 못하고 목 위에 실낱같은 명맥이 끊어지지 않았을 뿐이오니, 딴 방사를 정하여 들으소서."

부인이 그 핏덩이 되었음을 비로소 처음 듣는지라. 자닝 참절함이 더하여 왈,

"하아가 비록 금즉히[639] 되었으나, 내 이미 저를 구호하러 왔거늘, 딴 방을 정하여 저를 보지 않으면, 운산의 있을 적과 다름이 있으리오. 지란(芝蘭) 같은 약질이 그대도록 참혹한 화를 만났을진대 살기 어려우리니, 내 차마 모녀지의(母女之義)로 한번 영결하는 정을 펴지 아니랴."

남후 위로 고왈,

"그 얼굴이 차마 보지 못하게 되었사옵고, 일신에 피 아니 흐르는 곳이 없사오나, 속인즉 사경(死境)에 이르지 아니하고, 기특한 것이 복중에 태후(胎候) 완연하여 떨어질 염려 없사오니, 이 반드시 대귀인(大貴人)이 복중에 있으매, 그 어미 참화를 만나나 죽지 않음이라. 원컨대 자위는 오륙일을 지정여 하매가 인사를 차리거든 보소서."

부인 왈,

637) 용슬(容膝) : 방이나 장소가 비좁아 겨우 무릎이나 움직일 수 있음. 또는 그 방이나 장소.

638) 맞갖다 : 마음이나 입맛에 꼭 맞다. * 맛깔스럽다; ①입에 당길 만큼 음식의 맛이 있다. ②마음에 들다.

639) 금즉하다 : 끔찍하다. 진저리가 날 정도로 참혹하다.

“전혀 알지 못하고 있다가 그 거동을 보면 끔찍하려니와, 이미 들었으니 어찌 차마 보지 않으리오.”

이에 소저의 병소를 찾아 남후 등을 데리고 들어가니, 월섬 등이 소저의 누운 곁에 있다가 물러나거늘, 진부인이 한 번 눈을 들매 문득 화월용광(花月容光)과 빙자아질(氷姿雅質)이 크게 변하여 한 덩이 핏조각이라. 옥 같은 살빛이 곳곳이 푸르고 검어 보기 무서우니, 부인의 천연단중(天然端重)함으로도 이 경색(景色)을 당하여는 참통 애상함이 시신을 곁에 놓은 듯, 바삐 그 낯을 비비며 손을 잡아 체루 왈,

“천지간 사람이 이런 불의 악사를 안연이 행하고, 신명을 두려워하지 않아 무죄한 며느리로 하여금 이 형상을 만들어 강수의 띄우려 하니, 실로 딸의 전정과 사위 낯을 보지 않으면, 원수 갚고자 뜻이 없으리오.”

인하여, 소저를 어루만져 참혹히 상함을 각골 비분하여, 자기 몸이 아픔을 깨닫지 못하고, 예부 등이 금옥같이 견고하나 하씨를 우애함이 친매와 다르지 않는 고로, 그 살기 어려운 거동과 흉한 매를 맞아 혈육이 이다지도 상함을 슬퍼, 눈물을 금치 못하고, 유흥 공자도 소매로 낯을 가리고 차마 보지 못하니, 남후 제제(諸弟)의 슬퍼함을 금하고, 모친을 천만 위로하며, 또 약을 달여 자주 입에 드리오며, 진부인이 자기 금침을 가져다가 소저를 편토록 뉘고 구호하나, 숨 있는 시신이 되어 인사를 모르니, 양모와 제거거(諸哥哥)의 왔음을 어찌 알리오. 부인이 자닝코 비창함을 정치 못하여, 남후더러 이르되,

“초에 영주로 모녀의 의를 맺지 않았으면, 화란이 아무 지경에 미쳐도 이다지도 할 일이 없으되, 인연이 괴이하여 모녀의 정을 맺으며, 실로 친생이 아님을 알지 못하고, 제 또 생부모와 간격이 없더니, 이제 간인의 족속을 만나 천고에 희한한 화를 만나니, 사생을 정치 못할지라. 심담이 끊는 듯, 참잔함은 오히려 천리 밖 찬적에서 더한지라. ‘저 간인이

혜주는 어찌 이리 않았는고?' 괴이하다."

남후 위로 왈,

"일시 보기의 경참하오나, 하매의 복록이 완전한 상격(相格)으로써 힘힘히 마치지 않으리이다."

부인이 점두하고 들어가 본즉, 숨소리 잠깐 나고 몸에 온기 두루 있어 일분 나음이 있으니, 부인이 하늘께 축원하고 미음을 가져 떠 넣으니, 은연이 삼키는 소리 있어 처음 볼 적 보다 나으니, 예부 등이 만심환희하더라.

남후 학사로 더불어 운산에 돌아오니, 태부인이 하씨의 병을 물으며 근심하니, 남후 등이 그 병세를 바로 고치 않아, 아직 병이 중하나 사경(死境)은 면함을 고하고, 모친을 반기는 듯하던 바로써 대답할 따름이러라.

명일은 하원수 돌아오는 날이라. 만세 황야 문무 제신을 거느려 난가(鑾駕)를 휘동하시어 십리 밖에 나아가 맞으실 새, 한갓 재덕이 있을 뿐 아니라, 초적을 주멸하고 국가대역을 없이하여, 번국의 근심을 없게 하니 사직의 경사라. 군신이 한가지로 진하(進賀)에 참예하여 어가를 모시니, 위의 장하고 빛남이 평일에서 더한지라. 어가가 교외에 임하시매, 하원수 어가 친림(親臨)하심을 알고 기(旗)를 둘러 결진(結陣)하고, 나아와 산호배무(山呼拜舞)640)할 새 제군 장졸의 만세 부르는 소리 산악 같더라. 상이 원수의 손을 잡아 반기시고 위유(慰諭)하시어, 왈,

"경이 개세(蓋世)한 충렬로 자원출정(自願出征)하여 초지를 평정하고 역적을 베니, 소년재덕이 희한한지라. 하물며 경이 사원(私怨)을 갚아

---

640) 산호배무(山呼拜舞) : 나라의 중요 의식에서 신하들이 임금의 만수무강을 축원하여 두 손을 치켜들고 만세를 부르고 절하던 일.

적축(積蓄)한 비원(悲怨)을 씻으니 짐이 또한 위하여 깃거하노라."

원수 부복하여 성교를 듣자오매 일어나 재배 사은 왈,

"초적을 주멸함이 위로 폐하의 홍복과 아래로 제장의 도움을 힘입음이라. 신이 연소부재(年少不才)로 외람히 모첨(冒添) 천은(天恩)하와 이 같으신 전교를 듣자오니, 황공 전율하와 주할 바를 알지 못하나이다."

인하여 사졸이 초왕의 머리를 담은 궤를 올리니, 상이 명하여 성하(城下)에 달아 후세 역적을 징계하라 하신데, 하원수 주왈,

"신이 초적을 잡아 함거에 실어 돌아와 폐하의 처치를 기다림이 마땅하오되, 초적이 계궁녁진(計窮力盡)하여 자문(自刎)코자 하옵거늘, 신이 통완하와 부득이 참(斬)하였나이다."

상이 가라사대,

"짐이 불명하여 초적에게 속음이 무궁하고, 덕이 박하여 지친이 대역지심을 발하였으니, 이 다 짐의 허물이니, 초적의 죄상인즉 주륙(誅戮)이 가한지라. 경이 참함을 잘 하였도다."

원수 배사 수명하고, 눈을 들어 부친이 진하(進賀)에 참예하였음을 보고, 반년지내(半年之內)에 안강하심을 짐작하여, 효자의 누월 영모지정으로써 기쁨이 비할 곳이 없으되, 지척(咫尺) 천안(天顔)에 사정을 비추지 못하여, 눈으로 반기는 정을 보낼따름이라. 상이 하공을 가까이 부르시어 옥배에 어온을 반사(頒賜)하시고, 아들 잘 낳음을 칭찬하시니, 하공이 불감사사(不堪謝辭)하고 상이 원수의 전진(戰陣) 수고함을 재삼 일컬으시어 향온을 취토록 권하시며, 군신이 즐길 새, 군정사 치부를 올리매, 상이 어람하시니, 다 원수의 지모(智謀)와 재주 빼어나니, 상이 아름다움을 이기지 못하시되, 명일 작상(爵賞)을 정하려 하심으로, 이날은 장사 군졸을 주찬(酒饌)으로 위로하시고, 전진(戰陣)에 구치(驅馳)함을 각별히 이르시니, 삼군이 흔흔 쾌열하더라.

전일 초왕을 잡으러 갔던 금오랑(金吾郞)이 청죄하온데, 상이 금오랑의 탓이 아니므로 구태여 죄를 삼지 않으시고, 형부시랑으로 돋우어 초국 옥중에 누년 갇혔던 바를 위로하시니, 위사 감은하고 제신이 성덕(聖德)을 열복하더라.

원수 상이 연하여 권하심을 좇아 십여 배를 거우르매, 풍광이 더욱 기이하여 전상전하(殿上殿下)에 바애는지라[641]. 범연한 타인이라도 기특함을 이기지 못하려든, 하물며 정국공의 귀중하는 마음을 어찌 형언하리오마는, 사람 됨이 씩씩 준열함으로, 사색(辭色)에 현현(顯顯)이 두굿기는 정을 나토지 아니하고, 천은이 호성(浩盛)하심을 송구하여, 불승감은(不勝感恩)함이 능히 갚사올 바를 알지 못하더라. 날이 늦으매, 원수 주 왈,

"금일 성가(聖駕)가 교외에 친림하시어 신을 맞으시는 은권(恩眷)이 과도하시어, 신으로 하여금 손복(損福)할 징조오니, 신이 황공축척(惶恐蹙蹐)함을 이기지 못하옵는 바라. 일색(日色)이 늦어 환궁하심이 어려울까 하옵나니, 원컨대 난가(鸞駕)를 돌이키소서."

상이 웃으시고 왈,

"경의 행군하는 거동을 짐이 보고자 하나니, 장사를 거느려 앞서 행하면 짐이 만조를 거느려 뒤에 행하리라."

원수 수명하여 부장 등으로 더불어 대오를 차려 행할 새, 위엄과 군령의 씩씩함과 정숙하미, 삼만 정병(精兵)과 십원 맹장(猛將)이 행하는 가운데나, 나직하고 고요하여 예의 협엽(浹燁)[642]하는지라. 상이 만조 문무를 거느려 행하시며, 원수의 행군함이 법도 엄숙(嚴肅)함을 깃거하사

---

641) 바애다 : ≒밤븨다. 빛나다. (눈이) 부시다.

642) 협엽(浹燁) : 물이 물건을 적시듯이 널리 고루 퍼저 빛나고 아름다운 모양.

정국공을 돌아보시매, 하공이 다만 어가를 모셔 반열 가운데 행할 뿐이요, 각별 희색이 없고, 공근한 덕을 기름이 극진하더라. 상이 그 아들을 기특히 낳았음을 아름다이 여기시며, 돌아 원경 등의 참사함을 뉘우치시어 성덕에 큰 허물을 삼으시더라. 행하여 어가가 금궐(禁闕)에 들으신 후, 원수와 만조(滿朝)가 퇴하여 궐문을 나매, 원수 부친의 거륜(車輪)을 붙들어 반년 존후를 묻자온대, 하공 왈,

"합가(闔家)가 다 무사하고 내 또 질양이 없이 지냈나니, 네 급히 행하여 집에 돌아가 떠났던 정을 펴게 하라."

원수 배사하고 말에 올라 행하려 하더니, 금평후 거륜을 밀어 원수의 곁에 와, 칭하 왈,

"자의 한번 출정하매 칠종칠금(七縱七擒)[643]하던 무향후(武鄕侯)[644]의 재주를 발하여, 초적을 탕멸하매, 국가의 대경이요, 사사를 일러도 자안 등의 원수를 갚았는지라, 기쁨이 이 밖에 더 있으리오."

원수 사왈,

"위로 성주의 홍복과 아래로 장사의 도움을 힘입사와, 요행 입공반사(立功班師)하오나, 이 소질의 재능(才能)이 아니라. 연숙의 일컬으심을 하감승당(何敢承當)[645]이리까? 연질(緣姪)[646]의 희행하옵는 바는 반년 지내에 친후(親候) 안강하시고 연숙(緣叔)[647]이 또한 신관[648]이 화열하

---

643) 칠종칠금(七縱七擒) : 마음대로 잡았다 놓아주었다 함을 이르는 말. 중국 촉나라의 제갈량이 맹획(孟獲)을 일곱 번이나 사로잡았다가 일곱 번 놓아주었다는 데서 유래한다.

644) 무향후(武鄕侯) : 중국 삼국시대 촉(蜀)의 정치가 제갈량(諸葛亮; 181-234)의 봉호(封號).

645) 하감승당(何敢承當) : 과분한 칭찬 따위를 '어찌 감히 받아 감당할 수 있겠습니까'의 뜻.

646) 연질(緣姪) : 조카뻘 되는 사람.

시니, 하정(下情)에 기쁨을 이기지 못 하리로소이다."

금평후 가로되,

"몸에 대단한 질고는 없으되 가간 우환이 끊일 사이 없으니, 마음에 불평함을 어찌 다 이르리오. 즉금도 부득이한 변고로 성내(城內)에서 밤을 지내야 하니, 명일 돌아가려니와, 현질로 더불어 누월 떠났던 회포를 펴지 못하니, 어찌 애달지 않으리오."

원수 묻지 못하여서 하공이 성내에 머무는 연고를 물으니, 금후 하씨 살지 못하면 부녀가 얼굴도 보지 못한 한이 깊을까, 아니 날 뜻이 없어 희기(喜氣) 사라지고, 면색이 참연하여 왈,

"마지못한 곡절이 있어 성내에 머묾이니 종용히 이르리라."

언파에 학사를 재촉하여 말에 올라 뒤를 좇으라 하고, 하리를 분부하여 거륜을 돌리라 하니, 하공 부자가 다시 곡절을 묻지 못하고, 바삐 평남후와 예부로 더불어 운산으로 나올 새, 원수 부원수 이하를 명하여 왈,

"날이 이미 늦었으니 동문(東門)으로 나가기를 계교할지라. 제장은 모름지기 각각 집으로 가 '이문(里門)에 기다림을'[649] 위로하고, 명일 다시 보게 하라."

부원수 이하가 배사 수명하고 비로소 길을 나누어 각각 집으로 가니라.

이 날 도성 남녀노소 없이 원수의 풍채 신광과 행군 기율을 구경하는 이가, 저마다 암암 갈채하여, 하공이 비록 위로 삼자를 참망하나, 이 아들을 두었으니 타인의 십자를 부러워할 바 아니라 하고, 인인이 딸을 두

---

647) 연숙(緣叔) : 아저씨라고 부를 만한 친지.

648) 신관 : '얼굴'의 높임말.

649) '이문(里門)의 기다림을' : 동네 어귀의 문에 기대어 기다린 다는 말로, 의려지망(倚閭之望)을 뜻함. 즉 자녀나 배우자가 돌아오기를 초조하게 기다리는 가족들의 마음을 비유적으로 나타낸 말.

고 사위를 바람이 하원수 같기를 원하나, 백에 하나도 미칠 길이 없는지라. 한갓 관광하는 눈이 어리고, 정신이 황홀함을 면치 못하니, 왕공후백가(王公侯伯家)의 부녀들이 능히 예모를 차리지 못하고 칭찬함을 마지않으니, 그 가운데 경안 도위(都尉) 연주의 일 군주(郡主)가 모친 경안공주는 입궐하고, 군주 숙모 등을 따라 집 잡은 데에 이르러, 원수의 입공반사(立功班師)하는 위의를 관경하다가, 그 출세한 풍광을 보고 황홀하여 규녀의 단아한 체모를 차리지 못하더니, 운산으로 돌아가는 길이 공교히 연부 하처(下處)[650] 앞을 지나는지라. 원수 부친 거륜 뒤에 행하니, 연군주 염치없는 박색추물(薄色醜物)이라. 방인(傍人)의 시비를 관계치 않고, 주렴을 걷고 원수를 향하여 금령(金鈴)을 던지니, 비록 어두우나 좌우의 횃불과 초롱이 휘황하여 백주(白晝)를 묘시하는지라. 남후 원수로 더불어 같이 행하더니, 문득 누각으로서 금령이 내려지며 공교히 하원수의 소매 가운데로 들거늘, 남후 원수를 향하여 미소 왈,

"귤 던지기를 웃으매, 두목(杜牧)[651]의 풍채를 안다 하니, 금녕이 내려짐은 형의 용화를 빛냄이라. 가히 장부의 신채(神彩)를 알리로다."

하원수 부답하고 무심히 내어 던지고, 부친을 모셔 바삐 부중에이르니, 조부인이 오후로부터 원수 기다리는 정이 착급하여 능히 좌를 안접지 못하고, 여아의 유질함을 근심하여 그 참참(慘慘)한 액회(厄會)를 알지 못하나, 혈맥의 상응(相應)하는 정이, 모르는 가운데나 심회 불평하여, 침불안석(寢不安席) 하고 식불감미(食不甘味)하여 수일지내의 형용

650) 하처(下處) : 손님이 길을 가다가 묵음. 또는 묵고 있는 그 집. 일시적으로 머물고 있는 집.

651) 두목지(杜牧之) : 803~852. 이름은 두목(杜牧). 당나라 만당(晩唐)때 시인. 미남자로, 두보(杜甫)에 상대하여 '소두(小杜)'라 칭하며, 두보와 함께 '이두(二杜)'로 일컬어지기도 한다.

이 수척하니, 윤씨 절민하여 감지(甘旨) 봉양(奉養)에 가득한 성효를 다하여, 역시 밥을 먹지 못하는 고로, 부인이 자부를 위하여 싫은 것을 강인(强忍)하여 먹고 원수를 기다리더니, 날이 어두운 후 원수 부자 돌아오니, 부인이 스스로 몸이 당에서 내림을 깨닫지 못하여, 바삐 원수의 손을 잡고 반가운 정이 황홀하여, 도리어 아무런 줄을 모르고 웃는 입을 열었으니, 하공이 소왈,

"아들이 영귀(榮貴)하여 위차(位次)가 재열(宰列)이니 당에 오르소서."

하원수 모친을 붙들어 당의 오르심을 청하니, 부인이 원수에게 붙들려 당상에 오르며 공의 말씀을 답하여, 가로되,

"아들의 작차(爵次)가 높으매 하당하여 맞는 것이 아니라, 반년을 상리(相離)하였다가 금일 돌아오매, 반가운 정이 황홀하여 마주 내닫기를 면치 못함이로소이다."

공이 소왈,

"부인으로 하여금 군전(君前)에서 원광을 보라 할진대 능히 경근지례(敬謹之禮)를 잡지 못하리로다."

조부인이 또한 웃으나 의용이 수척하였으니 원수 놀라 묻자와, 가로되,

"자정의 수패(瘦敗)하심이 뵈옵기 경황(驚惶)하온지라. 그 사이 무슨 질환이 계시더니까?"

공과 부인이 함께 병이 없던 줄 이르니, 원수 우우(憂憂)한 염려를 이기지 못하여, 침수식치지절(寢睡食治之節)[652]을 묻잡고, 눈을 들어 좌우를 살피매, 윤부인이 봉관을 숙이고 성안을 낮추어 단정히 서있는지라. 원수 비로소 허리를 굽혀 예한데, 윤부인이 천연이 답례하고 좌를 정하매, 원수는 부모 면전에 승안하는 화기 춘풍 같고, 소년 남자로 누

---

652) 침수식치지절(寢睡食治之節) : 잠자는 일과 먹는 일의 절도(節度).

월 규리(閨裏) 홍안(紅顔)을 사상(思想)하던 거동이 조금도 있지 않아, 부부 양인의 무심무려(無心無慮)함이 남의 집 부녀와 상대함 같아서, 행여도 서로 눈 들어 보는 일이 없는지라.

조부인은 아자(兒子)의 금슬을 염려하는 고로 마침내 정이 박하여 저 같이 무심함으로 알고, 하공은 원수로 더불어 파적(破敵)하던 바를 대강 물어 그 신기한 재덕을 한없이 두굿기니, 구태여 그 부부의 기색을 살피지 아니하더라. 원수 부모께 묻자와 왈,

"소자 초지(楚地)로 나아갈 제 소매를 당부하여, 소자의 돌아오기 전에 부모의 슬하를 떠나지 말라 하였삽더니, 그 사이 옥누항에 무슨 사고 있어 돌아 갔나니까? 차라리 그 집 딸을 보내고 누의를 데려오실 것 아니니까?"

공의 부부 가로되,

"비록 네 누이를 당부하였으나 여필종부(女必從夫)라. 어찌 여아따려[653] 구가를 좇지 않으리오. 윤추밀이 교지로 출행하매 사빈이 삼사삭 말미를 얻어 교지로 따라가고, 여아 위태부인과 유부인을 시봉하매 떠나지 못하였더니, 너의 돌아오기를 당하여 여아를 데려와 남매 누월 그리던 정을 펴게 하려 하였더니, 네 누이 유질하여 수삼일 째 기거치 못함으로 데려 오지 못하였나니, 너는 염려 말라."

원수 미급답(未及答)에 정병부 곤계 낙양후 등 삼공을 모셔 진태우로 더불어 밖에 왔음을 통하니, 하공이 원수를 데리고 외루(外樓)에 나와 진공 등을 맞아 당중에 열좌(列坐)하고 촉을 밝히매, 진후 등이 하공과 원수를 향하여 초적을 탕멸하고 금일 영화로이 돌아와, 국가의 근심을

---

653) 따려 : 라고. 뒤에 오는 내용의 원인이나 이유라는 뜻을 나타내는 보조사. 뒤에는 부정의 뜻을 가진 말이 올 때가 많다.

떨고, 더욱 사수(私讐)를 갚음을 일컬어 치하하니, 공이 불감(不堪) 사사(謝辭)하고, 원수는 몸을 굽혀 사양할 따름이라. 진공 등이 말씀을 그친 후 정병부 진태우 등이 종용이 담화할 새, 하공이 남후더러 문 왈,

"영엄이 무슨 사고 있기에 성내에서 밤을 지내느뇨?"

병부 대왈,

"경참정으로 잠깐 의논할 말씀이 있어 가시니이다."

하공이 어찌 자기 여아의 참혹한 화를 생각이나 하리오. 병부는 하공의 묻기를 당하여 창졸에 꾸며댈 말이 없어 그렇듯 대답하고, 원수의 파적하던 설화를 묻되, 언어 동지 전일과 내도하여 발월 호탕하던 풍습이 간 데 없고, 침엄 정대하여 유유도자(唯有道者)와 대군자(大君子)의 풍도를 얻어, 희학(戲謔)이 입 밖에 나지 아니하고, 천연 온중함이 금평후의 거동 같되, 대개 병부는 천일지표(天日之表)와 용봉지질(龍鳳之質)이 천만인 가운데 뛰어나고, 그 신명 특달함이 오히려 부형께 지나니, 한낱 영준호걸이러니, 성정을 고쳐 마음을 가다듬으매 대성(大聖)을 모심직 한지라. 하원수 정병부의 달리 되었음을 크게 이상하여, 자연 남후를 유의하여 자주 보며, 반년지내에 저같이 바뀌어 침엄 정숙함을 온 가지로 생각하나 깨닫지 못하니, 도리어 정병부를 측량치 못하여 그 위인이 남다름을 흠선할 따름이라. 낙양후 원수의 병부를 보는 눈이 괴이함을 이기지 못해하는 것을 알고, 소왈,

"자의 반년을 전진에 나갔다가 돌아오매, 제우붕배(諸友朋輩) 중에 사람이 달리 된 자가 없느냐?"

원수 소이대왈,

"사람이 한번 천성의 타난 품질이 현우간(賢友間)에 그치며 달리 됨이 어찌 있을 것이라, 합하의 물으심이 이 같으시니까? 다만 죽청 형이 전일과 다른 듯 싶으니, 연질(緣姪)[654]이 막지기고(莫知其故)[655]하여 불

승의아(不勝疑訝)[656] 하나이다.”

낙양후 대소왈,

“성정을 고치며 품질을 달리하는 새 규구(規矩)가 있으니, 자의도 부전에 삼사 삭 내치이면, 사람이 자연 달라지는 효험이 있으려니와, 하형은 자의를 방일타 책망할 일이 없으니 단정하고 지혜로움을 고치리오.”

하공이 소왈,

“형같이 다사(多事)하고 말 많으니 어디 있으리오. 돈아는 반년을 이가(離家)하였다가 돌아오매, 차언(此言)이 아니라도 수작할 설화가 없지 않을 바거늘, 어찌 급하지 않은 소식을 먼저 전하느뇨?”

낙양후 답 소왈,

“자의의 거동을 보매 천흥을 가장 수상히 여기니, 즉시 일러 의혹함을 덜게 함이라. 형은 어찌 급지 아니타 하느뇨?”

인하여 원수를 대하여 소이농왈(笑而弄曰),

“천흥이 삼삭을 제 대인께 용납지 못함이 전혀 호화의 비로사미요, 으뜸은 멀리 집을 떠나므로 좇아 남사(濫事)를 행하니, 남방을 정벌하고 회환(回還) 시에 취처(娶妻) 득첩(得妾)하여 삼년을 영영 숨겼다가, 죄상이 발각되는 날 여차여차 윤보에게 들켜 내침을 받으니, 차고로 유정삼월의 고상이 만단이라. 자의의 거동이 단정하여 대군자의 틀이 있으나, 풍류호색은 남자의 예사라. 혹자 남사(濫事)를 행함이 있어도, 자의는 기이지 말고 금일 쾌히 설파하면, 우리 모두 영엄(令嚴)을 권하여 삼삭 내치는 일이 없게 하리라.”

---

654) 연질(緣姪) : 조카뻘 되는 사람.

655) 막지기고(莫知其故) : 그 까닭을 알지 못함.

656) 불승의아(不勝疑訝) : 매우 의심스럽고 이상하게 생각함.

원수 정병부의 회과자책하여 풍류 발호하던 기습을 버리고, 정인군자 되었음을 더욱 흠복하고, 낙양후 재촉하여 어서 이르라 한데, 남후 문득 부복 고왈,

"소질이 탕음 무상하여 부형께 득죄하매 삼 삭을 친전에 용납지 못하니, 부끄러움이 생각할수록 사람을 대할 낯이 없고, 친척 제위 소질의 무상함을 뉘 모르리까마는, 숙부 차사로써 긴 날의 웃음을 삼으사 봉인즉설(逢人卽說)[657]하시니, 이는 소질의 호방하던 죄를 사(赦)치 않으심이라. 소질이 우민(憂悶)하나이다.

좌중이 다 웃고, 낙양후 소왈,

"네 대인의 모질기로도 너의 죄를 사하여 만사의 두굿기미 극하거늘, 내 무슨 사람이기에 네 죄를 사치 않으리오. 다만 방일함이 남 다르나 깨닫기를 신기히 하여, 침묵 정대한 사람이 되었음을 기특히 여기노라."

병부 공수 궤좌하여 다시 말이 없고, 하공이 탄지칭선(歎之稱善) 왈,

"세상의 어느 사람이 부형의 계책(戒責)을 아니 들으리오마는, 깨닫기를 쾌히 하여 지효(至孝)의 경읍(經泣)[658]하여 삼삭(三朔)을 친전(親前)에 용납지 못함으로, 신상에 병을 이루어 사친영모지정(思親永慕之情)과 인현정대(仁賢正大)한 행사, 전일 호탕한 행지(行止)를 쾌히 버리고 만사 온중하기를 주(主)하여, 부형의 위엄을 세오며 경계를 심곡에 새기니, 효성이 출천한 연고라. 어찌 아름답지 않으리오."

남후 몸을 굽혀 불감함을 사사하고, 남후 형제 하공 부자로 담화하다가 협문으로 좇아 각각 부중으로 돌아가니, 하공이 원수를 데리고 밤을 지낼 새, 부자지정이 근근체체(懃懃棣棣)[659]하니 공이 원수의 몸을 어

---

657) 봉인즉설(逢人卽說) : 만나는 사람마다 다 말함.

658) 경읍(經泣) : 눈물로 지냄.

루만져 추연 탄식 왈,

“석년(昔年) 화란을 당할 때 어찌 오늘날이 있을 줄 알리오. 너의 영귀한 복록이 하늘의 도우심이거니와, 망아(亡兒) 등의 원사함을 신설함과 초왕 흉적의 머리를 베기는 창백의 지휘와 김후의 수지(手指)를 베어둔 공이라. 금후 부자의 대은을 너와 내 구슬을 머금고[660] 풀을 맺어도[661] 생세에는 다 갚지 못할지라. 윤추밀의 현심이 사람의 위급지시를 인하여 지성 구해(救解)[662]함과 여형 등의 시신을 염빈(殮殯)[663]하여 선산에 묻게 함이 또한 금평후와 윤추밀의 은덕이니, 네 평생 악장의 대은을 감골(感骨)하여 섬김을 범연한 반자지례(半子之禮)[664]로 말고 아비와 같이 하라.”

인하여 김탁 부자의 호환(虎患) 봄을 일러 혹비혹탄(或悲或嘆)[665]하

659) 근근체체(勲勲棣棣) : 정성스럽고 은근함.

660) 구슬을 머금다 : 구슬을 물어다 주어 은혜를 갚는다는 뜻으로 ‘함환이보(銜環以報)’를 이르는 말. 즉, 옛날 중국의 양보(楊寶)라는 소년이 다친 꾀꼬리 한 마리를 잘 치료하여 살려 보낸 일이 있었는데, 후에 이 꾀꼬리가 양보에게 백옥환(白玉環)을 물어다 주어 보은했다는 고사를 이르는 말이다. ‘남에게 입은 은혜를 꼭 갚겠다’ 뜻을 나타내는 말로, 남북조 시대 양(梁)나라 사람 오균(吳均)이 지은 『續齊諧記』의 고사에서 유래하였다..

661) 풀을 맺다 : ‘풀을 맺어 은혜를 갚는다.’는 말로 ‘결초보은(結草報恩)’을 달리 이른 말. *결초보은(結草報恩); 중국 춘추 시대에, 진나라의 위과(魏顆)가 아버지가 세상을 떠난 후에 서모를 개가시켜 순사(殉死)하지 않게 하였더니, 그 뒤 싸움터에서 그 서모 아버지의 혼이 적군의 앞길에 풀을 묶어 적을 넘어뜨려 위과가 공을 세울 수 있도록 하였다는 『춘추좌전』〈선공(宣公)〉15년 조(條))의 고사에서 유래하였다.

662) 구해(救解) : ①도와서 해결해 줌. ②위기에서 구해 위험을 해소해줌.

663) 염빈(殮殯) : 시체를 염습하여 관에 넣어 안치함.

664) 반자지례(半子之禮) : 사위의 예(禮). *반자(半子) : 아들이나 다름없이 여긴다는 뜻으로, 사위를 이르는 말.

665) 혹비혹탄(或悲或嘆) ; 울다가 탄식하다가 함.

여 잠을 이루지 못하니, 원수 호언으로 위로하여 석사를 새로이 상회(傷懷)하심이 무익함을 고하며, 야야의 손을 받들어 효자의 영모하던 정을 펴매, 하공의 원수 사랑함과 원수의 동촉(洞屬)한 정성이 타인 부자로 다름이 많은 고로, 하공의 성도가 강엄하나 원수에게 다다라는 어루만져 자애할 따름이요, 아시로부터 행신과 학문을 가르침이 없고, 겸하여 참화지시(慘禍之時)에 이 아자(兒子)만 천금중탁(千金重託)으로 생전사후(生前死後)에 믿어, 타인의 십자(十子)를 부러워 아니하던 마음인 고로, 범사에 종용하고 안한(安閑)하여 엄부의 위의를 두지 않으나, 원수 삼가 조심하여 부전에 경근지례를 잡음이, 문왕(文王)[666]이 왕계(王季)[667]를 모심과 무왕(武王)[668]이 문왕을 모심 같으니, 보는 이 탄복하더라.

명일 모친께 신성하고, 즉시 위의를 거느려 천궐에 나아가 조회의 참예하니, 상이 태사 정유를 부르시어 원수의 토적(討賊)한 공적을 표할새, 원수로부터 장사 군졸의 작상(爵賞)을 더하니, 하원광으로 대사마 문연각 태학사 초평후를 봉하시고, 차례로 상작을 더하시니, 이 가운데 참모 여헌이 또 가자(加資)[669]를 도도고 두터운 상을 받자온지라. 전혀 하원수의 덕인 줄 알고 감은함이 각골하고, 말째 군졸에 이르기까지 금

---

666) 문왕(文王) : 중국 주나라 무왕의 아버지. 이름은 창(昌). 무왕의 주나라 건국 기초를 닦았고 고대의 이상적인 성인군주(聖人君主)의 전형으로 꼽힌다.

667) 왕계(王季) : 중국 주 문왕(文王) 창(昌)의 아버지. 이름은 계력(季歷). 자손이 왕업(王業)을 이룰 수 있는 기초를 닦았다.

668) 무왕(武王) : 중국 주나라의 제1대 왕. 성은 희(姬). 이름은 발(發). 은(殷) 왕조를 무너뜨리고 주 왕조를 창건하여, 호경(鎬京)에 도읍하고 중국 봉건 제도를 창설하였다. 후대에 현군(賢君)으로 추앙되었다.

669) 가자(加資) : 조선 시대에, 관원들의 임기가 찼거나 근무 성적이 좋은 경우 품계를 올려 주던 일. 또는 그 올린 품계.

백(金帛)을 상사하시니, 삼군 사졸이 흔흔(欣欣) 심복하되, 원수 황공하여 전폐의 머리를 두드려 후작을 사양함이 혈심 진정에 미치되, 상이 불윤하시고 초지(楚地)를 베어 주시니, 원수 더욱 황공하여, 돈수(頓首) 왈,

"신이 연기 겨우 이팔(二八)이 넘어, 마침내 금춘에 등과(登科)하여 금추의 봉후(封侯)하옵는 거조(擧措)가 결단하여 손복(損福)하올지라. 복원 폐하는 성지(聖旨)를 환수하소서."

상이 재삼 위로하시어 안심함을 이르시고, 부원수 이하가 다 깃거하는지라. 원수 마지못하여 사은하고 물러나매, 소매 볼 마음이 일시 급하여 바로 옥누항에 이르니, 윤태우 반겨 맞아 예필 좌정에, 태우 칭하하여 왈,

"형이 초적을 탕멸하고 대공을 세워 돌아오니, 은영이 더욱 희한한지라. 소제 교외에 나가 형을 보매 반가운 정이 무궁하나, 지척 천안에 사정을 베풀지 못하고, 높은 재덕을 칭하(稱賀)치 못하여, 범연이 흩어져 울울한 마음을 이기지 못하여 존부의 나아가 반기고자 하였더니, 어찌 이에 이르시뇨?"

사마(司馬)[670] 웃고 답왈,

"작일 사원은 오히려 군전에 무사함을 알았거니와, 소매 운산에 나와 나를 기다리지 않고, 이곳에 있어 병이 기거치 못함을 들으매, 놀라움을 이기지 못하여 이에 이르렀나니, 원간 그 증세 어떠하뇨?"

태우 무엇이라 대답하리오. 다만 몽롱(朦朧)이 답하되.

"수수의 질환이 비록 기거치 못하시나 대단치 아니타."

---

670) 사마(司馬) : 조선 초기에 둔 무관직 벼슬. 태조 3년(1394)에 장군(將軍)을 고친 것이다. 여기서 '사마(司馬)' 하원광의 관직인 '대사마(大司馬;=大將軍)'을 말한다.

하니, 사마 불열 왈,

"아등은 화란여생(禍亂餘生)이라. 즐거움을 알지 못하고 흉화(凶禍)에 상하여 심사 재 되고자 하는지라. 병이 들면 적축한 증세로 나나니, 남 보기에는 관계치 않은 듯하나 그 통셴즉 경치 아니하리라."

태우 답왈,

"소제 들어가 수수의 통세를 자세히 묻지 아니하였으니, 형이 이제 왔음을 통하고 그 질환의 경중을 살피라."

사마가 위·유의 흉악한 줄은 알지 못하되, 그 밝은 안총(眼聰)에 마침내 어질지 않은 줄 헤아려 반자지정이 없으되, 인사에 마지못하여 위·유 이부인께 먼저 현알하니, 위·유가 주찬을 성비하고 들어옴을 청하니, 태우 초평후를 인도하여 내루에 들어와 위·유에게 배례하고 멀리 좌를 이루매, 반년지내에 쇄락한 용화와 찬란한 풍광이 더욱 대군자의 체도(體度)가 가즉하거늘, 위태 어리게 사랑하는 정과 유녀의 탐탐 귀중하는 마음이 어찌 조부인이나 다르리오마는, 사마(司馬)의 안광이 어찌 그 불인함을 모르리오. 악모와 위흉을 대하면 심기 서늘하여, 윤추밀 같은 어진 재상의 태부인과 처실이 저같이 불인함을 차석하거늘, 위태는 흉휼하나 눈치 알기는 유녀만 못함으로, 하후(侯)의 마음을 알지 못하고, 악물었던 입을 열며 천만 살[671]이나 찡그렸던[672] 살을 펴고, 하후의 입공반사(立功班師)[673] 함을 치하하며 부귀융융(富貴融融)함을 즐겨할 새, 손녀의 유복함을 스스로 대찬하고, 초후의 재덕이 일세에 무적임을 일컬어, 붉은 눈을 혹 독히 떠 이따금 탄식하여, 자기는 아들과 손아

---

671) 살 : 구김살·주름살·이맛살 등처럼 주름이나 구김으로 생기는 금.

672) 찡그리다 : 얼굴의 근육이나 눈살을 몹시 찌그리다.

673) 입공반사(立功班師) : 전장에 나아가 승리하여 공을 세우고 군사를 이끌고 돌아옴.

에게 저런 경사를 보지 못하였음을, 길이 혀 차고 가로되,

"현이 있던들 나도 남을 부러워함이 없을 것을, 팔자 박하여 저를 여읜 후, 가중 만사 다 그릇 되니, 이 설움을 풀 날이 없으리로다."

이처로 어리게 굴다가, 초후 일언을 다시 하는 일이 없으매 어리고 우습게 보임이 극한지라. 하후 저런 괴이한 형상을 보기 괴로와 태우를 향하여 매제 보기를 이르고, 위・유에게 하직하고 시녀로 소저의 방을 가르치라 하니, 비영이 압서 소저 방에 이르니, 유녀 하원수의 즉시 올 줄 헤아려 세월을 옮겨, 채련각에 병장(屛帳)을 갖추어 상문(相門) 자부(子婦)의 존귀를 누리는 듯이 하여, 초후로 하여금 자기 악사를 영영 모르게 만든지라.

하사마 채련각에 들어가 볼새, 세월이 개용단의 요괴로옴을 인하여 완연이 하소저의 얼굴이 되어 상요(牀褥)에 누었다가, 초후를 보고 일어 맞아 반기는 빛을 과도히 하나, 사마 문득 세월을 보매 반가움을 알지 못하여 그윽이 불평하니, 비록 알지 못하나, 진정 매제는 참화를 만나 초하동에 인사를 모르고 누었거늘, 윤부 천비 세월로써 누이라 하여 골육의 정이 날 길이 있으리오. 자기 마음이나 수상하고 괴이하여 생각하되,

"내 돌아오며 즉시 소매를 보지 못하니, 훌연한 심사를 이기지 못하여 저를 보면 반가울 줄 알았더니, 어찌 도리어 심기 불안하뇨? 아지못게라! 제 병이 위중하여 스스로 경동하민가."

이처로 생각하여 즉시 말을 못하다가, 날호여 왈,

"우형이 돌아오되 현매 유질하여 오지 못하니, 한가지로 부모를 모셔 즐기지 못함이 흠사(欠事)라. 원간 병이 어떠하뇨? 만일 움직여 취운산을 갈 수 있으면, 우형이 이제 거교를 차릴 것이니, 한가지로 돌아감이 무방할까 하노라."

세월이 담을 크게 하고, 하소저 얼굴을 빌어 하후와 가까이 대하여 부

모의 존후를 물으며, 입공 반사함을 하례하나, 스스로 경황 축척한 의사 점점 더하여, 신음하는 소리로 대왈,

"소매 대단이 질통(疾痛)하는 일은 없으되, 비위 거슬러 음식을 나오지 못하는지라. 즉금은 움직일 길이 없으니, 명일 가고자 하나이다."

사마 왈,

"일일지간(一日之間)이 얼마치리오[674]. 우형과 한가지로 행함이 어떠하뇨?"

세월이 대왈,

"소매 아침 죽음을 마셔보아 거스르는 일이 없으면 가리니, 거거는 돌아가 거교를 차려 보내소서."

정언간 정당 시녀 금반옥기(金盤玉器)에 팔진경장(八珍瓊漿)[675]을 가득이 버리고, 주배(酒杯)를 들어 앞에 나오니, 초후가 본디 주량을 존절(撙節)하여 일이배(一二杯) 밖은 접구(接口)치 않음으로, 주배를 나오고 성찬을 맛본 후, 소저의 앞에 상을 밀어 과실이나 맛보라 하더니, 세월이 미죽(糜粥)을 가져 왔으니 세월이 짐짓 강인하여 마시는 체하고, 사마더러 왈,

"먹은 것이 내린 후 갈 것이니 거거는 어서 돌아가 거교(車轎)를 보내소서."

답하고, 날호여 외루에 나와 태우로 담화하다가 취운산으로 돌아오니, 하객이 분분(紛紛)하고 요요(擾擾)하더라. 초후 대서헌의 들어가 부친을 모셔 빈객을 수응(酬應)할새, 모다 하례함을 마지않더라.

---

674) 얼마치리오 : 얼마나 하리오. 얼마; 얼마.

675) 팔진경장(八珍瓊漿) : 팔진지미(八珍之味)와 옥액경장(玉液瓊漿)을 함께 이르는 말로, 아주 잘 차린 음식상에나 갖춘다고 하는 여덟 가지 진귀한 음식과, 맑고 고운 빛깔과 좋은 향을 갖추어 신선들이 마신다고 하는 술을 뜻한다.

초후가 군관을 분부하여 거교를 차려 옥누항에 보내어 소저를 모셔오라 하니, 시노(侍奴) 등이 군관의 말을 좇아 채교를 메고 빨리 옥누항에 이르러, 소저를 모시러 왔음을 이르니, 이때는 태우는 옥화산에 가고, 위·유 세월을 천만 당부 왈,

"일이 공교하여 광천은 나가고 없으니, 너의 거동을 볼 이 없고, 원간 의형이 완연한 하씨니, 사광(師曠)의 총(聰)이라도 깨닫지 못하리니, 모름지기 외면회단(外面回丹)을 가져 금일 내로 탈신하여 돌아오라."

세월이 수명하고 외면회단을 옷고름에 차고, 두 부인께 하직하고 장씨로 분수할 새, 장씨는 출세한 위인이라, 가중 사기 수상하여 시녀 창섬으로 하여금 두 부인의 문답사를 들으라 한즉, 벌써 하씨를 짓두드려 없애고, 세월로 대신을 삼아 변용하는 약을 먹여 하가로 보냄을 들으니, 몸이 떨리고 뼈 쓰림을 이기지 못하는 가운데, 하씨를 위하여 통도 비상함이 골육동기 상사(喪事)를 만남 같으나, 존당 존고가 기이는[676] 것을 자기 서어(齟齬)한[677] 일을 아는 체하였다가, 급히 화를 만남이 있을까 하여 슬픔을 참고 세월로 흔연히 분수하니, 뉘 심회를 알리오.

경아의 소견인즉, 하씨를 죽여 없이하고 말을 퍼뜨리되 음분도주하다 하여, 하가가 들으면 노분(怒忿)을 참지 못하여 현아에게 연좌를 쓰고자 함이러니, 유씨의 뜻이 저와 달라, 세월을 변형하여 하부로 보내니, 이제는 자취를 감초아도 하가가 딸을 데려다가 잃은 탓이 되고, 윤씨께 연좌할 일이 없으니, 저의 악악불인(惡惡不仁)으로도 차마 동복(同腹) 일제(一弟)를 해하라 발구(發口)치 못함은, 모친이 듣지 않을 것이니 세월 보내기를 막지 못하나, 크게 앙앙함은, 현아의 부귀 복록이 저의 바랄

---

676) 기이다 : 숨기다. 어떤 일을 숨기고 바른대로 말하지 않다.
677) 서어(齟齬)하다 : 익숙하지 아니하여 서름서름하다.

바 아니라, 그윽이 미움을 이기지 못하더라.

이날 세월이 하씨(河氏)인 체하고 취운산에 이르러 조부인께 현알할 새, 하공 부자는 날이 어둡도록 외헌에서 빈객을 수응하다가, 소저 왔음을 알되 들어가 보지 못하고, 조부인은 여아로 알아 바삐 손을 잡고 근근체체(懃懃棣棣)[678] 한 정을 이기지 못하여 앓는 곳을 물으니, 세월이 오히려 앓는 소리로 대왈,

"통처가 중(重)튼 않으나, 사지(四肢) 무겁고 사식지념(思食之念)이 없나이다."

부인이 근심하여 편히 누어있으라 하니 세월 왈,

"소녀 정신이 아득하여 언어에 생각이 없고, 가득한 회포를 아직 고치 못하겠으니, 잠깐 조보(調保)하여 기운이 낫거든, 거거로 더불어 부모 슬하에서 누월 영모하던 하정(下情)을 고하오리니, 종용한 방사(房舍)를 가려 눕게 하소서."

부인이 즉시 안정(安靜)한 방사를 정하여 소저를 누어있으라 하니, 윤부인은 식청(食廳)에서 찬선을 친집하여 구고의 감지 온랭(溫冷)을 맞추느라, 소고의 옴을 알지 못하였다가, 존고의 부르심을 좇아 들어가 소저를 볼 새, 반김을 이기지 못하나, 외헌에서 연하여 주찬을 내라 하는 고로 즉시 나가니, 세월은 도리어 현아 소저의 다사함을 깃거 가슴에 상처가 없음으로 의심치 아니할 바를 희행하나, 정병부의 입을 막지 못하니 어찌 하공 부부 모자가 모를 리 있으리오.

작일 금평후 초하동에 이르러, 학사와 유흥을 데리고 하씨의 병소에 가, 소저를 본즉, 목 위에 실낱같은 명맥이 끊어지지 않았을지언정, 완

---

678) 근근체체(懃懃棣棣) : 정성스럽고 은근함.

연이 만신에 피 흐르는 시신(屍身)이라. 두루 금창약(金瘡藥)[679]을 발라 그 얼굴이 보기에 무서우니, 금평후의 단엄 침중함으로도 이 경상을 보매, 하염없이[680] 양항루(兩行淚)를 금치 못하여 옷을 적시니, 학사 위로 왈

"생기 점점 있어 처음보다는 많이 낳으니, 대인은 놀라지 마시고 잠깐 진맥하소서"

금후 소저의 손을 잡아 맥을 본즉, 과연 태맥이 완연하여, 친히 약음과 죽을 떠 넣으며 진부인을 돌아보아 왈,

"제 몸이 이다지도 상하되 복아가 떨어질지 않았으니, 이 필연 하늘이 모자를 각별히 보호하여 살기를 얻게 함이니, 어찌 범연한 일이리오."

진부인이 지극 구호하고 금후 또한 병소에서 구호하더니, 효신(曉晨)에 하씨 문득 양안을 희미히 뜨는지라. 금평후와 진부인이 만심 희열하여 좌우로 손을 잡고, 문 왈,

"여아는 우리를 아는다?"

하씨 오래 대답지 못하더니, 겨우 목 안에 소리로 답하되,

"어찌 모를 것이라 새로이 무르시나이까?"

부인이 비색을 감추고 소왈,

"상공과 내가 왔으되 어찌 한 소리 반기는 정을 펴지 아니하느뇨?"

하소저 비로소 정신을 잠깐 차려, 유씨의 두드리던 바를 알되, 이곳이 아무 곳임을 알지 못하고, 무슨 연고로 양부모 자기를 구하여 살려냈는가. 그 곡절을 알지 못하여, 겨우 소리를 이뤄 가로되,

---

679) 금창약(金瘡藥) : 칼, 창, 화살 따위로 생긴 상처에 바르는 약. 석회를 나무나 풀의 줄기와 잎에 섞어 이겨서 만든다. ≒금창산(金瘡散).

680) 하염없다 : 멍하니 이렇다 할 만한 아무 생각이 없다.

"이 곳이 어디이며 대인과 태태 어찌 소녀를 붙잡아 계시니까?"

금후와 부인이 그 인사 앎을 천만 행열(幸悅)하여 이르되,

"너의 액회 어찌 이를 것이 있으리오."

인하여, 하원수의 돌아옴을 이르니, 하소저 이에 양부모의 이 같은 자애를 각골감은 하며, 거거의 돌아옴을 듣고 반김이 극하나, 자기 화란이 참참(慘慘)하고 죽기를 면함을 이상히 여겨, 길이 탄식하고 말을 않으니, 금평후 미음을 가져 떠 넣으며 지극 구호하니, 소저 황공 민망하여 스스로 마시고자 하나, 어찌 몸을 운동할 의사를 내리오. 이에 고 왈,

"시녀 등이 있으니 대인이 떠 넣으시도록 하리까?"

금후 소왈,

"시녀배 용렬하여 떠 넣기를 나같이 못할 것이요, 내 매양 너를 지켜 있을 것이 아니라. 조반 후 즉시 취운산으로 가려 하니, 이곳은 초화동이요, 우리 잠정이니라."

소저 미음을 겨우 먹고, 다시 가로되,

"소녀 옥누항에 있다가 이리 온 곡절을 알지 못하옵나니, 원컨대 자세히 이르소서."

진부인 왈,

"너의 존고 짓두드려 궤에 넣어 강수에 띄우려 하니 어찌 애달지 않으리오."

소저 감히 존고를 원망치 못하나, 전일을 생각하매 놀랍고 심기 서늘하여 한 말을 않고, 오직 약과 죽물을 착실히 먹어 부디 죽지 말고자 하는지라. 양부모 그 뜻을 알고 더욱 어여삐 여기며, 위로함을 지극히 하여 병회를 안온히 하라 이른즉, 소저 수명하여 왈,

"소녀 생부모와 양부모 재시에 몸이 죽어 불효를 끼치지 않으려 하는 바라. 하늘이 죽이지 않으시면 소녀는 죽을 마음이 없으되, 다만 이런

흉참한 거동을 부모께 뵈오니, 차라리 죽어 불효를 끼침만 같지 못하와, 첩첩한 불효를 쌓을 곳이 업도소이다.”

금후 어루만져 약을 그치지 말라 하며, 조반 후 취운산으로 갈새, 학사는 이따금 수일씩 이 곳에 머물게 하여 데려가지 않으니라. 금후 돌아오매 태부인이 하씨의 병을 물으니, 금후 사경(死境)을 면하였음을 고하고, 외루의 나와 남후를 대하여 하아의 정신 차림을 이르니, 남후 만심 환열하여 잠깐 초하동에 가 하씨를 보려 할 새, 부전에 고 왈,

“하 연숙(緣叔)이 대인이 성내에 머무시는 연고를 묻거늘, 경부에 가 계심으로 고하였나이다.”

금후 탄 왈,

“하형이 대개 자녀에 다다라 팔자 괴이한 사람이라. 본디 자기 굿긴 심장이 녹기를 면치 못하리니, 아직은 이르지 말 것이라.”

남후 대왈,

“약을 착실히 하면 하[681] 관계치 아니하오리니, 대인은 염려치 마소서.”

인하여 하씨를 잠깐 보고 옴을 고하니, 금후 허락한대, 남후 초하동에 이르러 병세를 묻고 개유 왈,

“이 다 천수(天數)니 과념(過念)치 말라.”

하니, 소저 아무 말도 아니하고 양부모와 거거의 대은을 폐부(肺腑)의 새기고, 그 거거의 입공반사(立功班師)함을 행열하여 병중에 위회함이 되고, 약효 점점 신기한지라. 이 날 남후 약을 더 지어 두고 돌아 오니라.

진부인이 여아의 참잔(慘殘)한 경상을 보니, 지극히 인자한 마음에 애련 참담함이 어찌 친녀 혜주 소저와 다름이 있으리오. 종야토록 접목치

681) 하 : (원인을 나타내는 경우나 의문문에 쓰여) 정도가 매우 심하거나 큼을 강조하여 이르는 말. ‘아주’, ‘몹시’의 뜻을 나타낸다.

못하더라.

이적에 하부 조부인은 세월 요비를 자기 여아로 알아, '진실로 병이 있는가.' 염려 무궁하고, 윤씨는 심우(心憂) 번다하나 사람이 바뀜은 천만 무심하였더라.

어시에 하공 부자가 손을 접응하여 날이 어두운 후 내당에 들어와 소저를 부르니, 세월이 대답하되,

"소녀 연일 신음하던 바로, 이곳에 오매 정신이 아득하여, 이미 옷을 끄르고 누었으니 명일 신성에 참예 하리이다. 초후는 그 인사를 괴이히 여기나, 하공은 여아 볼 뜻이 급하여 그 누운 곳에 들어가 통처(痛處)를 물으니, 세월이 금금(錦衾)을 두르고 앓는 체 하다가, 마지못하여 일어나 앉으나 사색이 가장 불평한지라. 하공이 놀라 편히 조리하라 하고 그 손을 잡아 애중함을 마지아니하되, 초후는 방중에 들어가지 않고, 지게 앞에 서서, 누이 거동이 전일과 많이 달라졌음을 괴이히 여겨 가만히 생각하되,

"소매 비록 기특하나 연기(年紀) 유충하여서 위・유의 슬하 되어 눈으로 보는 바와 귀로 듣는 일이 한 일도 법도가 없으니, 점점 그릇 되었는지라. 내 결단하여 이곳에 두고 윤가에 보내지 않으리라."

의사 이에 미쳐 불평함을 마지아니하고, 부친을 모셔 태태의 침전에 들어가니, 부인이 바야흐로 여아의 병을 근심하여 미우를 펴지 못하는지라.

공이 문 왈,

"아자가 입공승전하여 돌아오고, 딸을 또 데려와 누월 그린던 정을 펴매, 부인께 남은 근심이 없거늘 무슨 일로 미우를 펴지 못하시뇨?"

부인이 대왈,

"명공의 이르시는 바 마땅하나, 여아가 음식을 거스르며, 사지 무거워 기거를 임의로 못하니 병근이 비상한지라. 어찌 염려스럽지 않으리오."

초후 왈,

"매제의 병이 경치 아니하오나 과도히 염려하시어 무익하오니, 금일은 가히 소요하여 빈객을 응접하기로 미처 틈을 얻지 못하였사오나, 명일부터 의치(醫治)를 착실히 하여 쉬이 차성(差成)케 하오리니, 자위는 물우(勿憂)하소서."

하공이 또한 부인을 위로하고, 이미 야심하매 초후 부모의 상요를 바로 하여 취침하심을 청하니, 공이 점두 왈,

"우리 자기는 네 이르지 않으나 상요의 나아가려니와, 네 전진(戰陣) 새외(塞外)에 구치(驅馳)하여 잇블지라[682]. 금야는 채원각의 가 편히 자라."

초후 승명이퇴(承命而退)하여 채원각으로 나아가는 길에, 소매 누운 곳에 이르러, 창외에서 물어 왈,

"매제 즉금은 통세 어떠하뇨?"

세월이 대왈,

"소매 병을 임의로 못하고 부모의 우려를 돕사오니, 절박함을 형상치 못하나이다."

초후 매제의 거동이 전일과 다름을 애달라 하나, 그 병을 염려하여 명일 약을 지어 고치려 하더라.

시에 윤소저 모친께 맞은 머리와 팔이 크게 덧나 쑤시기를 마지 않되,

682) 잇브다 : 고단하다. 수고롭다. 힘들다.

초후 돌아오므로 가중이 소요하고 빈객이 그칠 사이 없어, 대객지절이 더욱 번다하니, 일신이 안한치 못하여 상처를 보지 않았더니, 금야는 마침 하공이 외루에서 숙침하고, 초후는 밖으로 나간 줄로 알아, 촉하(燭下)에서 자기 팔을 내어 본즉, 바야흐로 성농(成膿)하여 완연히 종기(腫氣) 되었거늘, 머리 더욱 심히 아픈지라. 벽난을 불러 운발을 헤치고 어떠하였는고 보라 하니, 벽난이 경악하여 왈,

"두골이 상하여 계시거늘, 일일도 조리치 아니하시고 바람을 들여 계시니, 실로 파상풍(破傷風)683)이 두려운지라 이제나 조심하소서."

소저 탄 왈,

"나의 머리와 팔이 비록 덧나나, 다른 병을 칭하고 들어있기도 구고의 염려를 더함이라. 나이 청춘에 이만한 상처를 못 견디리오. 그러나 약을 얻어 쓰면 두골이 완합(完合)할 것이로되, 이목이 번거하여 쾌치 않은 말을 들놓지 못하나니, 너는 금창약(金瘡藥)684)을 얻어오라."

벽난이 수명하고, 문득 슬피 왈,

"본택 부인이 소저의 말씀을 듣지 않으시고, 이전부터 대소저의 말만 곧이들으시고 하소저 거느리심이 불근인정(不近人情)하시니, 초벽 등의 원망이 철골(徹骨)함을, 소비 듣자오니 한심함을 이기지 못하옵나니, 하소저 엄금하시나 매양 따라 다니지 못하실 것이니, 초벽 등의 입을 어찌 막으리까? 만일 정당 부인이 아시면 어찌 분노하심이 적으리까?"

---

683) 파상풍(破傷風) : 파상풍균이 일으키는 급성 전염병. 상처를 통하여 감염하며, 몸속에서 증식한 파상풍균의 독소가 중추 신경, 특히 척수를 침범함으로써 일어난다. 입이 굳어져서 벌리기 어렵게 되고, 이어서 온몸에 경직성 경련을 일으킨다.

684) 금창약(金瘡藥) : 칼, 창, 화살 따위로 생긴 상처에 바르는 약. 석회를 나무나 풀의 줄기와 잎에 섞어 이겨서 만든다.

윤소저 한 소리를 길이 느끼고, 왈,

"너는 어지러운 말로써 나의 타는 간장을 다시 녹이지 말라. 내 명도(命途) 괴이하여 십이 세로부터 김가의 욕을 면코자 하여 너를 데리고 강정에 가 머물매, 행여 부친이 돌아오시기 전에, 모친이 아실까 주야 공구(恐懼)한 마음이 간절하다가, 겨우 대인의 돌아오시기를 임하여 집의 들어가매, 해 바뀌어 신정이 된 후, 문득 먼 이별이 아득하여 촉지(蜀地) 출녀(出女)[685]되기를 면치 못하니, 사친지회(思親之懷)와 신세의 괴로움이 어찌 즐거운 때 있으리오마는, 구고의 은택을 우러러 친부모 이측(離側)한 사정을 비추지 못하고, 좋은 듯이 여러 세월을 지내어, 금년에 다다라는 천도 하문의 지원극통을 살피사 누얼을 신설하니, 비록 은사를 입어 상경하고 하군이 득의하여 작차(爵次) 공후(公侯)에 거하고, 내 또 팔좌(八座)[686]의 존귀를 가졌으나, 일심(一心)에 측하고[687] 흉참함은 촉지에서 신혼 초일에 흉적이 침당을 돌입하여, 음악난설(淫惡亂說)이 나의 전정(前程)을 마치고자 하는지라. 내 평생 절의를 크게 여겨 비록 효를 완전치 못하나, 계집의 절의는 백행(百行)의 원(元)으로 알아, 비상(臂上)의 글자를 위하여 강정 고초를 감심하고, 누구라도 내 뜻을 앗으면 죽기를 결단하려 하던 일이 '그림의 떡'[688]이 되어, 사람의 천루(賤陋)히 여김을 받으니, 어찌 절절(切切)히 분완(憤惋)치 않으리오."

하더라.

---

685) 출녀(出女) : 출가녀(出嫁女). 시집가는 여자.

686) 팔좌(八座) : 여기서는 '팔좌명부(八座命婦)를 이르는 말. *팔좌명부(八座命婦) : 팔좌(八座)에 오른 고위 관리의 부인. 팔좌는 중국 수나라·당나라 때에, 좌우 복야와 영(令)과 육상서를 통틀어 이르던 말.

687) 측하다 : 추악(醜惡)하다. 언짢다. 보기 싫다. 원망스럽다. 정도에서 벗어나다.

688) 그림의 떡 : 화중지병(畫中之餠). 아무리 마음에 들어도 이용할 수 없거나 차지할 수 없는 경우를 이르는 말.

ℵ

명주보월빙 권지사십구

어시에 윤소저 가로되,

“내 평생 명절(名節)을 귀히 여기던 일이, 다 그림의 떡이 되어, 사람의 천루(賤陋)히 여김을 받으니, 내 설사 여자의 구차한 몸이나, 가세(家勢) 남의 아래 있지 아니하고, 대인이 조그만 일도 사람에게 실신무의(失信無義)함을 뵈지 않으시니, 부운 같은 누명을 탄할 것이 아니요, 존구(尊舅)가 언두(言頭)에 내 허물을 이르지 않으시니, 내 또 작죄한 일이 없이 기인(棄人)[689]으로 자처함이 괴이하여, 행세를 예사로이 하나, 하군이 나를 염치없이 여김과, 무고히 측히[690] 여기는 형상을 스치건대[691], 어찌 원억치 않으리오마는, 내 마음은 일월에 비추며 신명(神明)에 질정(質定)하여도 부끄럽지 아니하고, 저의 나를 알지 못함이 지감(知鑑)이 불명한 탓이니, 이런 일을 물외(物外)로 던져 인륜대사를 생각지 아니하거늘, 금번 귀녕하여 모친과 조모의 실언 실덕하심과, 소고에게 불평지사 허다함을 헤아리매, 차라리 내 몸이 없어져 본부 소식을 듣지 말고자 하나니, 우리 대인이 하문에 은혜를 끼치시고 추호도 저버

---

689) 기인(棄人) : 도리에서 벗어난 행동을 하여 버림을 받은 사람.
690) 측하다 : 추악(醜惡)하다. 언짢다. 원망스럽다. 정도에서 벗어나다.
691) 스치다 : 생각하다. 상상하다.

리신 일이 없더니, 모친이 실덕하시므로 좇아 우리 집이 다 그릇 되고, 종제(從弟)와 사제(舍弟)의 성명이 위태하니, 아무리 생각하여도 좋은 도리를 얻지 못하고, 소고(小姑)의 불평함을 인하여 윤·하 양문의 화기를 잃어버릴 바를 각골(刻骨)하여 하되, 내 말이 마침내 효험이 없고, 가사(家事)가 아무리 될 줄을 알지 못하니, 심장이 여할(如割)하여 식음(食飮)이 목에 넘지 아니하고, 잠이 편치 않은지라. 내 너로 더불어 명위노주(名爲奴主)나 실은 향규마역(香閨莫逆)[692]이라. 심사를 금일 펴나니, 너는 자주 옥누항에 왕래하여 기괴한 변이 있거든 알게 하라."

벽난이 대왈,

"소저의 말씀이 마땅하신지라. 본부 부인이 소저의 마음을 모르시니, 하소저 거느리심을 점점 인정을 머무르지 않으시면, 실로 양문의 화기 상(傷)하올 것이니, 소저 불평한 때를 당하면 어찌하려 하시나이까?"

소저 탄 왈,

"진정으로 모친이 나의 마음을 알지 못하시고, 구가도 하군이 나를 음악한 유(類)로 아나니, 사람이 미(微)하고 행실이 출류(出類)치 못하여, 여자 되어 친모와 소천(所天)이 다 뜻을 모르거든 그 밖을 이르랴. 다만 불평지사(不平之事) 있어, 구고 죽으라 하시면 하릴없거니와, 그렇지 않은즉, 비록 편할 도리 없어도 부디 살아 장래를 보고자 하나니, 나는 아무 위란한 일이 있어도 경이(輕易)히 죽지 말고자 하는 바라. 다만, 조모와 모친의 실덕을 생각하면 경각에 스러져 모르고자 하노라."

인하여, 노주(奴主) 오읍(嗚泣)하기를 마지않는지라.

이때 초후 채련각에 다다라 창외에서 윤씨의 말을 들은지라. 성례 후

---

692) 향규마역(香閨莫逆) : 향규막역(香閨莫逆). 규방의 허물없이 친한 벗. 마역; 막역(莫逆).

오년에 윤씨 금야의 처음으로 사실(私室)에서 말함을 들으니, 도리어 괴이히 여겨 듣기를 다하매, 일변 놀라고 일변 다행하니, 놀람은 유부인의 사나움이오. 그 매제를 못 견디게 보채는 바를 지기(知機)하매, 동기를 위한 마음이 차악(嗟愕)함을 이기지 못하고, 다행함은 '윤씨로써 일분이나 음일지사(淫佚之事) 있는가.' 의심함이 있다가, 차언(此言)으로써 보건대, 절행이 초세(超世)하여 반드시 미혼 전 유씨 딸의 절개를 희지어 김가에 성친하려 하던 바를 짐작하매, 그 악모 행사 이 같음을 분완하고, 윤씨 유충한 연기로 절의를 굳게 잡아 타문을 생각지 않아, 가부로 하여금 감격게 하였거늘, 자기는 저 같은 숙녀를 음참지사(淫僭之事)로 의심하여, 오년을 이심(已甚)히 박대하였으니, 저의 이름 같이, 지감(知鑑)이 불명한 연고라. 평생을 총명 특달함이 자기 위에 오를 이가 드물 것이라 하여, 사람을 한 번 보매 오장육부(五臟六腑)를 꿰뚫어 앎이 있는 듯하던 바로써, 윤씨를 알아보지 못하여 단장(斷腸) 박명(薄命)을 끼침이 스스로 참괴한지라.

이윽히 지당(池塘)에 산보하여 고문(古文)을 음영하니, 윤씨 노주 초후의 소리를 듣고 누흔(淚痕)을 거두더니, 날호여 초후 입실하니, 벽난이 장외로 퇴하고, 부인이 일어나 맞아 멀리 좌하매, 초후 눈을 들어 양구(良久) 숙시(熟視)하니, 아리따운 태도와 윤염(潤艶)한 광채가 암실에 조요하니, 춘양화기(春陽和氣) 무르녹아 일점 가린 것이 없는 듯하여, 풍화한 면모에 춘양(春陽)이 무르녹고, 엄중한 위의는 한월(寒月)이 설상에 바애는 듯, 효성(曉星)같은 양안(兩眼)과 원산(遠山) 같은 아미(蛾眉)는 천지 정화를 거두어, 숙덕 성행이 출어범류(出於凡類)하니, 진정 임사(妊似)의 덕량(德量)이며 사군자(士君子)의 풍(風)이라. 부부 양액(兩厄)이 쾌히 진하매, 하후의 애중하는 마음과 공경하는 의사 전일과 내도하되[693], 사람됨이 규녀에게 녹녹히 위의를 잃지 않으려 하였는지라.

묵묵 정좌하여 말이 없으니, 윤소저 먼저 저의 입공반사(立功班師)함을 칭하(稱賀)할 줄 알되, 저를 대하면 자기를 천루(賤陋)히 여기는 것을 생각한즉, 지은 죄 없이 참괴할 뿐 아니라, 본디 무사무려 하여 세상 인사 정리를 모르는 사람같이 함으로, 장부를 대하여 말을 시작함이 괴로워, 홍수(紅袖)를 정히 꽂고 양미(兩眉)를 낮추어 오래도록 입을 움직이지 아니하니, 초후 부인이 아까 말을 길게 시작하여 쾌히 이르다가, 자기를 대하여는 한 말도 않음을 그윽이 매몰이 여겨, 날호여 시녀로 금침을 포설하라 하니, 난이 나아와 부부의 금침을 포설하고 즉시 물러나니, 초후 부인의 곁에 나아가 짐짓 상처를 보고자 하여, 이에 홀연(忽然)이 손을 잡고 왈,

"부인이 금일 친영한 신부 아니거늘 수습하기를 새로이 이같이 하시느뇨? 반년지내(半年之內)에 이친(二親)을 모셔 대단한 사고 없이 지내시니 영행하되, 나의 미흡한 바는 매제로 더불어 부모께 시봉치 아니하고, 생이 초지(楚地)로 출정(出征)한 후 소매 즉시 옥누항으로 나아갔다가, 생이 돌아온 후 비로소 데려오니, 그 몸이 성함도 얻지 못하여 병이 경치 않은지라. 질고(疾苦) 유무는 아무 데 있어도 임의로 할 바 아니거니와, 소매를 데려오기는 부인이 악모께 서간만 허비하여도 쾌히 허하실 것을, 어찌 이만 쉬운 일을 아니하여 부모의 생각하시는 정을 돌아보지 아니하시뇨?"

윤씨 한설(閑說)을 않고, 다만 입공 반사함을 치하하고, 소고를 데려오지 못함이 불민(不敏)한 탓임을 일컬어 온유(溫柔)히 사사할 따름이라.

초후, 좌우에 사람이 없고, 장성(長成)한 남자가 누월 집을 떠나되 한낱 창기를 유정함이 없어, 행신을 도 닦는 고승같이 하나, 윤씨의 백태

---

693) 내도하다 : 판이(判異)하다. 크게 다르다. 엉뚱하다.

천광(百態千光)이 새로이 기이함을 대하고, 이미 의심하던 것을 쾌히 풀어버려 부부의 액회 진하매, 비로소 길운이 이르렀는지라. 춘간(春間)에 양몽(良夢)을 얻고 태신(胎身)의 경사가 있을 줄 지기하여, 은정이 여산(如山)하니 어찌 부인의 예(禮) 중 수습함을 돌아보리오.

한가지로 금리(衾裏)에 나아감을 청하니, 윤씨 응연부동(凝然不動)[694]이라. 초후 순설(脣舌)[695]이 무익하여 구정(九鼎)[696]을 경(輕)히 여기는 용력으로, 소저를 붙들어 상요(床褥)에 임하여는 더욱 집수(執手) 연비(聯臂)함을 면치 못하는지라. 어찌 그 상처를 모르리오. 이미 아까 하던 말을 다 들었는지라. 머리와 팔이 다 상함을 알았으되, 거짓 모르는 체하여 놀라는 빛을 지어 촉을 가까이 놓고 본즉, 두골이 파상풍(破傷風)이 쉽고, 팔이 두루 부어 성농(成膿)하여 파종(破腫)케 되었는지라. 유씨 수단이 이다지도 모질어 오년을 상리(相離)하였다가, 금년에 비로소 상경하여 수삼일씩 얼핏 왕래하는 딸을 피 나도록 상(傷)하게 하여, 대단키에 미침을 보매, 그 자부는 더욱 이를 것이 없을지라. 분연 통해하여 재삼 상한 곡절을 물으니, 윤씨 차마 바로 이르지 못하여 몽롱이 대하되,

"우연이 높은 데 있는 것을 내리다가 실수하여 상함이로소이다."

초후 정색 왈,

"부인이 사람을 어찌 어둡게 여기느뇨? 부인의 상처가 그릇에 상함이

---

694) 응연부동(凝然不動) : 자리에 붙은 듯이 단정하게 앉아 움직이지 않음.

695) 순설(脣舌) : 입술과 혀를 아울러 이르는, 말로 '말' 또는 '수다스러움'을 비유적으로 이르는 말.

696) 구정(九鼎) : 중국 하(夏)나라의 우왕(禹王) 때에, 전국의 아홉 주(州)에서 쇠붙이를 거두어서 만들었다는 아홉 개의 솥. 주(周)나라 때까지 대대로 천자에게 전해진 보물이었다고 한다.

아니요, 분명이 금창(金瘡)[697]터가 있거늘, 무슨 연고로 은닉하기를 이다지도 하느뇨? 생이 비록 미세하나 위거후백(位居侯伯)이요, 부인이 연소하나 팔좌지위(八座地位)를 가졌으니, 설사 허물이 있으나 매를 들어 그대도록 난타할 이 없을지라. 아지못게라! 어찌된 거조(擧措)이뇨? 곡절을 이르라."

언파에 미우(眉宇) 씩씩하니, 윤씨 참괴함이 사사(事事)에 모친의 패악을 슬퍼하여 말이 나지 않으니, 자연 옥면에 홍광(紅光)이 취지(聚之)하여 오래도록 대답지 못하는지라. 초후 봉안을 기우려 뚫어질 듯이 보다가 차게 웃고 왈,

"부부는 일일지간(一日之間)에도 그 마음을 안다 하되, 부인의 일은 범사(凡事)에 나를 은닉(隱匿)하기를 위주하여 외대하기를 못 미칠듯이 하니, 이 어찌 여자의 도리리오. 그대 상(傷)한 바 참괴한 곡절이 많은가 싶거니와, 나를 대하여 못 이를 말이 어디 있으리오."

윤씨 초후의 말이 이 같기의 미처는, 제 도리어 자기를 서어(齟齬)한가 책망함이 가소로워, 사사에 여자 됨이 어려운 줄 한하나, 사색치 않고 마침내 입을 열지 않으니, 초후 이미 그 상한 곡절을 모르지 않으나, 소저의 이르지 않음을 분연하여, 이에 벽난 등 시비를 불러 엄문 왈,

"여등이 주인을 좇아 따름이 있으니 모를 일이 없으리니, 머리와 팔이 분명히 맞아 상한 곳이니, 아무 어려운 일이라도 직고하여 기망한 죄를 얻지 말라."

영과 난이 초후의 맹렬 엄숙함을 두려, 머뭇거리다가 대왈,

"부인이 수삼일 전 귀녕하여 계시다가 겨우 일야를 지내고 오시대, 팔과 두골이 상하여 계시나, 소비 등이 모셔 가지 못하였으므로 곡절을 모

---

697) 금창(金瘡) : 칼, 창, 화살 따위로 생긴 상처.

르오대, 분명이 옥누항에 가 상(傷)하여 계시니이다.”

초후 부인의 좇아갔던 시녀를 부르라 하여 힐문하니, 여출일구(如出一口)[698]히,

“유부인이 순금(純金) 서징(書鎭)[699]을 들어 친 것이 매우 상하여 계시이다.”

초후 다시 말을 아니하고 낭중(囊中)의 침을 내어 팔에 성농(成膿)한 것을 파종(破腫)하고, 금창약을 얻어 소저에게 던지며, 정색고 가로되,

“유부인의 포악한 행사는 그대 상처로 좇아 쾌히 알지라. 악장(岳丈)의 내상이 어찌 그리 대악(大惡)할 줄 뜻하였으리오. 악장은 우리 집에 무궁한 은혜를 끼쳐 계시니, 나의 감덕함이 수심명골(樹心銘骨)[700]하는 바거니와, 당차시 하여는 그대 집 거동과 유부인의 패악이 가장 끝을 여물[701] 모양이라. 나의 일매(一妹)로 하여금 무슨 곡경이 있을 줄 몰라, 장차 적지 않은 심우(心憂) 되는도다. 친생 여아를 해포[702] 상리(相離)하였다가, 겨우 상경하여 이따금 왕래하는 것을 이렇듯 비인정의 거조가 있으니, 그 며느리 괴로워함은 묻지 않아 알 것이니, 소매의 신세 어찌 해롭지 않으리오.”

소저 실로 낯이 달아[703] 무슨 답언이 쾌히 나리요마는, 제 또한 모친의 현우를 채 알지도 못하고, 나무람[704]을 용납할 땅이 없게 함을 깊이

---

698) 여출일구(如出一口) : 한 입으로 말한 듯이.

699) 서징(書鎭) : 서진(書鎭). 책장이나 종이쪽이 바람에 날리지 아니하도록 눌러 두는 물건. 쇠나 돌로 만든다.

700) 수심명골(樹心銘骨) : 마음에 심고 뼈에 새김. 마음과 몸에 새겨 잊지 않음.

701) 여물다 : 일이나 말 따위를 매듭지어 끝마치다.

702) 해포 : 한 해가 조금 넘는 동안.

703) 달다 : 열이 나거나 부끄러워서 몸이나 몸의 일부가 뜨거워지다.

704) 나무라다 : 잘못을 꾸짖어 말하다.

미안하여, 자연 춘풍화기 사라져 열일(烈日) 냉담(冷淡)함이 설상가상(雪上加霜) 같아서, 비로소 입을 여러 왈,

"첩의 자모 비록 어질지 못하나, 일찍 군후에게 대단한 허물을 뵈지 아니하여 계시니, 말씀이 이다지도 만홀치 않으심 즉하고, 첩이 불능누질(不能陋質)로 성문에 속현(續絃)하여 군자의 건즐을 소임하나, 백행에 한 일도 일컬을 것이 없으되 구고의 무애하시는 은택이 하늘이 낮고 땅이 좁은지라. 첩이 비록 총명하지 못하나 구고의 성은을 각골하여 백년 시봉(侍奉)에 어린 정성을 다하고자 뜻이 있음으로, 적은 질양(疾恙)을 언두(言頭)에 일컫지 못함은 구고의 성려(聖慮)를 두려워함이니, 차고(此故)로 머리털이 상하되 자모의 행사를 유덕(有德)다 함이 아니라, 이 가장 세쇄(細瑣)한 일이니, 군후가 이를 이심(已甚)히 물어 알려 함이 가치 않은가 하나니, 원컨대 침묵하시어 덕화를 수련하시며, 규방의 소소 세밀지사를 간예치 마시고, 소고의 신세를 염(念)하시거든, 이곳에 머물게 하시고 영영히 옥누항에 보내지 마시면, 첩의 자모 소저를 불평케 할 일이 없을까 하나이다."

초후 성례 오재(五載)에 윤씨의 긴 말씀을 들으니 가장 희귀한 일 같고, 저의 함한(含恨)함이 자기 언사 과도함을 면치 못함이라. 다시 책망할 말이 없어 약을 상처에 붙이기를 재촉하여 왈,

"부인이 나의 말이 많음을 이르거니와 남자는 여자 같지 않아, 일개 처모(妻母)를 그대도록 공경하랴? 모름지기 약을 붙여 파상풍하여 죽는 일이나 없게 하소서."

윤씨 바야흐로 약을 얻고자 하던 바에 저의 주는 것을 물리침이 괴려하여, 날호여 상처에 바르매, 초후 금선(錦扇)을 들어 촉을 멸하고 부부 일침지하(一枕之下)에 나아가매, 윤씨의 향염한 기질과 비상한 품격이 새로이 장부의 흠복할 바라. 전일 박대하던 바를 크게 뉘우쳐 자기 불명

함을 스스로 애달아, 평생에 자부하던 총명이 헛곳에 돌아감을 탄하거니, 어찌 갈수록 다시 숙녀의 신세를 불평케 하리오마는, 유씨의 사나움을 통완하여, 자기 일매(一妹)를 못견디게 구는 날은 결하여 분을 풀고 말려 하되, 또 사세 양난(兩難)하여 윤학사의 지성 효우를 헤아리매 유부인을 간대로 질욕지 못할 것이요, 윤씨 같은 성녀명염(聖女名艶)으로써 그 어미 어질지 못한 연좌로 일생이 매몰케 하기도 가치 않아, 다만 생각하되,

"누의 사변(死變)을 경력(經歷)할지라도 그 목숨이 보전한 일이 있으면, 윤사빈으로 붕우지의(朋友之義)를 그르치지 못하리니, 내 유씨에게 은원을 풀지 못할 것이나, 혹자 매제 독수(毒手)에 보전치 못할진대, 사빈과 붕우지정을 의논할 것이 없으니, 내 쾌히 유씨께 분원을 설하고, 윤씨 비록 기특할지라도 영영 출거하여 얼굴을 대치 않으리라."

이같이 사량(思量)하여 매제를 위한 근심에 잠을 이루지 못하고, 윤씨 또한 천사만상(千思萬想)하여 역시 접목지 못하는지라, 초후 그 회포를 그윽이 헤아려 더욱 애석하더라.

차야의 세월이 거짓 앓는 체하고, 일찍 드러누워 합가(闔家) 제인의 잠들기를 기다리더니, 이미 반야(半夜) 된 후 시녀들도 잠이 깊으니, 세월이 이불 가운데서 면회단(面回丹)을 삼켜, 제 본형을 내어 청의 복색으로 급히 내달아, 동산 담을 넘어 수목 사이에 숨었다가, 새벽 북이 동함을 듣고 동산 문으로 바삐 나와 옥누항에 돌아오니, 위·유 이 부인이 대열하여 좋이 탈신(脫身)하여 돌아옴을 행희쾌락(幸喜快樂)하며, 태우와 학사를 마저 없애 남은 염려 없이 황씨 자손을 다 죽여, 전상서(前尙書) 명천공의 후사(後嗣)를 아주 멸절(滅絶)함을 기약하니, 용심(用心)의 극악 흉참함이 점점 더한지라.

이 날 맞추어 윤학사 교지 험로에 무사히 득달하여 상경하매, 먼저 궐하의 나아가니 상이 가장 반기시어 말미 기한 내에 돌아옴을 기뻐하시며, 윤추밀이 교지에 도임한 지 일삭이 못하여서 교화 대행(大行)하고 치정(治政)이 숙엄(肅嚴)함을 칭찬하시니, 이는 안찰사가 교지참정의 애민선정(愛民善政)을 주문(奏聞)하였으므로 상이 알아 계심이더라.

윤학사 퇴하여 집에 돌아와 조모와 양모께 배알하고 삼사 삭 내의 존후를 묻자올 새, 온화한 낯빛과 유열한 성음이며 특이한 용광 풍채가 철석(鐵石)이라도 동할 듯하되, 위・유 양인은 경각에 짓두드려 하씨처럼 죽여 없애고 싶으나, 능히 마음과 같지 못하여 발연 노색하고, 이르기를,

"어리고 주견 없는 양부(養父)를 데리고 온 가지로 존고와 나의 허물을 주작(做作)하여 상공을 농락함이 오직하랴. 보지 않아 짐작하리로다."

학사 양모의 말씀을 들으매 새로이 심회 아득하니, 관을 숙이고 유유묵묵(儒儒默默)[705]이러라. 위・유 추밀의 서찰을 보니, 삼년 사이 가내를 편히 하고 조부인과 구파의 거처를 심방하여, 만일 사망지화(死亡之禍) 없거든 한가지로 모다 지냄을 간절히 청하여 전일로 다름이 없으니, 다만 위・유 양인이 더욱 깃거 않아 이르대,

"요괴로운 놈에게 심정이 다 녹아 타사(他事)를 생각지 아니하고, 음분 도주한 조씨를 어디 가 찾으리오."

하며, 학사를 죽일 놈 벼르듯 하되, 학사는 유유하여 자가의 원민(冤悶)함을 발명치 않더니, 태우 작일 옥화산에 갔다가 이에 돌아와, 학사를 보고 반갑고 기쁨이 아무 곳으로 나는 줄 알지 못하고, 계부의 존후를 묻자와, 원로에 왕반이 무사함을 기뻐하나, 형제 양인이 은우(隱憂)

---

705) 유유묵묵(儒儒默默) : 어떤 일에 대해 딱 잘라 결정을 내리지 못하고, 말없이 잠잠함.

만복(萬福)하여 차후 가변이 아무리 될 줄 알지 못하고, 스스로 위태함이 박빙(薄氷)을 디디며 침상(針上)에 앉은 듯하니, 자며 앉으매 마음이 편치 못하고, 천사만상(千思萬想)하여도 좋은 계교를 생각지 못하니, 날로 촌장(寸腸)이 여할(如割)하여 수미(愁眉)를 펴지 못하고, 숙식을 편히 못하니, 풍광이 많이 수척하였더라. 태우 숙모께 하수의 병을 묻자온대, 유씨 답 왈,

"작일 취운산에서 거교를 보내어 데려 가니 또 야래(夜來) 소식을 몰랐노라."

태우 다시 말을 안 하나, '하씨의 가슴이 상함을 하공 부자가 알았는가.' 그윽이 참괴하더라.

차시(此時)에 하부에서 하공 부부와 초후 윤소저로 더불어 효신(曉晨)을 당하여 정히 일어나고자 할 즈음의, 영주 소저의 시녀 창황이 방마다 다니며 소저를 찾는지라. 하공 부부는 행여 정부에서 시녀를 보내어 밤의 여아를 데려 갔는가 여기나, 초후와 윤부인은 가장 경해(驚駭)하여 일시에 정당에 들어가니, 하공 왈,

"초벽 등이 영주를 간 데 없다 하여 놀라니, 여아 갈 곳이 어찌 있으리오."

정부에 갔는가 하노라.

초후 대왈,

"매제 작일 그렇듯 신음하던 것이니, 정부에도 움직여 갈까 싶지 않거니와, 행여 갔을지라도 알아 오라 하사이다."

이의 초벽 등을 명하여 가서 보고 오라 하니, 정부 사이에 협문을 두어 밤이라도 봉쇄(封鎖)하는 일이 없는 고로, 양부(兩府) 시녀 등의 왕래 잦고, 하소저 아무 때라도 두 곳으로 왕래하는지라. 하공이 응당 정

부에 감을 아나 초후는 가장 의려하더니, 초벽 등이 즉시 돌아와 소저의 간 일이 없음을 고하니, 하공과 조부인이 면여토색(面如土色)하여 경악한 심신이 아무리 할 줄 모르는지라. 도리어 서로 벙어리같이 앉았더니, 날호여 몸을 일으켜 왼 집을 두루 보아 딸을 찾되, 음용(音容)이 묘연하여 천향아태(天香雅態)를 다시 얻어 보기 어려우니, 하공 부부 차악(嗟愕) 발비(拔臂)하여 난간을 두드리고, 실성 통읍 왈,

"우리 촉지에서 여아를 나는 범에게 잃고 참절한 심사가 비길 데 없었으나, 요행 정죽청의 구활 대은을 입어 그 생환한 소식을 들으매, 오히려 슬픈 것을 참고 그리움을 억제하여 일월을 많이 넘기나 견디었더니, 일야간(日夜間) 여아의 간 곳이 없으니 또 어디 정창백 같은 이 있어 구할 이 있으리오. 반드시 죽음이 벅벅하고[706] 살아있음이 만무(萬無)하거니와, 이매망량(魑魅魍魎)[707]에게 홀려 간동[708] 알지 못하니, 유유(悠悠) 천지(天地)에 이 설움을 어찌 견디리오. 우리 석년 참화지시에 죽었음 직하거늘, 구태여 투생(偸生)하여 다시 과한 부귀를 누리매 또 재앙이 일어나니, 여아를 실리(失離)하니 차라리 한 번 죽어 무한한 참척을 보지 않음이 쾌하리로다."

하며 말로 좇아 안수(眼水) 천항(千行)이라. 부인은 또한 기운이 엄애(奄碍)하여 거의 진할 듯하니, 이때 초후 전진에 입공 반사하여 집 문에 이른 지 미급수일(未及數日)에 홀연히 천금 같은 일매(一妹)를 일야지간(一夜之間)에 잃고, 경참(驚慘)함은 이르지도 말고 부모의 이렇듯 과상하심을 보매 망극함을 이기지 못하니, 모친을 붙들고 부친께 애걸하여, 왈,

---

706) 벅벅하다 : 틀림없다. 명백하다.

707) 이매망량(魑魅魍魎) : 온갖 도깨비. 산천, 목석의 정령에서 생겨난다고 한다.

708) -ㄴ동 : -ㄴ지. 막연한 의문이 있는 채로 그것을 뒤 절의 사실이나 판단과 관련시키는 데 쓰는 연결 어미.

"석년의 누이를 호표(虎豹)가 물어간 때에도, 오히려 삼제와 소자의 정사(情事)를 살피사 이대도록 않아 계시거늘, 이제 누이 잃음은 그 때와 같지 않아, 괴이한 짐승이 물어 감을 보지 않았으니, 결단하여 죽지 않았을 것이요, 소매는 상모 위태함이 없사옵나니, 대인은 소려(消慮)하시고 소자를 일 년만 내어 놓으시어 사처(四處)로 찾게 하소서."

하공이 가슴을 어루만져 진정하더니, 금평후 밖에 이르러 하공의 나옴을 재촉하니, 하공이 자기 자녀 수(數)[709]의 험난함을 생각하니, 고대 죽고 싶고 금평후도 볼 마음이 없으나, 금평후 연하여 재촉함으로 마지못하여 외루에 나아가매, 금후 하공의 손을 잡고 웃음을 띠여, 물어 왈,

"형이 무슨 일로 이같이 슬퍼하느뇨?"

하공이 참연 답왈,

"소제 팔자 험난하매 세 자식을 참망하고 여러 세월을 좋은 듯이 지냄은 원광 남매를 믿음이요, 원상 등은 유애라 장래를 감히 바라지 않거늘, 작석(昨夕)에 여아를 데려와 일야간에 거처를 알지 못하니, 이런 차악한 일이 어디에 있으리오. 전혀 소제의 적악이 여아에게 미쳐, 저의 실산이 두 번째라. 처음은 죽청이 살려내었거니와, 또 어디에 창백 같은 의기현사(義氣賢士)가 있어 자닝한 목숨을 구하리오. 이를 생각하매 소제 심장이 최절(摧折)하여 경각에 죽어 모르고자 하노라."

금평후 잠소 왈,

"퇴지는 당세의 철석같은 장부로되, 부녀 천륜에 지극한 자애를 면치 못하니, 인정상사(人情常事)라. 어찌 웃을 일이 있으리오마는, 소제 전

---

709) 수(數) : 운수(運數). 이미 정하여져 있어 인간의 힘으로는 어쩔 수 없는 천운(天運)과 기수(氣數).

자에 형의 딸이 하나임으로 알았더니, 무슨 연고로 둘이 되어, 소제 양아(養兒) 영주는 즉금 초하동 잠정에 와 병와(病臥)한 지 사오일이나 되었나니, 형이 어느 딸을 잃은 잓이뇨?"

하공이 차언을 들으매 여취여치(如醉如痴)하여 아무리 할 줄 모르는 지라. 이에 금평후를 재삼 보며 왈,

"형이 진정 말이냐? 소제에게 여식이 다만 영주 일인뿐이라. 작석에 옥누항에 가 데려오니, 병이 괴이하여 기거(起居)를 임의로 못하고, 저의 소원이 안정한 방사를 얻어 조리키를 청하매, 종용한 처소를 정하여 주었더니 밤사이로서 간 곳이 없거늘, 영주 어찌 초하동 잠정에 있으리오. 형이 아니 소제의 거동을 보고자, 영주를 감추고 이리 희롱함이냐?"

금평후 하공의 곧이듣지 않음을 보고, 웃으며 왈,

"퇴지는 심간이 병들어 말을 일러도 알아듣지 못하니, 즉금은 수작하지 못하게 되었으니 모름지기 영윤(令胤) 자의를 부르라."

하공이 즉시 초후를 나오라 하니, 초후 윤부인으로 하여금 모친을 붙들어 있으라 하고 외헌의 나오니, 하공이 이르대,

"정형이 날로써 실성지인(失性之人)이 되었다 하고, 여아의 거처를 너를 대하여 이르랴 하는가 싶으니, 곡절을 자세히 묻자오라."

초후 수명하여 금평후께 고왈,

"연숙이 소매의 거처를 아시나이까?"

금평후 점두 왈,

"여아 내 집 잠정(蠶亭)에 있은 지 사오일이라 어찌 모르리오."

초후 경아(驚訝) 왈,

"소매를 작석(昨夕)의 데려 왔더니 야래(夜來)에 거처가 없으니, 이친(二親)의 과상하심과 사정(事情)의 참연함이 비할 곳이 없거늘, 연숙은 소매를 수삼일 전에 잠정의 두었다 하시니, 소매 분신법(分身法)이 없는

지라. 한 몸이 나뉘어 두 곳에 있을 리는 만무하니, 이 가운데 반드시 곡절이 허다(許多)하오리니, 연숙은 밝히 이르소서. 가친의 초조 비통하심을 푸시게 하고 소질의 아득함을 활연(豁然)케 하소서."

금평후 탄 왈,

"세간사(世間事) 난측(難測)이라. 곡절을 이르려 하매 말이 지리하거니와, 내 어찌 영주의 거처를 은닉하여 자의의 부자와 조현수의 통상하심을 도우리오. 영주로 더불어 부녀의 의를 맺은 지 오재(五載)에, 저의 성효 출천하여 우리를 친부모와 달리 함이 없고, 영엄이 날로써 동기와 다름이 없으니, 자의 또한 날 섬김을 지친 숙당 같이 하는지라. 내 마음이 비록 시호(豺虎)의 사나움이 있어도, 자의를 향한 정이 범연치 않으려든, 자의의 백행 효우를 이를진대 어찌 하자(瑕疵)하리오마는, 오히려 소년이라. 원대한 지식이 있는 가운데도 일편 된 고집이 없지 않으리니, 고인이 운(云)하되, '처자는 의복 같고 동기는 수족 같다' 함이 옳은지라. 자의의 영주를 우애하는 마음과, 윤부인 대접하는 정이 층등하여, 반드시 동기를 중히 여기려니와, 그러나 조강의 간고와 윤부인의 현숙함을 생각건대 구하기 어려운 숙녀라. 이제 윤부 변괴 망측함과 유부인의 과악이 호대함으로써, 금슬의 정을 베어버리고 숙녀의 신세를 괴롭게 하여, 윤공의 은혜를 배반하고 덕을 잊을진대, 복(福)에 해로움이 있으리니, 고수지자(瞽瞍之子)에 순(舜)이 있음을 생각하여, 유부인이 비록 어질지 못하나 윤부인의 기특함을 헤아려 스스로 박행(薄行) 필부(匹夫) 되지 않으면, 금일 나의 이르는 말이 효험이 있고, 자의 관자화홍(寬慈和弘)[710]함을 항복하리니, 범연(凡然)이 이를진대, 내 외인으로서 연인가(連姻家) 부인의 현불초(賢不肖)를 들놓음이 마땅치 않으나, 긴

---

710) 관자화홍(寬慈和弘) : 너그럽고 자애로우며 온화하여 도량이 큼.

설화를 시작하나니, 한갓 유부인의 불민함만 아니라, 궂기는 사람이 다 각각 저의 팔자라. 수삼일 전에 천흥이 남문 밖에 장졸로 더불어 습사(習射)하고 돌아오다가, 여차여차 한 일을 보고 의심이 동하여 충학을 잡고 궤를 앗아 잠정의 가 본즉, 영주의 몸이 궤중(櫃中)의 들기를 면치 못하고, 만면 일신이 아니 상한 곳이 없어 생도(生道) 아득하니, 천흥이 여차여차 약을 쓰고 구호함을 극진히 하여 겨우 인사를 아는 지경의 있는지라. 실인이 영주를 구호코자 가사를 식부 등에게 맡기고 수일 전 잠정으로 나아가대, 행여 간인의 엿봄이 있을까 두려 임호로 내려감을 핑계하고, 유흥으로 잠정 밖을 지키게 하고 천흥 등이 돌려가며 잠정에 머무나니, 어찌 이 말을 영엄더러 이르지 않았으리오마는, 영존이 슬하(膝下) 상척(喪慽)에 상한 마음이라. 영주의 참잔(慘殘)한 거동을 보면 놀라 성질(成疾)할까 염려하여 즉시 이르지 못하고, 간인이 장차 영주의 대신을 이루었으리니, 이 불과 윤부 차환(叉鬟) 양낭(養娘)의 무리요, 영주 아니라. 세상에 변용(變容)하는 약이 있으므로 이런 변이 없지 않음이라. 영주의 몸을 위하여 아직 피화할 도리를 생각고, 일양 죽은 듯이 이곳에 있어, 여아를 잃다 하여, 간인의 의심을 푸는 것이 구원지계(久遠之計)라. 자의는 혈기지분을 참고 이 말씀을 존수(尊嫂)께 고하고, 영주를 보려 하시거든 금일이라도 가서 보시려니와, 형용이 놀랍기를 어찌 다 이르리오마는, 기특한 바는 복아(腹兒)가 떨어지지 않아 태후(胎候) 안온하니, 하늘이 모자를 유의하심이 아니면 어찌 그러하리오."

이때 정국공과 초후 금평후의 말을 들으매 꿈이 처음으로 깬 듯하여, 도리어 기쁨을 삼고 정부 은덕을 감격함이 골수에 사무치니 어찌 언어간 형상하리오. 정국공은 유부인의 사나움을 듣고 조금도 괘념치 않아, 오직 참상(慘傷)하던 낯빛을 고쳐 소왈,

"형이 벌써 영주를 잠정의 머무르며, 우리 부자의 염려함을 웃으려 하

여, 기괴한 것을 딸이라 하여 데려 오대 한 말 하는 일이 없고, 금조(今朝)에 그 것을 찾지 못하여, 그런 사고는 모르고, 소제의 심담이 재 되게 하니, 형의 일이 어찌 애달지 않으리오. 다만 창백이 여아를 두 번 살려내니 그 은혜 중함은 생휵지은(生慉之恩)에 더한지라. 영주 종신토록 각골 감심하여 부모도곤 더 대접함이 옳지 않으리오. 더욱 진수(嫂) 존중하신 체위로 잠정 소실에 임하시어, 저의 병을 구호하시니, 우리는 실로 영주를 낳았을 뿐이요, 정은 형의 집만 같지 못하니, 소제 자식의 참척(慘慽)으로 비상한 심사(心思)에 팔자(八字) 험괴(險怪)하니, 스스로 영주 보기를 구(求)치 아니하나니, 명이 하늘의 달렸거니와, 형이 인력으로 살려내어 깊이 감추어두라."

초후 부친 말씀이 그치심을 기다려 금평후를 향하여 재배 사왈,

"연질(緣姪)이 비록 불인무상 하오나, 연숙(緣叔)의 지성으로 경계하심이 여차하시니 어찌 받들지 않으리까? 하물며 누이를 죽청형이 두 번 구하여 사경을 면하매, 구태여 혐극을 그 자식에게 옮길 것이 아니요, 윤추밀의 대은은 연질이 구원(九原)[711]에 풀 맺기를 기약하옵나니, 어찌 배반함이 있으리까? 다만 누의를 깊이 감추고 그 집 딸을 영영 친정에 왕래케 못하며, 윤합하 돌아오지 못하신 전, 연질도 저곳에 갈 뜻이 업도소이다."

금평후 미소왈,

"이 일은 자의 임의로 할 것이니 오직 추밀의 은덕을 잊지 말라."

초후 순순 사사하고 모친께 이 말을 고함이 착급하여 바삐 안에 들어오니, 부인이 겨우 정신을 차려 여아를 부르짖으며 울기를 마지 않거늘, 윤씨 모셔 곁에 앉았다가 초후를 보고 일어서는지라. 초후 유씨의 행사

711) 구원(九原) : 저승.

를 생각하니 칼로 썰고 싶은지라. 윤씨의 천만 애매함을 아나 분을 풀 길이 없어, 모친 곁에 앉았다가 기운을 묻잡고, 한 번 양안을 흘겨 떠 윤씨를 보매, 맹렬한 안광이 소저 신상에 찬란하고 묵묵한 위의에 설풍이 은은하여 면색이 참엄(斬嚴)하니, 윤씨 어찌 저 기색을 모르리오. 새로이 그대도록 함을 괴이히 여기되, 사색을 변치 않고 양안을 낮추어 모르는 듯하더니, 초후 윤부 변고와 소매의 액화를 세세히 고하고, 작일 왔던 것은 누이 아니요, 요악한 양낭(養娘)으로 하여금, 변용하는 약을 먹여 소매의 형용을 빌어, 자기 집 모든 이목을 업신여겨 보낸 것인 줄을 고하며, 정병부의 은혜를 감격하여 갚을 바를 알지 못해 하는지라.

조부인이 진정 여아는 그렇듯 병 들어 누었음을 참연 애석하나, 천성이 인자한 고로 윤씨를 초후 과도히 통해하니, 자기 어른의 도리로써 아들의 마음을 도도며 며느리 회포 불안케 함이 가치 않아, 날호여 왈,

“영주의 참화를 두 번 구하여 죽기를 면케 하는 바는 정병부니, 도시(都是) 저의 명도 박함이요, 우리 적악이 딸에게 미침이라. 수원수한(誰怨誰恨)이리오.”

초후 분연 대왈,

“살인자사(殺人者死)는 한고조(漢高祖)의 약법삼장(約法三章)[712]에도 면치 못한 바라. 누의 만일 죽었을진대 소자 동기(同氣)를 위하여 수인(讐人)을 평안이 두리까? 우리 남매 팔자 괴이하여 그런 악착(齷齪)한 간녀(奸女)의 며느리와 사위 되니 어찌 통해(痛駭)치 않으리까?”

조부인이 과도함을 책하고 초하동의 가 여아를 보려 하더니, 문득 윤

---

712) 약법삼장(約法三章) : 중국 한(漢)나라 고조가 진(秦)나라 군사를 격파하고 함양(咸陽)에 들어가서 지방의 유력자들과 약속한 세 조항의 법. 곧 ①사람을 살해한 자는 사형에 처하고, ②사람을 상해하거나 남의 물건을 훔친 자는 처벌하며, ③그 밖의 모든 진나라의 법은 폐지한다는 내용이다.

씨 잠이(簪珥)를 빼고 옥패를 끌러 중계에 내려 청죄하니, 조부인이 놀라, 문 왈,

"현부의 현심 숙덕은 우리 밝히 아는 바라. 내 일찍 현부를 거느리매 자모의 도를 다하고자 함이러니, 금일 청죄하는 사단은 무슨 연고뇨?"

윤씨 추파(秋波)에 애루(哀淚)를 머금고 옥면이 취홍하여 재배 청죄 왈,

"소첩의 자모 어질지 못하여 소고(小姑)에게 참화를 이루오나 첩이 능히 구치 못하오니, 불인한 죄 한가지라. 원컨대 사죄(死罪)를 청하나이다."

조부인이 윤씨의 심사 불평하여 함을 보매 크게 자닝하여[713], 급히 붙들어 친히 당의 올리고자 하더니, 하공이 금평후와 말씀하다가 평후 돌아간 후, 들어와 부인을 보고 여아의 살았음을 이르고자 하더니, 윤씨의 대죄함을 보고 대경하여 연고를 물으니, 부인이 며느리의 청죄하는 연유를 이르고, 초후는 연망이 하당하여 부친을 맞아 당의 오르심을 청한데, 공이 듣지 아니하고 윤씨 곁에 나아가 그 손을 잡고 애련함이 유아 같아서, 소왈,

"다사(多事)하여[714] 당치 않은 청죄를 부지런히 하거니와, 네가 만일 당에 오르지 아니하면 내 또 이에 서있으리라."

윤씨 모친의 허다 과악을 들으매 부끄러움이 땅을 파고 들어가고 싶은지라. 겸하여 초후의 자기 미워함과 엄구의 이다지도 연애하심이, 더욱 여러 가지로 불안함을 이기지 못하니, 진퇴양난(進退兩難)하여 아무리 할 줄 모르는 거동이라. 하공이 그 불인한 자모를 인하여 소저의 심회 참황함을 크게 자닝하여, 손을 잡아 당에 올라 소저를 가까이 앉히고, 어루만져 위로 왈,

---

713) 자닝하다 : 애처롭고 불쌍하여 차마 보기 어렵다.
714) 다사(多事)하다 : 다사(多事)스럽다. 쓸데없는 일을 잘하는 데가 있다.

"세상에 어느 사람이 구식지간(舅媳之間)[715]이 중한 줄을 모르리오마는, 실로 우리 부자와 구식은 사정이 타인과 다른지라. 참화지후(慘禍之後)에 원광이 아니면 내 능히 보전치 못하였을 것이요, 영주를 잃어 비록 금평후의 양녀가 된 줄 아나, 그 참연코 비황한 심사를 현부 아니면 진정치 못하였으리니, 촉지(蜀地) 궁촌(窮村)에 채근(菜根)을 씹으며 모맥(麰麥)을 과람(過濫)히 여길 때에, 현부 천금지질(千金之質)로 호치(豪侈) 중 생장하니, 세상 고생을 채 모를 것이로되, 채빈(采蘋)[716]을 안연(晏然)히[717] 하여 고자(古者)[718] 숙녀의 풍을 이으며, 밖으로 화기를 일위여 승안양지(承顔養志)[719]하는 효성이 동동촉촉(洞洞屬屬)[720]하니, 우리 부부 팔자의 궁험(窮險)함이 이상하나, 한 일이나 일컬음이 있어, 아들이 인효(仁孝)하고 며느리 특이하니 행심하는 바라. 이제 은사를 입사와 합문이 고토의 돌아와, 원광이 현달하고 내 또 외람한 작차가 공후에 미치니, 재앙이 있을까 공구하는 바이러니, 염려와 같아서 여아의 화액이 우리 부부의 적악으로 비롯함이요, 사람을 탓할 것이 없는지라. 이미 사경을 면함이 영행하니, 차성(差成)하기를 기다려 안정한 처소를 얻

---

715) 구식지간(舅媳之間) : 시아버지와 며느리 사이.

716) 채빈(采蘋) : 빈(蘋)은 수초(水草)의 일종인 부평초(浮萍草)를 말함. 채빈은 '부평초를 뜯는다'는 뜻으로, 『시경(詩經)』 〈소남(召南)〉 채빈(采蘋) 편의 "우이채빈 남간지빈(于以采蘋 南澗之濱; 남쪽 시냇가에서 수초를 뜯네)에서 따온 말인데, 이 시는 '수초를 뜯어다 제사 받드는 것'을 노래한 것이다.

717) 안연(晏然)히 : 마음이 평화롭고 걱정 없이 편안하게.

718) 고자(古者) : 옛적, 옛날에.

719) 승안양지(承顔養志) : 부모님 또는 웃어른의 얼굴빛을 살펴 그 뜻을 받들거나 마음을 즐겁게 해 드림.

720) 동동촉촉(洞洞屬屬) : 공경하고 조심함. 부모를 섬기고 공경하는 마음이 지극함. 『예기(禮記)』 〈제의(祭義)〉편의 "洞洞乎屬屬乎如弗勝 如將失之. 其孝敬之心至也與(공경하고 조심하는 태도가 마치 이기지 못하는 것 같고 잃지 않을까 조심하는 것 같아, 그 효경하는 마음이 지극하기 그지없다.)"에서 온 말.

어 머무르고, 아직 살았음을 전파치 말고자 하나니, 이는 여아의 궂기미 제 명도의 괴이함이요, 현부의 탓이 아니니, 어찌 청죄할 사단이 있으리오. 원간 일이 불행하여 윤부에서 영주를 죄 없이 박살함이 있어도, 우리 부부 저의 청춘을 아끼고 슬퍼하며 자녀 수(數)의 험난함을 통완(痛惋)할지언정, 윤부 처사를 원망하여 현부를 미온(未穩)치 않으리니, 심회를 화려히 하여 조보야이[721] 용려(用慮)치 말라."

이에 시녀로 하여금 소저의 잠이(簪珥)와 옥패(玉佩)를 주어 평신(平身)[722]하라 하니, 윤씨 엄구의 이 같은 은애를 받자올수록 자기 집 일을 생각하매, 참괴함이 욕사무지(欲死無地) 하니 능히 무슨 말을 하리오. 다만 재배 사사할 뿐이요, 감히 낯을 들지 못하니, 조부인이 화평한 사색으로 애중하며 그 마음을 편토록 하나, 소제 즐거운 뜻이 없거늘, 초후의 간간이 노려보는 거동은 고대 죽일 듯 한지라. 윤씨 비록 천균대량(千鈞大量)[723]이나 참괴함을 어찌 참으리오. 스스로 세념(世念)이 사연하더라.

초후 매제의 병을 보고자 부모께 고하고, 물러나 금평후께 초하동 잠정을 자세히 물어 찾아 가려 함으로, 정부에 잠깐 다녀갈 새, 이 날 금평후 초벽 등이 소저를 찾으려 분분이 헤지름[724]을 보매, 벌써 윤부에서 소저 대신 온 것이 도망한 줄 짐작하고, 하공의 과상(過傷)함을 민망하여 하소저 살았음을 일렀으나, 하씨의 형용이 금즉하니[725], 초후 보

---

721) 조보얍다 : 속 좁다. 너그럽지 못하고 옹졸하다. =조배얍다. 조바얍다.
722) 평신(平身) : 엎드려 절한 뒤에 몸을 그 전대로 폄.
723) 천균대량(千鈞大量) : 천균(千鈞)이나 될 만큼 무겁고 도량이 크다. 1균은 30근 무게를 말한다.
724) 헤지르다 : 이리저리 허둥지둥 내달리다.
725) 금즉하다 : 끔찍하다. 진저리가 날 정도로 참혹하다.

면 반드시 윤씨로 은정이 박할까 염려함으로, 초후를 사리로 경계하여 윤추밀의 은혜를 저버리지 말라 일렀으나, 다만 초후의 위인이 맹렬 엄준하여 유약한 성품과 같지 아니하니, 한 번 고집을 정하매 능히 요개(搖改)[726]하기 어려울까 여기되, 총총히 돌아 왔더니, 초후 이르러 잠정을 묻는지라. 금평후 이에 가로되,

"자의 영주를 가 보려니와, 처음으로 대하면 그 의형이 가장 괴이하여 한 조각 핏덩이라. 참잔(慘殘)한 거동이 행로(行路)라도 눈물을 내리오리니, 하물며 자의의 동기의 정이리요마는, 연이나 죽기는 면하였으니, 이제는 의치를 착실히 하여 소성키를 기다릴 따름이라. 영주 비록 구가로 좇아 참화를 만났으나, 이미 죽지 않은즉 거취를 저의 소천(所天)이 결단할 것이로되, 사빈이 양모를 기망하고 아내를 권련(眷戀)하여 구구히 처소를 얻어 주지 않으리니, 아직 사세(事勢)[727]를 사빈더러 이르지 말고, 한결같이 영주를 일야간 잃음으로 하며, 또한 자의 유부인을 감격히 여길 리는 없으나, 혹자 만분지일이나 윤부인을 연좌하여 유부인 여아인 줄로 미워함이 있은 후는 박행 필부 될 것이니, 내 말을 재삼 생각하라. 내 비록 용렬(庸劣)하나 자의를 권장하는 도리, 그른 것으로 이르지 않으리라."

초후 흔연 배사 왈,

"연숙은 소질 부부의 금슬을 염려치 마소서."

금후 함소 무언이러니, 날호여 예부를 명하여 초후와 한가지로 잠정에 가 하씨를 보고 오라 하니, 예부 승명하여 초후로 더불어 잠정의 이르니, 학사와 유흥 공자가 반겨 맞아 하후의 이름을 괴이히 여겨, 학사

726) 요개(搖改) : 번복하여 고침.

727) 사세(事勢) : 일이 되어 가는 상황이나 형편.

웃고 가로되,

“우리 저저의 환후를 구호하려 이의 머물거니와, 하형은 무슨 연고로 궁벽한 잠정을 찾아 이르렀느뇨?”

초후 탄 왈,

“너희는 호화에 뜨여[728] 사람의 슬픔을 모르거니와 나는 매제의 신세를 헤아리매 촌장(寸腸)이 여할(如割)함을 이기지 못하리로다.”

학사 소왈,

“형은 저저의 신세를 위하여 촌장이 여할하거니와, 우리는 그 참참(慘慘)한 거동을 보매 처음은 놀랍고 슬픔을 진정치 못하더니, 이미 저저가 인사를 차리심을 보니 세상 즐거움이 이 밖에 나지 아니할 듯하니, 호화타 함을 어찌 사양하리오.”

인하여 자기 위·유 두 부인을 욕하다가 부전의 책교(責敎) 들음을 이르고, 또 웃으며 가로되,

“실로 사빈을 돌아보지 않으면, 아등이 어찌 입을 봉하여 천고 간악 흉녀를 다스리지 않으리오. 형은 유부인이 악모라, 소제지언을 미온이 여기려니와, 만일 형이 소제의 성정 같을진대 아무리 처모(妻母)라도 일장 대욕을 시원히 아니랴?”

초후 미소왈,

“예백의 언사 쾌활하여 진정 장부의 기상이거늘, 존숙이 부질없이 질책을 하시도다. 다만 유부인을 대하여 욕하기는 실로 사빈의 낯을 보아 마침내 못하거니와, 어찌 분해치 않으리오.”

학사 소왈,

---

728) 뜨이다 : ‘뜨다’의 피동형으로 물이나 공중에 둥둥 떠 있는 상태에 있다. 마음이 들떠 있다.

"아무리 하여도 하형은 당세의 유명한 애처객(愛妻客)이라 하리로다. 그런 몹쓸 유부인을 그려도 처모라 하여, 언어간(言語間)에 별로 존경함이 타인과 다르도다."

초후 소왈,

"이런 희언은 날회고 내 소매 볼 마음이 급하니, 후백과 예백은 들어가 존숙모 잠깐 옮으시게 하라."

학사 형제 즉시 들어와 모친께 초후의 왔음을 고하여 잠깐 옮으심을 고하니, 진부인이 다른 당사로 옮고, 예부 나와 하후의 소매를 이끌어 병소의 들어와 소저를 볼 새, 초후 매제의 덮은 것을 열매, 피 흐르던 얼굴에 약을 붙여 가죽이 다 상하여 만면이 다 으깨지고[729], 운발(雲髮)로 목을 졸랐던 자국이 청화(青華)[730] 같으며 살점이 떨어졌으니, 비록 양안을 감지 않았으나 한 조각 핏덩이를 뉘었음 같으니, 초후 이 거동을 보고 통완함을 이기지 못하니, 매제의 손을 잡고 일장을 실성체읍 왈,

"심의(甚矣)라. 유녀 내 누의로 무슨 원수 있관데, 이 같이 천고에 없는 형벌을 가해 강수에 띄우려 하던고. 이 진정 구수(仇讐)로다. 내 금번 초를 파할 제도 성한 사람은 쇄골코자 의사 없던지라. 현매의 약질이 악인의 독수를 당하여 그 참형을 받을 제, 오히려 목숨이 끊어지지 않으며 뼈 빻아지기를 면함이 도리어 괴이한 일이요, 하늘이 도우심이니, 정형의 두 번 구함 곳 아니면 벌써 일신이 어복(魚腹)을 채웠으리니, 이를 생각하매 어찌 통한함을 참으리오. 우형이 동기를 위한 정이 박하고 용우하여, 이 거동을 보대 오히려 유녀 간인(奸人)의 딸을 출거(黜去)치 못하고, 완연이 악인의 사위믈 감심하니, 실로 사람을 대할 낯이 없도다."

---

729) 으깨지다 : 굳은 물건이나 덩이로 된 물건이 눌리어 부스러지다.

730) 청화(青華) : 푸른 물감의 하나. 청화백자(青華白磁)에 칠하는 푸른 색 안료(顔料).

인하여, 분기 탱중하여 윤씨의 탓이 아닌 줄 알되, 유녀의 딸이라 미워하여 소매의 상처를 윤씨를 뵈고, 그 모친의 허물을 쾌히 이르고자 함으로, 연갑(硯匣)을 열어 두어 줄 소찰(小札)로, 모친께 소매 윤씨를 잠깐 보고자 하는 바를 고하여, 하리를 취운산에 보내니, 이 때 하소저 일신이 아니 아픈 곳이 없어 하는 가운데, 거거를 보니 반갑고 슬픔을 이기지 못하거늘, 하후의 노분(怒忿)이 하늘을 꿰뚫듯 하여, 유녀 미워함이 비할 데 없으니, 아득한 심사 민박하여, 함루 왈,

"소매 명도 기험하고 성효 천박하여, 세상에 희한한 경계를 당하여 몸이 보전키 어렵거늘, 남후 거거의 대은을 무릅써 일명이 살아나고, 양모 부인과 제 거거(哥哥)의 구호하심을 극진히 하시니, 일로 드디어 소매 사경(死境)을 면한지라. 고인이 운(云)하되, '원수는 커도 풀어 잊으며, 은혜는 적어도 맺고 잊지 말라' 함이 지극히 옳거늘, 거거가 식리군자(識理君子)로 행사 정숙하신지라. 반드시 언사를 삼가심이 마땅하니, 무슨 화증(火症)으로 존고를 이같이 악인이라 하시며, 더욱 윤형이 칠거지악(七去之惡)[731]이 없고, 백사(百事)가 출류(出類)한지라. 당당한 숙녀거늘 또 어이 출(黜)치 못함을 한하시느뇨? 거거의 거동이 존구의 은혜와 덕을 잊으시고, 소매로 인하여 박행(薄行) 무식(無識)기를 면치 못하시니, 소매 불승한심(不勝寒心) 하여 심회 놀라움을 이기지 못하나니, 아지못게이다![732] 윤형을 소매 보아지라 함이 없거늘, 급히 청하심은

731) 칠거지악(七去之惡) : 예전에, 아내를 내쫓을 수 있는 이유가 되었던 일곱 가지 허물. 시부모에게 불손함(不順舅姑), 자식이 없음(無子), 행실이 음탕함(淫行), 투기함(嫉妬), 몹쓸 병을 지님(惡疾), 말이 지나치게 많음(多言), 도둑질을 함(竊盜) 따위이다.

732) 아지못게이다! : '아지못게라!'의 존칭형. '알지 못하겠습니다.'의 뜻을 갖는 독립어로 관용적으로 쓰이고 있는 말.

어찌된 일이니까?"

초후 위로 왈,

"현매 금번 살아나면 우형이 결단코 다시 유녀의 곳에 보내지 않으리니, 현매는 안심 조병하고, 유씨 간녀를 존고라 하여 존칭치 말라."

소저 탄식 왈,

"거거는 식리장부(識理丈夫)거늘, 차마 어찌 소매를 대하여 존고를 만홀(漫忽)[733]이 말씀하시어, 장유존비(長幼尊卑)를 차리지 않으시느뇨?"

초후 탄식 무언하고, 죽물을 가져 소저의 입에 떠 넣으며, 그 상처를 차마 보지 못하여 흐르는 안수(眼水)가 옷을 적시니, 정예부 등이 위로 왈,

"매제의 거동을 볼진대, 행로(行路)라도 타루(墮淚)하리니, 형의 심사를 일러 무엇 하리오마는, 착실히 치료하여 차도를 바람이 옳은지라. 형은 슬퍼 말고 그 맥후(脈候)를 보라. 태후(胎候) 완연함이 어찌 기특지 않으리오."

초후 또한 진맥(診脈)하여 만분 영행하더라.

하공부부 딸의 살았으믈 알고 비척함을 과히 않으나, 그 참혹히 상하였음을 염려하고, 간인의 의심을 이루지 말고자 하므로, 이에 그 딸의 거처 없음을 윤부에 통하고, 윤씨를 위로하여 무애하며 그 심사 불평함을 슬피 여기더니, 초후의 소찰(小札)이 이르러, '윤씨를 급히 보내소서.' 청하였으니, 공의 부부는 여아가 윤씨를 보고자 함으로 알아 거교를 차려 보내니, 윤부인이 구고의 명으로 잠정으로 나아가매, 초후 시녀로 하여금 부인을 바로 병소로 들어오라 하니, 윤부인이 시녀의 인도하는 대로 하소저 병소의 들어가매, 초후 양안이 찢어질 듯이 노려보기를 마지않으니, 노하는 머리털이 관을 가르쳐 만면 분기로, 윤씨의 앉기를

733) 만홀(漫忽) : 한만(閑漫)하고 소홀하다.

기다리지 않고, 매제의 낯을 보여 왈,

“그대 비록 간험 극악한 유녀의 딸이나, 일분 사람의 마음이 있거든 이 형용을 보라. 사람이 차마 할 노릇이냐?”

윤씨 초후의 말로 좇아 잠깐 하씨를 보매, 이미 모친의 과악을 생각하니 차라리 자기 죽어 모름을 원하나 능히 미치지 못하니, 초후 노분이 충천하여, 찼던 칼을 빼어 자리를 그으며, 통해 왈,

“내 몸이 팔척장부 되어 사람에게 구구할 것이 아니요, 일매를 위하여 저의 전정은 유가 요녀에게 벌써 마쳤으니, 다시 평상(平常)키를 바라지 못하는 지경(地境)에, 부모의 생휵(生慉)하신 몸으로써 이 같이 짓두드려[734], 한 조각 땅 속에 묻기도 허(許)치 않아, 망망 강수에 띄워 시신도 못 찾게 하려 한 용심을 생각하니, 악인의 딸을 먼저 이 칼로 쑤셔 내 누이 처로 만신을 다 상해와, 궤 중에 넣어 악녀의 눈에 뵈고, 버거[735] 악인을 이 자리같이 칼로 그어 놓고자 하나니, 나는 외인(外人)이라. 악녀의 험독 패악을 몰랐거니와, 그대는 유녀의 딸이라. 이미 소행을 모를 리 만무하니, 만일 한 조각 사람의 마음이 있으면, 날로 하여금 소매 신세 위태함을 알아들을 만큼만 일렀어도, 내 어찌 일매(一妹)를 용담호혈(龍潭虎穴)에 두어 이런 화를 취케 하였으리오. 그대 진실로 악인의 심사와 다름이 없느니, 내 집을 엎치며 나를 죽이기 쉬운지라. 유녀 요인을 생각하매 마음이 서늘하여 그 자식으로써 동주(同住)할 뜻이 없으니, 그대 염치 있을진대 간악한 어미의 곳에 돌아가지 않고 한 번 죽음이 옳지 않으리오. 내 즉각에 그대를 만단(萬端)을 내 상해(傷害)하여 윤부로 구축(驅逐)고자 하되, 실로 악장의 대은을 차마 저버려 그

734) 짓두드리다 : 함부로 마구 두드리다.

735) 버거 : 버금으로, 둘째로, 다음으로.

골육 여아를 손으로 해치 못하거니와, 매제가 만일 이 병에 살지 못할진대, 배은망덕 하는 무식 필부 될지언정, 그대를 소매처럼 짓두드려 죽이고, 악인을 초왕같이 죽여 동기의 원수를 갚고, 내 스스로 악장께 가시를 져 박행을 청죄하고, 인하여 자문이사(自刎而死) 하여 배은망혜(背恩亡惠)한 죄를 속하리니, 그대 용심에 나의 일매(一妹)를 이같이 상해(傷害)하였거든 무엇이 쾌하고 즐거워 그 요악한 어미를 한 말도 간(諫)치 않으며, 그 패악을 싼듯이[736] 숨겨 우리 합문(闔門) 제인이 소매의 화액을 알지 못하게 하뇨? 매제 살았음을 악인이 알면 또 해하리니, 그대 유녀에게 이 말을 통코자 하거든 공교로이 날을 기이지 말고 쾌히 서찰로 유씨께 고하고, 그렇지 않은즉, 아주 모녀의 정을 끊어 악인으로 하여금 모녀로 알지 말고 서신을 통치 말라. 유녀 내일 급살(急煞)[737]을 맞아 죽어도 그대 분곡(奔哭)할 의사를 말라. 남같이 하면 생이 오히려 용납하려니와, 그렇지 않아 악인의 비자가 내 집에 왕래하고, 오가(吾家) 시녀배 저 집에 가는 일이 있어, 여식지도(女息之道)[738]를 하고자 하거든 내 어찌 남의 효성을 막으리오. 금일이라도 옥누항에 돌아가 흉참지사(凶慘之事)를 배우며 투현질능(妬賢嫉能)하며 은악양선(隱惡佯善)하여 만악(萬惡)을 효칙(效則)하라."

윤씨 소고의 참혹히 상함을 경악(驚愕) 상심(傷心)하여 차마 보지 못하고, 모친의 과악을 각골이 슬퍼하는 바에, 초후의 분노가 탱중(撑中)하여[739] 칼을 번득이며 참엄(斬嚴)이 구는 거동이 고대 사람을 죽일 듯

---

736) 싸다 : 물건을 안에 넣고 보이지 않게 씌워 가리거나 둘러 말다.
737) 급살(急煞) :①보게 되면 운수가 나빠진다는 별.②갑자기 닥쳐오는 재액. *급살 맞다; 갑자기 죽다.
738) 여식지도(女息之道) : 딸의 도리.
739) 탱중(撑中)하다 : 화나 욕심 따위가 가슴속에 가득 차 있다.

하고, 저의 동기를 위한 정이 과도하여 말씀이 박행무식(薄行無識)하기에 가까움을 그윽이 함한(含恨)하여, 문득 안색이 씩씩 엄숙하여 일언을 답지 않으니, 초후 재삼 재촉하여 왈,

"내 희롱으로 이름이 아니라. 그대 어찌 답언이 없느뇨?"

하더라.

ꕥ

명주보월빙 권지오십

어시에 초후 재촉 왈,

"내 희롱으로 이름이 아니라. 그대 어찌 하려 하느뇨? 만일 기특한 어미를 떠나지 말고자 하거든, 이제라도 옥누항에 돌아가 일대 풍류랑을 가려 행락(行樂)을 쾌히 하라."

윤씨 차언의 다다라는 더욱 해괴하여, 잠깐 성안(星眼)을 들어 후를 한번 보매, 우연이 눈이 마주친지라. 초후 차게 웃고 왈,

"그대 배부난륜(背夫亂倫)코자 마음을 두어 날을 보거니와, 또한 윤씨 아니라도 환거(鰥居)[740]치 않을 것이요, 만고 찰녀(刹女)[741]를 악모(岳母)라 하기 흉(凶)하고 측하니[742] 그대 없으면 의절할지라. 어찌 시원치 않으리오. 그대는 오히려 모르려니와 내 잠깐 들으니, 그대 부친이 유녀로 인하여 실성상심(失性喪心)한 사람이 되어, 자질도 귀중함을 모르고 유녀를 고혹(蠱惑)[743]함으로, 윤사원과 정죽청이 의논하고 짐짓 교지(交趾)[744]로 보내다 하니, 장부를 그릇 만들며 남자를 휼중(譎

740) 환거(鰥居) : 홀아비로 살아감.

741) 찰녀(刹女) : 나찰녀(羅刹女). 여자 나찰. 사람의 고기를 즐겨 먹으며, 큰 바다 가운데 산다고 한다.

742) 측하다 : 언짢다. 보기 싫다.

743) 고혹(蠱惑) : 아름다움이나 매력 같은 것에 홀려서 정신을 못 차림.

中)[745]에 농락하여 악장 같은 어진 군자를 상케 함이, 그 집을 망하는 거조(擧措)나, 즉금 윤추밀이 집에 없으니, 유씨 반드시 음정(淫情)을 이기지 못하여 흉음지사(凶淫之事) 없지 않으리니, 그대 한가지로 어미로 더불어 배부(背夫)함을 달게 여기고, 유녀에게 효녀 되어 어미를 좇은즉, 그대에게 유익하니, 무슨 결단이 이다지도 어려워 말을 아니하느뇨? 바삐 진정 소회를 이르고 나의 심화를 도와 은휘(隱諱)치 말라."

윤씨 초후의 욕설이 점점 더함을 보매, 절로 더불어 수작함이 더러워 입을 열지 아니하더니, 하씨 거거의 광패한 거동과 과격한 언어를 듣고, 크게 슬퍼 아픈 것을 강인하고 소리를 열렬이 하여, 가로되,

"거거 소매로 하여금 인세간(人世間)에 용납지 못한 죄인을 삼으시니, 이 무슨 일이니까? 소매 일명이 끊어지지 않은즉, 윤가 처치를 기다려 거취를 정하고, 거거(哥哥)가 정(定)치 못할 것이요, 비록 죽을지라도 윤씨 묘하(墓下)에 묻히리니, 출가한 누의를 가형이 처단하실 바 아니라. 거거의 무식하심이 전일과 다르사, 언어 행지 광패키를 면치 못하시니, 소매 항복치 아니하나이다. 우리 부모 거거를 바람이 어떠하시관데, 거거 근신수행(謹身修行)할 바는 잊으시고, 재상의 부인과 명사의 존당을 대인여부(對人女婦)[746]하여 욕함을 능사로 아시니, 아지못게라! 거거는 기운을 비양(飛揚)하시나, 사람들이 거거의 행사를 어떻다 하리까? 그러나 소매 아니면 거거의 광망(狂妄) 실성(失性)하심이 없을지라. 소매의 연고로 압뒤를 생각지 않으시니, 소매의 죄를 어디에 쌓으리까?"

---

744) 교지(交趾) : 중국 한(漢)나라 때에, 지금의 베트남 북부 통킹, 하노이 지방에 둔 행정 구역. 전한(前漢)의 무제가 남월(南越)을 멸망시키고 설치하였다.

745) 휼중(譎中) : 간사한 꾀에 빠뜨린 가운데. 농간을 부리는 가운데. 기만(欺瞞)한 가운데.

746) 대인여부(對人女婦) : '그 사람의 딸과 며느리를 대하여'의 뜻.

언파의 참황한 회포를 이기지 못하여 경각의 막힐 듯하니, 초후 그 경상을 볼수록 유씨를 통완하는 마음이 점점 더하나, 소저의 출천한 성효 자기 몸이 죽기의 이르도록 유부인을 원하는 뜻이 없어, 오직 명도를 탄할 뿐이니, 어찌 초후의 광망한 욕설을 달게 들을 리 있으리오. 하물며 윤씨의 심사를 헤아리매 참황수괴(慘惶羞愧)[747]하여, 평생 처음으로 거거를 대하여 불평지언(不平之言)을 함이러라. 초후 매제 손을 잡고 잠깐 노기를 풀어, 위로 왈,

"너는 벌써 윤가로 인연이 끊겼으니, 일생을 부모 슬하에서 남매가 의지하여 세월을 보내기를 기약하라."

하씨 체읍 왈,

"소매 이제 차성함을 기다려 구가로 나아가려 하나니, 신세를 슬퍼 하는 것이 아니요, 거거의 행사를 불승경악(不勝驚愕) 하나이다."

초후 매제의 슬퍼함을 민망하여 호언으로 관위하더니, 정예부 형제 밖에서 초후의 나오기를 재촉하여, 날이 늦었으니 그만하여 돌아가자 하니, 초후 부모의 기다리심을 생각고, 마지못하여 소저더러 이르되,

"우형이 명일 파조 후 다시 와 너를 보리니, 현매는 조심하여 병을 조리하라."

소저 대왈,

"거거는 소매(小妹)의 병을 염려치 마시고 소매 마음을 편케 하시며, 무죄한 저저를 질욕(叱辱)지 마소서."

초후 매제의 지극한 말을 듣고 노기 점점 풀어질 뿐 아니라, 윤씨 자기 무궁한 욕설을 듣되, 마침내 못 들음 같고 사기 단엄하여, 엄중한 위의 어찌 일개 아녀자의 미약함과 같으리오. 치마 맨 사군자요, 비녀 꽂

---

747) 참황수괴(慘遑羞愧) : 애처롭고 당황스럽고 부끄러워 어찌할 바를 모름.

은 열장부(烈丈夫)라. 부월(斧鉞)[748]에 임하여도 요동할 뜻이 없으니, 초후 자기 질욕으로 저를 휘어잡지 못할 줄 모르지 않되, 통해(痛駭)함이 철골하여 분을 풀 길이 없는 고로, 그 딸을 대하여 시원이 질욕고자 함이라. 이에 윤씨를 향하여 다시 가로되,

"그대 무슨 주의로 말을 대치 않아 거취를 결단치 아니하느뇨? 옥누항의 통신치 말려 하면 내 집에 머물고, 유씨와 딸의 도리를 폐치 않으려 하면, 이곳에서 바로 본부로 가라."

윤씨 비로소 입을 여러 대왈,

"첩의 천성이 이완(弛緩)하여 소견과 결단이 없으므로, 사람이 듣지 못할 욕설을 감심하니, 거취를 임의로 할 줄 알리오. 군이 '오기(吳起)의 살처(殺妻)'[749]를 효칙하여 한번 죽이면, 첩이 다만 칼을 받을 뿐이요, 영매 소저같이 일신이 성한 데 없이 두드려도, 첩의 자모의 허물로써 화란을 당하미니 누구를 원하리오. 첩을 쾌히 죽이시고, 긴 날에 참참(慘慘)한 욕설로써 사문부녀(士門婦女)를 더러운 곳에 욕(辱)지 마소서."

언파(言罷)에 수괴(羞愧)함을 띠었고, 화월(花月) 같은 안모(顔貌)에 근심함이 가득하되, 설상가상(雪上加霜) 같아서 다시 말 붙이기 어려우니, 초후 그 너무 냉담하여 화열치 않음을 심중에 가장 분노하여, 일쌍 봉안을 높이 떠 소저를 첨시(瞻視)하기를 오래 하다, 일장(一場)을 차게 웃고 가로되,

"내 누이를 극진히 구병하여 살려내면 모르거니와, 만일 위태한즉 유씨 모녀를 내 누이같이 할 뿐 아니라, 일신을 분(粉)같이 빻으리라. 오

748) 부월(斧鉞) : 형구로 쓰던 작은 도끼와 큰 도끼.
749) 오기(吳起)의 살처(殺妻) : 중국 전국 시대(戰國時代)의 병법가 오기가 자신의 충심을 입증하기 위해 아내를 베었던 고사.

기(吳起)의 살처(殺妻)를 이르지 말라, 그도곤[750] 더하리라."

언파의 기위(氣威)를 엄렬(嚴烈)히 하여 소매를 떨쳐 외헌으로 향하니, 정예부 형제 한가지로 취운산으로 향코자 하다가, 학사는 부친이 부르지 않으시므로 잠정에 머물고, 하후 예부로 더불어 돌아가니, 하소저 윤소저의 손을 잡고 혈읍(血泣)하며 사죄(謝罪)하여 가로되,

"소제 불초무상(不肖無常)한 연고로, 존고와 저저의 신상에 참욕이 더욱 돌아가니, 첩이 무슨 사람이라 하면목(何面目)으로 타일 군자와 구가 제사금장(娣姒襟丈)[751]이며 존구대인(尊舅大人)께 차마 어찌 면목을 들고 언연(偃然)이[752] 자부항(子婦行)에 현알(見謁)하리오. 저저는 거거의 일시 분두(忿頭)의 말씀을 족가(足枷)치[753] 마시고 오직 소제의 불초(不肖) 무행(無行)함을 용서하소서."

윤부인이 척연()慽然이 쌍루(雙淚)를 뿌려 왈,

"소저의 형용을 범연한 남이 보아도 참연함을 면치 못하려든, 영형(令兄)이 동기의 정으로써 분이 모친께 돌아가지 않으리오. 첩은 진실로 친정 가사를 세세히 알지 못하였다가, 금일 여러 가지 질욕을 들으매, 스스로 죽지 못함을 애달아하나니, 하고(何故)로 소저를 미온(未穩)한 의사 있으리오. 이는 소저가 첩을 무상(無狀)히 여겨 참화에 구하지 않음

750) 도곤 : 보다. 비교의 대상이 되는 말에 붙어 '~에 비해서'의 뜻을 나타내는 격조사.

751) 제사금장(娣姒襟丈) : 여러 동서(同壻)들. 제사(娣姒)나 금장(襟丈) 모두 동서(同壻)를 뜻하는 말임.

752) 언연(偃然)이 : 거드름을 피우며 거만스럽게.

753) 족가(足枷)하다 : 족쇄를 채우다. 언짢게 여기다. 서운하게 여기다. 다그쳐 따지다. 간섭하다. 참견하다. *족가(足枷); =차꼬. 예전에 죄수를 가두어 둘 때 쓰던 형구(刑具). 두 개의 기다란 나무토막을 맞대어 그 사이에 구멍을 파서 죄인의 두 발목을 넣고 자물쇠를 채우게 되어 있다.

을 유감하여 함이로다."

하씨 슬픔을 이기지 못하여 윤씨의 손을 어루만져 울어 왈,

"소제 어찌 저저를 유감함이 있으리오. 소제로 말미암아 구가 허물이 절절이 들어나기에 다다라는, 도리어 살아있음이 강수에 몸을 잠가 세상만사를 잊음만 같지 못함을 한하나이다."

윤씨 초후의 무한한 욕설을 듣고, 모친의 패악(悖惡)을 더욱 서러워하매 고대 죽어 모르고자 하나, 하소저 병중 슬퍼함을 민망하여 화열한 낯빛으로 위로하고, 진부인께 현알함을 청하니, 진부인이 초후의 나감을 알고 즉시 병소에 이르러 윤씨로 예필 좌정하매, 윤씨 먼저 피석 부복하여 소고(小姑)[754]의 화(禍)를 구하여 극진히 구호하심을 일컬어, 은덕이 뫼 같음을 고할 새, 언어 번잡치 않되 도도(陶陶)하여[755], 그 화창한 거동이 사람으로 하여금 기탄(忌憚)하여 공경(恭敬)할 바라. 진부인이 애경(愛敬)하여 혜오되, 유씨 같은 악인의 십삭 태교를 이를 것이 없으되, 윤씨 같은 숙녀명염(淑女名艶)을 생함이, 고수(瞽瞍)[756]의 아들에 순(舜)이 있음을 깨닫더라.

초후 집에 돌아오니, 공과 부인이 여아의 병을 묻고, 윤씨를 급히 데려 간 연고를 물은데, 초후 부모의 우려를 돕지 않으려 소매의 병이 사경을 면하였음을 고하고, 윤씨는 소매 잠깐 보고자 함으로써 데려 갔음을 고하여, 아직 두어 누이의 병을 구호할 바를 고하니, 부인 왈,

"반드시 잘 구호하려니와, 여아의 병이 다른 질양이 아니요, 유씨의 모진 수단의 빌미거늘, 짐짓 그 어미의 사나움을 저로 하여금 구병을 시

754) 소고(小姑) : 시누이.

755) 도도(陶陶)하다 : 매우 화평하고 즐겁다.

756) 고수(瞽瞍) : 순임금의 아버지로 순에게 자애롭지 못했음.

켜, 수고를 당케 하고자 함 같으니, 원간 식부 내 곁을 수일만 떠나도 중보(重寶)를 잃음 같아서 지향치 못하나니, 이미 영주의 병은 진부인이 친히 구호하니, 염려할 것이 없는지라. 모름지기 쉬이 데려오라."

초후 모친의 심회 울울하심을 민망하되, 윤씨를 누이 병소에 두어 구병하려 하였더니, 뜻 같지 못하여 오직 대왈,

"자정이 이다지도 못 잊으실진대, 명일 도로 데려오사이다."

하공 왈,

"여아가 부디 윤현부를 함께 있고자 하면 데려오지 못하려니와, 그렇지 않으면 금일 네 돌아올 적 데려오지 않음이 괴이토다."

초후 대왈,

"소매 우연히 보고자 청하였으니 금일 즉시 데려오면 결연(缺然)이 여길까 하여 머물게 함이니이다."

하공 부부 그러히 여겨 명일 데려오라 하더라.

이날 하부 노자(奴子) 옥누항에 나아가 소저의 실리(失離)함을 고하니, 태우와 학사 어깨를 가뤄[757] 앉았다가, 태우 대경하여 즉시 조모와 숙모께 고하고, 학사로 더불어 취운산에 나아가 하공 부자를 보고 하씨 거처를 찾아보려 하되, 학사 미우를 찡기고 가로되,

"소제 한번 치사(致謝)는 없지 못하려니와, 금일 저의 실산한 소식을 듣고 그리 급히 가, 좋지 않은 경상을 보아 무엇이 쾌하리까?"

태우 왈,

"수수의 야래(夜來) 실산(失散)이 천만 이상하니, 자세히 묻는 것이 옳을 뿐 아니라, 나와 너의 도리 수수의 거처를 모름이 옳으냐?"

---

757) 가루다 : 자리 따위를 함께 나란히 하다.

학사 조금도 경동(輕動)치 않아, 다만 어서 회답하여 보냄을 청하니, 태우 마지못하여 경참함을 일컫고, 학사는 하공 부자께 전어(傳語)하여, '몸이 아파 배현치 못함을 일컫고, 초후의 입공반사함을 치하' 하되, 소저의 실산지사는 들놓지 않으니, 하부 노자 돌아간 후, 태우 문 왈,

"네 어찌 하공 부자를 보기를 괴로이 여기느뇨?"

학사 탄 왈,

"아등은 실로 사람 보기 참괴한 곡절이 많으니, 어찌 평상(平常)한 유(類)와 같으리오. 하물며 하씨의 실산(失散)이 진정한 일이면, 도리어 다행하거니와 필유곡절(必有曲折)인가 하나이다."

태우 왈,

"이런 일을 다 부끄러워할진대, 우리 어찌 자포오사(紫袍烏紗)[758]로 조정에 충수(充數)하리오."

학사 탄식 무언이러라. 위태 유씨더러 왈,

"현부의 지모로 하씨를 잘 없앴으니 이제 장씨를 마저 죽임이 어떠하리오."

유씨 대왈,

"그윽이 생각건대, 여러 인명을 상해오미 어진 사람〈매우 어지다〉[759]의 일이 아니라. 하물며 가사가 탕진(蕩盡)하여 한 냥 은자도 나올 곳이 없으니, 장씨의 용색이 세대(世代)에 희한(稀罕)한지라, 하방(遐方)의 한낱 호색하는 거부에게 사오백금을 받고 파는 것이 옳을까 하나이다."

위태 무릎을 쳐 '옳다' 하니, 유씨 비영과 의논한 지 수삼일이나 되었

758) 자포오사(紫袍烏紗) : 자줏빛 도포와 검은 사(紗)로 만든 모자를 함께 이르는 말로, 조선 시대 벼슬아치들의 관복과 모자.

759) 〈매우 어지다〉 : 본문 서사진행과는 관련 없는 필사자의 작중인물에 대한 논평인 듯. 유씨의 포악함을 빈정댄 말.

는 고로, 비영이 미인 살 이를 광구(廣求)하여, 담양 거부 설억이 연과(年過) 사십에 상실(喪室)하고, 미인 얻기를 구하여 은금을 싣고 경사에 왔다가 우연이 비영을 만나니, 원래 설억의 주인이 비영의 종제(從弟)라. 차사를 의논할 새, 비영은 '오백 금을 달라' 하고, 설억은 '사백냥을 받으라' 하여, 값을 다투어 반일(半日)이 되매, 비영이 장씨의 만고무쌍(萬古無雙)함을 칭찬하여 왈,

"장소저 죽기를 그음하여 절을 지키려 하기로 팔지 못하였더니, 당차 시하여는 위력으로 팔아 쓰려 하나니, 만금을 준들 어디 가 재상 옥녀(玉女)를 구경이나 하리오. 무지(無知)하여 금은 아까운 줄만 알고, 천고에 드믄 숙녀를 모른다."

하니, 못생긴 설억이 비영의 말을 곧이들어 개연이 오백 금을 다 준대, 비영이 대열하여 바삐 은을 받고 날을 맞출 새, 비영 왈,

"금일 저녁이라도 옥누항 길가의 와 서 있으면 장소저를 거교에 담아다가 주마."

한대, 설억이 대희하여 언약을 금석같이 정하고, 비영이 즉시 은자를 가지고 와 유씨께 드려 설억과 언약함을 고하니, 유씨 대열하여 위태께 고하고 쓸 곳을 마련하더니, 마침 묘랑이 다니러 왔더니 은자 얻은 기색을 스치고, 거짓 경아를 향하여, '불길한 꿈을 꾸었으니, 아무래도 수륙치재(水陸致齋)[760]하여 대액(大厄)을 소멸하라.' 하여, 짐짓 귀신이나 시키는 듯이, 헛말도하며, 괴이한 거동을 하니, 유씨 대황대구(大惶大懼)하여 설억에게 받은 은자 삼백냥을 주어 수륙치재하라 하고, 겨우 이백 냥을 남겨 경아의 일습 새 의상(衣裳)을 장만하려 하더라.

---

760) 수륙치재(水陸致齋) : 수륙재(水陸齋)를 지내고 몸을 삼감. *수륙재; 물과 육지의 홀로 떠도는 귀신들과 아귀(餓鬼)에게 공양하는 재.

이때 장씨 하씨의 참혹히 마친 바를 들은 후는 더욱 마음을 놓지 못하여, 쌍섬으로 세월 비영 등의 하는 말과 기색을 탐지하라 하니, 쌍섬은 청의(青衣)[761] 가운데 한낱 영물(靈物)이라. 날램이 비조(飛鳥) 같고 사람의 기색을 앎이 신이한 고로, 유씨의 오백냥 은자 받은 줄을 알고 그 소유(所由)를 글로써 소저에게 들이치니, 장씨 한번 보매 흉참 극악함을 이기지 못하여, 그윽이 혜오대,

"내 벌써 피화하여 집으로 돌아가고자 하되, 나의 형세 남 같지 못하여 계모 어질지 못하시고, 유금오 부인 동생이시니, 내가 구가를 기이고자 하는 일이 있으면 낱낱이 통기(通寄)하여[762] 존고께 고할 것이니, 나의 신세 지극히 어려운지라. 차라리 목숨을 마칠지라도 이곳에서 죽어 좋은 귀신이 될 것이니, 존고 아무리 어려우셔도 내 뜻을 앗지는 못하리라."

의사 이에 미치매 도리어 태연(泰然) 안상(安常)하여 침선(針線)을 자약(自若)히 다스리더니, 날이 황혼에 다다라 위태와 유씨 장씨를 불러 앞에 이르매, 평생 처음으로 낯을 펴고 이르대,

"네 모친이 금일 너의 귀녕을 간절히 청하였으니, 우리 허락하였는지라. 바삐 돌아가 누월 사친(思親)하던 회포를 펴고 십여 일 후 돌아오라."

소저 설억에게 보내려 하는 줄 생각하매, 자기 이미 궤상육(机上肉)[763]이 되었으니, 이의 정색 대왈,

"소첩이 불능누질(不能陋質)로 성문에 속현하오매 무일가취(無一可取)

761) 청의(青衣) : 푸른 빛깔의 옷. 예전에 천한 사람이 입었던 옷으로, 노비(奴婢) 등의 '천민(賤民)'을 나타내는 말로 쓰인다.

762) 통기(通寄)하다 : 통지(通知)하다. 기별(寄別)을 보내어 알게 하다.

763) 궤상육(机上肉) : =조상육(俎上肉. 도마에 오른 고기라는 뜻으로, 어찌할 수 없게 된 운명을 이르는 말.

라. 만일 존부에 머물지 못할 형세면, 당하에서 죽어도 첩이 작죄함이 있은즉 원(怨)치 못하며 한(恨)치 못하려든, 첩으로써 청의 비자같이 하시어, 은자를 받고 파실 거조(擧措)가 어찌 있으리까? 비록 친정으로 가라 하시는 거조가 감은(感恩)하오나, 첩의 마음이 금일은 위태하여 가지 못하옵나니, 명일 가엄(家嚴)을 청하여 모시고 행하리이다."

위태와 유씨 장씨를 친정에 가라 하면 기뻐할까 하였더니, 차언을 들으매 밉고 놀라우며 분함이 칼로 지르고자 하나, 유씨는 일을 요란이 않으려 함으로, 가만히 묘랑을 불러 장씨를 후려다가 설억을 주려 하는지라. 다만 차게 웃으며 왈,

"소부(小婦) 아니 실성하였느냐? 이 무슨 말이뇨? 모름지기 나를 숙맥불변(菽麥不辨)[764]으로 알아, 허언을 주출(做出)하여 고모(姑母)[765]를 함정의 몰아넣지 말라."

장씨 피석 배왈,

"첩수불혜(妾雖不慧)나 어찌 감히 존고를 함해코자 하리까? 분명이 설억에게 은자 받음을 아나이다."

위태 대로하여 팔을 뽐내며 고성 질욕 왈,

"하씨 요괴로운 년이 제 집에 가서 일야지간(一夜之間)에 도망함을 어이없이 여겼더니, 이 흉한 년의 거동이 수상하여, 아마도 하씨와 동모하고 설억이란 놈을 통간(通姦)하여 기탄없이 화락하며, 선발제인(先發制人)으로 짐짓 우리를 억탁(臆度)하여 팔았다 하니, 이 년들의 정태(情態)를 보건대 반드시 내 집을 망칠 것들이로다."

764) 숙맥불변(菽麥不辨) : 콩인지 보리인지를 구별하지 못한다는 뜻으로, 사리 분별을 못하고 세상 물정을 잘 모름을 이르는 말.

765) 고모(姑母) ; 시어머니.

장씨 위태의 흉히 구는 거동을 보니 도리어 우습게 여겨 단순(丹脣)을 반개하고 왈,

"하씨는 벌써 짓두드려 궤중에 넣어 강수의 띄우고, 세월로 하씨의 대신을 삼아 하부에 보냈다가, 하룻밤을 자지 않고 밤에 도망하여 왔거늘, 첩이 남강에 익수(溺水)한 하부인과 불의비법(不義非法)을 동심하리까? 숙녀 명염도 존부에서 보전함을 얻지 못하여 그런 참화를 당하니, 하물며 첩 같은 불능누질이야 일러 무엇하리까? 그러나 또한 사람의 마음이라, 존당과 존고를 우러러 실덕하심을 불승(不勝) 애달라 하되, 감히 존하(尊下)에 펴지 못하옵더니, 금일 참지 못하여 언두(言頭)에 일컫삽나니, 존당 존고는 첩의 말씀이 허언이 아닌 줄 생각하시어, 타일 뉘우칠 일이 없게 하소서."

언파에 사기 단엄하고 위의 묵묵하여 일개 여자의 유약한 거동이 없고, 문인열사(文人烈士)의 늠렬(凜烈)한 거동을 가져, 전자엔 참기를 많이 하고 사람의 견디지 못할 경계를 많이 견뎌, 심화(心火) 성하였으나, 금일은 설억 흉인에게 팔려가지 않으면 죽기를 면치 못할지라. 심곡에 품은 바를 다 설파하고 사생을 결하랴 하는지라.

유녀 장씨의 말을 들으매 놀라는 가슴이 벌떡이는 고로, 분함이 하늘을 꿰뚫 듯하나, 위인이 극악 간사한지라. 장씨를 위엄으로 구속지 못하며 호령으로 제어치 못할 줄 아는 고로, 처음 묘랑과 의논하고 후려다가 설억을 주지 못함이 애달프고 뉘우쳐지는지라. 아직 장씨 마음을 눅여 의심치 아니케 하고, 가만히 묘랑으로 장씨를 설억에게 보내려 하는지라.

문득 미소하고 말을 시작고자 할 적, 위태 하씨 죽인 말과 설억에게 은 받은 말을 이같이 이르니, 분심(忿心)이 터질 듯하여, 흉상(凶相)[766]

766) 흉상(凶相) : 보기 흉한 몰골. 또는 그러한 사람.

이 앞뒤를 살피지 못하니, 오직 영매(英邁)[767]치 못하고, 천성이 포악(暴惡) 시험(猜險)하여 촉사(觸事)[768]를 감추지 못하는지라. 장씨의 열열(烈烈)한 말씀이 도리어 효험이 없고, 자기 신상의 급화를 취할 뿐이라. 위태 유씨의 말 시작하는 것을 미처 듣지도 않고, 부지불각(不知不覺)[769]에 곁에 놓인 칼을 들고 장씨에게 달려들어 한번 지르매, 날선 칼이 목 위에 미치며 벌써 붉은 피 솟아나는 바에 장씨 거꾸러지니, 좌우 비자 등이 위태를 아니 흉히 여길 이 없고, 유씨 대경하여 바삐 장씨를 구코자 하니, 장씨의 죽음을 아끼는 것이 아니라, 설억에게 오백 냥 은을 받고 삼백 냥은 불공으로 없앴거늘, 위태의 앞뒤를 돌아보지 않음이 여러 가지라. 시녀배 보는 데 장씨를 질러 죽여 악명을 취하고, 설억에게 보낼 미인을 없앴으니, 설억이 은을 도로 달라 하면 내어 줄 것이 없어, 애달프고 분함이 비길 데 없는지라.

낯을 붉히고 왈,

"장씨의 불순무상함은 죽여도 아깝지 않거니와, 존고 어찌 칼을 들어 인명의 중함을 생각지 않으시고 그리 급히 지르시니까? 첩이 암매불인(暗昧不仁)[770]하나 장씨 하나는 족히 두렵지 않거늘, 처치할 도리를 헤아리지 못하시어 칼 쓰기를 빨리하시니, 아지못게이다! 장가에 무엇이라 하며, 설억이 은을 달라 하면 또 어찌하려 하시나이까?"

위태 장씨를 쾌히 질러죽이면, 유씨 가장 쾌히 여길까 하였더니, 진실로 난처하고 민망한지라. 아무리 할 줄을 알지 못하고 한 말을 못하니, 유씨 자기 뜻과 다름을 분하여 위태를 졸라 왈,

---

767) 영매(英邁) : 성질이 영리하고 비범함.
768) 촉사(觸事) : 손을 댄 일이나 관련된 일.
769) 부지불각(不知不覺) : 자기도 모르는 사이.
770) 암매불인(暗昧不仁) : 어리석어 생각이 어둡고 어질지 못함.

"무릇 일이란 것이 나중을 생각고 하는 것이니, 존고 장씨를 죽이고, 설억에게는 무엇이라 하시며, 장사마가 찾으면 장차 어찌 하리까? 첩은 실로 나중이 난처해 보이니 말하기 싫은지라. 존고 아무렇게나 잘 처치하시려니와, 마침내 무사키를 바라지 못 하리로소이다."

언파에 일어나 침소로 가려 하니, 위태 겁이 나는 바에, 유씨 한가지로 좋은 계교를 생각지 아니하고, 자기만 저히고 일어나 가려함을 보매, 분노를 이기지 못하여 왈,

"진씨도 제 죄 있으매 두드려 진가로 보내되, 진광 부자가 한 말을 못하고, 그대 하씨를 죽여 궤중에 넣어 남강에 띄우되, 하진이 알지도 못하거니와, 그대 유해한 일이 없으니, 한 장씨를 질러죽임이 무엇이 그대도록 어려운 일이 되리오."

정언간의 시비 보왈,

"장사마 노야 이르러, 소저를 중당으로 나오라 하시나이다."

유씨 혀차 왈,

"존고 전전(前前)의 한 일을 다 들추시나, 하씨(河氏)는 종용하매 드러내어 말을 못할 형세가 되었거니와, 이는 그와 달라 불공지설(不恭之說)이 무상할 따름이오. 장공이 그 딸의 원수를 아니 갚으려 하리까? 첩이 다만 생각건대, 장사마 희천 형제를 과도히 추앙하여 대소사(大小事)에 아니 의논하는 일이 없으니, 광천으로써 천고(千古)의 준걸(俊傑)로 아니, 존고 소소연고(小小緣故)[771]를 돌아보지 마시고 여차여차하시면, 장협이 희천의 낯을 보아도 한을 풀지 못하리이다."

태부인이 차언을 들으매 꿈이 처음으로 깬듯하여, 장사마더러 이를 말을 낱낱이 묻고, 즉시 괴이한 헌옷을 걸치고[772] 백화헌으로 나올 새, 먼

---

771) 소소연고(小小緣故) : 자잘한 이유나 체면.

저 흉한 곡성을 발하니 골안이 터지는 듯, 어찌 부인의 성음 같으리오.

이때 윤태우 형제 외루에서 장사마와 석상서 등 칠팔 인이 모여 한담하더니, 일위 부인이 비영에게 붙들려 어지럽게 울며 나오니, 좌우 빈객이 다 피하고, 태우 형제 창황(惝怳) 경해(驚駭)하여 바삐 조모를 좌우로 붙들어 들어가심을 청하니, 태부인이 문득 곡성을 그치고 칼을 번득여 왈,

"내 장사마 상공께 지원극통(至冤極痛)을 고하려 하나니, 너희 이 말을 못하게 하면, 내 이 칼로 질러 죽으리라."

이리 이르며 대곡(大哭)하니, 그 의상인즉 완연한 걸인이요, 그 상모인즉 험악(險惡)이 나타나 말을 발치 않아서 흉포하기 심하니, 장사마는 진실로 눈을 드는 일이 없으나, 기여는 다 소년이라. 그 망측 해괴한 거동을 보고자 투목(偸目)으로 보기를 면치 못하니, 위태 양손을 물리치고 장사마를 대하여 왈,

"노첩이 상공께 한 말씀을 고코자 하나니, 능히 들으시리까?"

장사마 궤복할 뿐이요, 말을 답함은 없으되 난안하고 절박함을 형상치 못할러라. 부인이 울며 왈,

"노첩이 상공의 만금옥녀(萬金玉女)로써 슬하 손부항(孫婦行)에 두매, 기질이 초세하여 인심에 사랑하기를 면치 못할지라. 첩의 귀중하는 정이 일시 떠남을 결연하여 안전(眼前) 기화(奇花)를 삼았더니, 희천이 성품이 괴벽하고 위인이 매몰하여 처자를 대접함이 심히 박정한지라. 노첩이 희천을 볼 적마니 경계하여 규내의 처자를 좋이 거느리라 당부하되, 희천이 천성을 고치지 못하더니, 작일 손애 교지로서 돌아온 후 처

772) 걸치다 : 옷이나 착용구 또는 이불 따위를 아무렇게나 입거나 덮다.

음으로 영녀의 침실의 들어가 언힐쟁전(言詰爭戰)[773]키를 날이 저물고 밤이 새도록 그치지 않더니, 아까 영녀 첩의 곳에 와 울며 이르대, '첩이 사문 부녀로 계집의 절의는 백행지원(百行之元)[774]이오 투기는 칠거지악(七去之惡)으로 알거늘, 가부 첩을 실절(失節)타 조로며, 하부인을 해하다 보채니, 차마 이런 말을 듣고 세간에 견디리까? 차고로 죽으려 하나이다.' 하며, 자문이사(自刎而死)하니, 첩이 나이 늙었으나 그런 거동을 보지 못하였다가, 평생 처음으로 사람의 참혹히 죽는 거동을 보매, 놀라온 심장이 뛰놀고, 영녀의 아까운 기질로 속절없이 세상을 버리니, 참담 비절함이 차라리 죽어 보지 말고자 하나, 미치지 못 하리로소이다."

언필의 방바닥을 두드리며 통곡하니, 장사마 철석 같은 대장부로 만사 침엄숙묵(沈嚴肅默)하여 비희(悲喜)를 경출(輕出)치 않되, 여아의 참혹히 죽음을 들으매, 심신이 산비(散飛)하고 차악 통절하나 남의 집 태부인을 대하여 통곡함이 괴이하여, 겨우 참고 눈물을 흘려 낯을 들지 못하더니, 윤학사 문득 좌를 떠나 장공을 향하여 청죄 왈,

"소생이 과연 조모의 이르시는 바와 같아서, 화열치 못함은 합하의 밝히 아시는 바라. 실로 규내에 후한 일은 없으되, 영녀 부녀의 정순한 덕이 없어 소생의 매몰함을 심한(深恨)하니, 소생이 연소부박(年少浮薄)함으로 영녀의 소생 한하는 말을 제어코자하여, 다른 곳에 개적(改籍)하라 욕하며, 조강(糟糠) 하씨를 무고히 실산(失散)함을, 영녀가 해하다 보챔은 일시 희롱이러니, 영녀의 과격하고 성독(性毒)함이 소생의 희언을 족가(足枷)하여 자문이사(自刎而死)하니, 소생이 그 같은 여자는 과연 사생을 불관이 여기나니, 죽은들 현마[775] 어찌 하리까마는, 소생의 덕이

773) 언힐쟁전(言詰爭戰) : 말로써 트집을 잡아 서로 따지고 싸움.
774) 백행지원(百行之元) : 모든 행실의 으뜸임.

능히 일 여자를 감복지 못하고, 또한 행신이 경홀(輕忽)하여 영녀가 급히 원사(寃死)키의 미치니, 인명이 중대함을 헤아리매 '백인(伯仁)이 유아이사(由我而死)'[776]라. 생이 비록 손으로 죽이지 않으나 생의 말을 인하여 죽으니, 소생이 어찌 영녀를 죽임과 다르리까? 합하의 자애지정(慈愛之情)이 남다르심으로써, 영녀의 선악을 아득히 모르시고 소생을 통완하실 바를 생각하니, 불승참안(不勝慙顔)[777]하여 소생의 박덕 패행이 사류에 용납지 못하고, 합하께 큰 죄를 얻었는지라. 원(願) 합하는 소생의 불인을 계책(戒責)하시어, 비록 영녀 죽으나 지극한 정의(情誼)를 상(傷)하오지 마소서."

태부인이 장공이 답언하기 전 또 울고 왈,

"희천이 매몰할지언정 광망 무식함은 없으니, 상공은 밝히 살피사 희천에게 죄를 미루지 마소서. 이 다 노첩이 어질지 못함으로써 가변(家變)의 불미(不美)함이 이 지경에 이름이니, 원컨대 상공은 죄를 희천에게 묻지 마시고 첩을 죽이소서."

장공이 이미 죽은 딸을 살릴 길 없고, 인친가 노태부인을 대하여 비사고어(悲辭苦語)를 베풂이 예(禮)에 불가한지라. 윤태우를 보고 왈,

"여식의 흉패한 성악이 스스로 죽음을 들으니, 부녀의 정의 난연(難緣)함으로도 아까움이 없고, 원간 사자(死者)는 불가부생(不可復生)[778]

775) 현마 : 설마, 차마.

776) 백인(伯仁)이 유아이사(由我而死)라 : 백인(伯仁)은 나로 인해 죽었다'는 뜻으로, 직접적으로 사람을 죽이지는 않았지만, 죽은 사람에 대해 자신이 적극적으로 구하지 않은 책임이 있음을 안타까워하거나, 어떤 사건에 간접적으로 연관되어 있는 것을 비유적으로 나타낸 말. 《진서(晉書)》 열전(列傳), 주의(周顗) 조(條)에 나오는 말. *백인(伯仁); 중국 동진(東晋) 사람. 이름 주의(周顗).

777) 불승참안(不勝慙顔) : 부끄러움을 이기지 못함.

778) 불가부생(不可復生) : 죽은 사람이 다시 살아날 수 없음.

이라. 영존당 태부인 관인(寬仁) 성덕(聖德)이 불초녀(不肖女)를 과도히 아끼시나, 저의 위인이 살아 불관(不關)한지라. 모름지기 과상치 마심을 청하여, 내헌으로 들으시게 하라."

윤태우 조모의 거동과 장공의 말을 들으매, 참괴함이 욕사무지(欲死無地)하여 가변이 점점 이다지도 함을 슬퍼하며, 장씨의 참사(慘死)함을 생각하니 인세 흥황(興況)[779]이 백사(百事)에 사연(辭然)하고[780] 순담과 정세흥이 다 한가지로 본 바 되니, 태우의 충천장기(衝天壯氣)로도 대인(對人)할 면목이 없는지라. 이에 조모를 붙들어 왈,

"장합하 수씨(嫂氏)의 참망한 소식을 들으시니, 심사 참녈(慘烈)하실 바로되, 왕모 이에 계시매 슬픔을 펴지 못하시니, 청컨대 왕모는 안으로 들어가사이다."

위흉이 장공의 숙묵(肅默)한 위의를 보니 말하기 무류하여, 태우와 학사에게 붙들려 들어가니, 장공이 절하여 보낼 뿐이요, 일언을 개구함이 없더니, 태우 곤계 조모를 모셔 내루(內樓)의 들어와, 장씨의 시신이 경희전에 비껴 있음을 보니, 태우의 태산지중(泰山之重)과 학사의 철옥심장(鐵玉心腸)[781]이나, 차경(此景)을 당하여는 참담 비절함을 참을 바 아니요, 더욱 복중혈육(腹中血肉)이 십 삭을 채우지 못하고, 화순한 덕량과 온화한 위인으로 이칠청춘(二七青春)에 참사함을 통도각골(痛悼刻骨)하거늘, 유씨 태우와 학사의 말을 기다리지 아니하고, 손등을 두드려 가로되,

"장씨의 위인이 상쾌 화열한가 하였더니, 금일 자문이사 하는 거동을

779) 흥황(興況) : 흥미. 또는 흥미 있는 상황.

780) 사연(辭然)하다 : 뜻이 없다.

781) 철옥심장(鐵玉心腸) : 철(鐵)과 옥(玉)처럼 굳은 마음. *심장(心腸); 마음의 속내. 오장(五臟)의 하나인 심장(心臟)과는 구분해 쓴다.

보니, 모질고 흉함이 만고의 희한한지라. 희천이 안해라 하여 수년을 화락던 일이 어찌 불명(不明)치 않으리오. 흉한 주검을 오히려 이곳에 오래 두지 못하리니, 장공더러 어서 치워 가라 하라."

학사는 묵묵(黙黙)하고, 태우 빈미(嚬眉) 탄 왈,

"장수(嫂)가 이 지경에 이르심은 천만 생각 밖이라. 가란(家亂)이 점점 해괴하니 진실로 남이 알까 두렵고, 금일 대모께서 장공더러 하시는 말씀이 다 희천을 그른 곳에 지목하시나, 제 결단코 곧이듣지 않을 것을 그대도록 괴이히 하실 줄 알리까?"

언미종(言未終)에 장공이 태우 곤계를 청하니, 태우 곤계 진실로 장공을 대할 낯이 없으나, 마지 못하여 나오매, 장공이 풍화한 얼굴에 누수여우(淚水如雨)하여, 학사의 손을 잡고 실성 유체 왈,

"불민한 소녀로써 외람이 대군자의 쌍을 일워, 군자와 백년을 화락하여 길이 영효를 바라는 바이더니, 성악(性惡)[782]이 우패(愚悖)한 것이 유체(遺體)[783]를 가벼이 여겨 자문(自刎)하는 지경에 있으니, 과악(過惡)이 만사라도 아까움이 없으나, 부녀 천성의 지극함을 능히 베기 어려운지라. 그 이칠초춘(二七初春)이 느꺼움[784]을 생각하니, 처음에 아니 삼기기만 같지 못하여 비절함을 이기기 어렵도다. 비록 그러하나 그런 흉사(凶死)한 시신을 귀부 선영에 장하기 어려운지라. 내 데려가 염습(殮襲)[785]하여 공산(空山)에 장하려 하노라."

학사 장씨의 참사함을 보매, 가변(家變)이 해이(駭異)하며, 조모와 양모의 패덕(悖德)을 부끄러워하고, 자기 형제 진실로 보전키 어려운지라.

---

782) 성악(性惡) : 성미가 악함.

783) 유체(遺體) : 부모로부터 물려받은 몸.

784) 느껍다 : 어떤 느낌이 마음에 북받쳐서 벅차다.

785) 염습(殮襲) : 죽은 사람의 몸을 씻긴 뒤에 옷을 입히고 염포로 묶는 일.

전후를 사념(思念)하매 만사 등한(等閑)하여[786] 대왈,

"소생의 박행무신(薄行無信)함을 실인(室人)이 깊이 한하여 스스로 세상을 버리니, 그 성악(性惡)이 놀랍고, 합하의 슬퍼하심을 보이매 불안함이 비할 곳이 없는지라. 그 검하(劍下)에 질렸음을 목도하였사오니, 소생의 심정이 약하온지라. 불승차악(不勝嗟愕)하옵나니, 시신을 존부로 데려 가실진대 어찌 막으리까."

장공이 비읍(悲泣)하매 소년들이 치위(致慰)하고, 학사에게 놀람을 이르대, 학사는 묵연하더라. 장공이 시신을 거두어 본부로 돌아갈새, 윤태우와 학사 일장을 통곡하고, 다시 장공께 고 왈,

"수수의 시신을 이곳에서 염빈(殮殯)[787]할 것이로되, 노친시하(老親侍下)에 참참한 거동을 갖추 보옵지 못하옵고, 합하 데려가려 하시니 막지 못하옵고, 수수 생각을 그릇하시어 자문이사(自刎而死)하는 허물을 벗어나지 못할 것이로되, 사제(舍弟)로 의절하실 리 없으니, 초상(初喪) 성복지시(成服[788]之時)에 한가지로 모다 지내게 하고, 소생의 집 선산에 안장케 하소서."

장공이 척연 답왈,

"사원의 관자 인후함이, 성악한 여식으로 수숙지의(嫂叔之義)를 아끼는 마음을 보니, 내 실로 감격하나니, 초상(初喪) 성복(成服)을 모여 지냄은 사원 형제 임의로 하리니, 구태여 날더러 물을 일이 아니요, 여아의 관을 존부 선영 측(側)에 장(葬)함은 심히 가치 않으니, 아직 공산을 얻어 묻었다가, 타일 영존숙이 돌아오신 후, 혹자 귀부 묘하에 뭇기를

786) 등한(等閑)하다 : 무엇에 뜻이나 관심이 없고 소홀하다.

787) 염빈(殮殯) : 시체를 염습하여 관에 넣어 안치함.

788) 성복(成服) : 초상이 나서 처음으로 상복을 입음.

허한즉 천장(遷葬)[789]하여 해롭지 않으리니, 지자(知子)는 막여부(莫如父)라 하였으되, 내 불명하여 여식의 인물이 그대도록 패흉(悖凶)함은 생각지 않은 바라. 어찌 오늘날 저를 보러 온 바가, 도리어 그 시신을 실어 돌아갈 줄 알았으리오."

언파에 방성대곡(放聲大哭)하여 거륜에 오르니, 장소저의 유랑 시비 호천통곡(呼天痛哭)[790]하여 치여(輜輿)[791]를 좇아 장부로 나아가니, 경색이 참불인견(慘不忍見)이라. 하물며 윤학사의 여천지무궁(如天地無窮)한 중정(重情)으로, 현처를 원억히 마쳐 참절(慘切)하는 심사를 어디 비할 곳이 있으리오. 자연 낯빛이 참연 처창하여 흥황(興況)이 없으니, 소년명사가 다 패흥(敗興)하여 돌아가고, 정학사 세흥은 우연이 초하동에서 윤태우 곤계를 보라 왔다가, 위태의 흉해(凶駭)한 거동과 장공의 참통(慘痛)한 경상(景狀)을 보고, 윤부 변고를 차악하여 하씨의 화란은 도리어 적은 일로 알더라.

장공이 윤학사를 공부자 이후 한 사람으로 미루던 고로, 결단하여 여아를 무고히 실절타 조로며 하씨를 해하다 보채지 않았을 줄 짐작하여, 여아의 자문(自刎)함이 없을 바를 명명(明明)히 지기(知機)하매, 곡절을 알고자 치여를 앞세워 부중의 돌아와, 설부인이 불시의 소녀의 시신을 보면 더욱 놀라고 참통하여 죽을까 염려하여, 호곡(號哭)을 금하고 그윽한 당사(堂舍)에 시신을 내려 누이고, 수족을 거두며 상처를 살피니, 비록 칼을 깊이 찔러 피를 흘렸으나, 바로 숨통은 찌르지 않았거늘, 장사마 아쉬운 정리에 일분이나 살기를 바라는 고로, 급히 약을 가져 먹이고

789) 천장(遷葬) : 무덤을 다른 곳으로 옮김.
790) 호천통곡(呼天痛哭) : 하늘을 우러러 부르짖으며 슬피 욺.
791) 치여(輜輿) : 상여(喪輿).

자 하더니, 장공의 심복노자 계선이 문득 한 봉 약을 드리며, 왈,

"밖에 한 도사가 약을 노야께 드려 소저를 구하라 하고 빨리 돌아가더이다."

장공이 심신이 경황하여 바삐 도사를 보아, 의리(醫理)를 알거든 여아의 상처를 뵈고 명약(名藥)을 청코자 하여, 급히 외헌의 나와 도사를 찾아보라 하되, 저마다 약을 계선을 주고 급히 가매 찾을 길이 없음을 고하니, 장공이 '그 약 가운데 여아를 구할 선약(仙藥)[792]이 있는가.' 행희(幸喜)하여, 도로 들어와 약쌈을 헤치고 자세히 보매, 한 낱 환약(丸藥)과 상처에 붙이는 약이라. 환약 위에 금자(金字)로 삭여시대, 구생단(救生丹)이라 하였고, 상처의 붙이는 약에는 생인환혼음(生人還魂飮)이라 하였으니, 장공이 약을 보매 혹자 여아를 살릴 수 있을까 만분 경희하여, 바삐 환약(丸藥)을 갈아 입에 떠 넣고, 생인환혼음을 상처에 바른 후, 바람이 들지 않게 싸맨 뒤, 쌍섬 등 제 시녀를 불러 소저의 자문이사(自刎而死)한 연고를 물으니, 쌍섬이 체읍하여 전후수말(前後首末)을 일일이 고하며, 태부인이 질렀음을 아뢰고, 학사는 교지로 좇아 상경한 후, 소저를 상견치 못함은, 태부인이 매양 사침에 가는 것을 허치 아니하고 협실에 두었으므로, 언쟁힐난(言爭詰難)할 묘단(苗端)[793]이 없음을 고하니, 장공이 여아 죽이던 바는 놀라지 아니하고, 설억에게 오백금을 받고 팔려 하던 바에 다다라는 분완통해(憤惋痛駭)하여, 서안을 치고 소리를 높여 흉참타 이르기를 마지않더니, 설부인이 사기를 알고 여아의 죽어 돌아왔음을 참절(慘切) 통도(痛悼)하여, 급히 시신 누인 곳에 와 붙들고 방성 통곡고자 하더니, 소저 문득 구생단의 효험과 다행히 빗

---

792) 선약(仙藥) : 효험이 썩 좋은 약.

793) 묘단(苗端) : 싹. 실마리.

찔려 놀라 엄홀(奄忽)하였던 것이므로, 비로소 깨어 숨을 내쉬니, 공과 부인이 만분(萬分) 경열(哽咽)[794]하여 수족(手足)을 주무르며, 가슴에 온기 있어 생도 망연(茫然)치 않으니, 장공의 마음이 경황실조(景況失措)[795]하여 입 가운데 가득이 도사를 일컬어, 보지 못함을 애달아하며, 여아를 새도록 구호하니, 소저 계명(鷄鳴)에야 완연이 눈을 떠 좌우를 보고, 부모 곁에 앉았음을 알아 반기고 슬퍼하거늘, 공과 부인이 여아의 낯을 부비며 손을 어루만져, 실성오열 왈,

"우리 너를 천금보옥(千金寶玉)같이 길러, 그대도록 악착한 곳에 종을 삼았을 줄 알았으리오."

소저 체루(涕淚) 묵연(默然)이러니, 가장 오랜 후 겨우 소리를 이뤄 왈,

"소녀 비록 사지를 벗어나나, 소녀의 살았음을 알 이 있으면, 급화가 발뒤축[796]을 좇아 일어나리니, 대인과 모친은 소녀를 살리고자 하시거든, 이제로서 그윽한 곳의 옮기시고, 대인이 아무 신체나 얻어다가 입렴성빈(入殮成殯)[797]하여 한결같이 소녀의 죽으므로 하시고, 이 일을 의모(義母)에게 숨김이 괴이하오나, 의모 유금오 처제시라. 구태여 소녀를 해코자 유금오 부인더러 소녀의 생존을 이를 것이 아니라, 우연이 무심코 언두(言頭)에 일컬음이 괴이치 않고, 유금오 부인이 들은 후는 즉각에 옥누항에 가리니, 계모(繼母) 친정에 가 계시거든, 소녀의 살았음을 전치 말고 죽었음으로 알게 하소서."

794) 경열(哽咽) : 슬픔으로 목이 멤.

795) 경황실조(景況失措) : 경황(景況)이 없음. 몹시 괴롭거나 바쁘거나 하여 다른 일을 생각할 겨를이나 흥미가 전혀 없음.

796) 발뒤축 : 발뒤꿈치.

797) 입렴성빈(入殮成殯) : 상례(喪禮)에서 입관(入棺)과 성빈(成殯), 곧 시신을 관 속에 넣는 일과 빈소(殯所)를 차리는 일을 함께 이르는 말.

장사마와 부인이 여아의 인사를 차려 피화(避禍)할 의논이 이 같음을 들으매, 만심환희하여 좌우로 붙들고 불승영행(不勝榮幸)하니, 도리어 위태부인 원(怨)하는 마음이 없어, 이에 가로되,

"네 말이 다 옳으니 어느 곳에 장신(藏身)코자 하느뇨?"

소저 대왈,

"표숙이 소녀 사랑하심이 기출(己出) 같고, 아직 자란 자녀 없고 가내 고요하니, 그 곳의 옮고자 하나이다."

공이 윤종(允從)하여 즉시 큰 덩을 가져와 쌍섬으로 소저를 붙들어 덩에 넣고, 공과 부인이 여아를 보내는 뜻을 펴 서간을 설처사 부부에게 부쳐 보내니, 원간 처사 설화는 고문(高門) 명족(名族)으로, 평생의 뜻이 청고낙낙(淸高落落)하여 문달(聞達)[798]을 불구(不求)하고, 고요히 도학(道學)을 닦으니, 일세(一世) 사유(士類)의 추앙하는 바라. 부인 단시 또한 고문 거족의 요조숙녀라. 사덕(四德)이 겸비하니 처사가 화락하여 이자이녀를 두었으되 다 나이 어렸고, 설처사 내외 장소저를 각별 사랑하던 고로, 장씨 피화(避禍) 장신(藏身)키를 위하여 설부로 가매, 반기고 연애하여 바삐 손을 잡고 이에 온 곡절을 묻고자 하다가, 소저의 기색이 엄엄(奄奄)[799]함을 보고 놀라, 장공 부부의 서간을 피열하매, 소저의 만상 화란이 갖추 벌여있는지라. 더욱 자닝함을 이기지 못하여, 깁고 그윽한 곳에 처소를 정하여 장씨를 머무르고, 구병함을 지성으로 하니, 장씨 외구(外舅) 부부 바람을 부모같이 하고, 잠깐 마음을 놓아, 윤부에 있을 적같이 기아(饑餓)와 고상(苦狀)을 겪지 않으므로, 점점 비영[800]이 낫고, 복아(腹兒)도 떨어지지 않으니, 하늘의 지공무사(至公無

798) 문달(聞達) : 이름이 세상에 널리 알려짐.
799) 엄엄(奄奄) : 숨이 곧 끊어지려 하거나 매우 약한 상태에 있음.

事)하심이 어찌 장소저 같은 숙녀 명염을 헛되이 마치게 하리오.

화도사 이러므로 신약(神藥)으로 구하니, 이 곳 명천공 윤상서 정녕(精靈)이 명명지중(冥冥之中)에 앎이 있어, 화도사의 꿈을 인하여, 명천공이 간절히 청하여 식부(息婦) 장씨를 구하라 하매, 화도사 윤학사의 재실이 장씨임을 깨달아, 친히 선약을 가져 장부의 이르러 계선을 주되, 제인으로 상면함을 괴로와 빨리 돌아가니라.

차시 장공이 여아를 설부로 보내고, 마침 시녀 난난이 오래 병들어 죽거늘, 그 시신을 가져 와 입념(入殮)하되, 사기 십분 비밀하니 알 이 없고, 영부인은 친정으로 좇아 소저의 참사함을 듣고 돌아오매, 이미 습렴(襲殮)하였으니 난난임을 어찌 알리오. 장공이 차사로 윤태우 형제를 기일 리 없으되, 소저 아직 아무더러도 자기 생존함을 전치 마소서 하는 고로, 윤학사 연일 왕래하되 난난을 습렴할 제 뵈지 않으니, 입관(入棺) 성복(成服)[801]을 훌훌이[802] 마치고, 윤학사 복제(服制)[803]를 갖추어 슬퍼함이 혈심진정(血心眞情)에서 비롯하며, 장공 부부는 딸이 비록 죽지 않았으나, 무사히 화락치 못하고, 윤가 변괴 망측함을 슬퍼하여, 누수(淚水)가 의수(衣袖)를 적시니, 보는 이가 의심치 아니하더라.

재설 하소저 양모와 정병부 등의 극진히 구호함을 인하여, 상처 점점 나아가고, 윤부인은 정국공과 조부인의 부르심을 좇아, 초하동에서 일야를 지내고 취운산으로 돌아오나, 자모의 과악을 부끄러워 스스로 세

---

800) 비영 : 병으로 몸이 야위어 제대로 가누지 못함.
801) 성복(成服) : 초상이 나서 처음으로 상복을 입음.
802) 훌훌이 : 덧없이. 어언간, 갑자기, 훌쩍.
803) 복제(服制) : 상례(喪禮)에서 정한 오복(五服)의 제도.

념(世念)이 사연하고, 침식이 불안하여, 심장을 사름이 무궁하니, 화용(花容)이 수척하고 옥골(玉骨)이 초췌(憔悴)하거늘, 하공 부부 염려하여 매양 곁에 앉혀 그 심사를 위로하며, 연애함을 강보유녀(襁褓幼女)같이 하니, 윤부인이 감은 각골하되 초후는 유부인 통해함이 나날이 새로와, 소영 벽난 등을 엄금하여 옥누항에 왕래하는 비자는 사죄를 받으리라 하고, 그윽이 핑계를 얻어 옥누항 시비를 왕래치 못하게 하려 할 즈음에, 석상서 부인 경아가 그 동생의 부귀를 시애(猜礙)하여, 부디 초후의 염박함을 얻게 하려 함으로, 유부인 모르게 시녀 열섬으로 태부인과 유부인 말씀으로 전하여, '하씨를 무슨 일로 어디다가 감추고 보내지 않는가, 곡절을 알게 하라.' 하고, '아마도 일야지내(一夜之內)에 실산타 하는 말이 허무하니, 응당 다른 곳에 개적(改籍)하여 보냈느니라.' 하여, 전어(傳語)의 욕되고 통완함이 사람의 참기 어려운 바로되, 조부인이 불변 안색하고 윤씨의 참황한 심사를 돌아보아 예사로이 전어로 회답하더니, 아공자 원창이 윤부 두 부인의 전어를 듣고 불승분노하여, 초후에게 일일이 고하니, 초후 대로하여 열섬이 모친 전어를 듣고 나갈 제, 하리로 하여금 잡아 오라 하여 처음은 머리를 베려 하더니, 정병부 등이 과도함을 말리니, 초후 윤부 시녀 왕래치 못할 기틀을 묘히 얻었는지라. 열섬과 하리를 껴 윤부에 보내어 태우에게 전어하되,

"영제(令弟) 사빈은 교지로서 온지 일순이로되 서로 찾음이 없고, 오가(吾家)로 의절한 사이거니와, 태우는 나와 상힐한 일이 없는지라. 내 집이 매제를 잃어 이친(二親)의 상도(傷悼)하심과, 동기의 참척(慘慽)함이 비할 곳이 없거늘, 귀부 천한 비자(婢子)가 긴 혀를 놀려, 영존당과 숙당 말씀으로 사의 해연하여 실로 참청키 어려운지라. 내 집은 사족 부녀 개적(改籍)하는 규구(規矩)는 알지 못하였더니, 존부인은 가장 익숙하게 알아, 사람 의심하심이 이 지경의 계시니, 원간 태우의 형제는 상

견치 못하면 결훌(缺欻)하려니와, 귀부 비자는 아니 보아도 견디리니, 천비의 음참지설(淫僭之說)로 내 누이를 욕하는 전어를 안연이 하니, 그 행실이 없는 연고라. 머리를 베어 죄를 정히 하고자 하되, 십분 참고 좋이 보내나니, 차후는 존부 시비를 문전에 들이지 않으리니, 영존당과 숙당에 고하여 부질없이 보내지 말라."

전어하니, 이때 태우 형제 성복(成服)을 지내고 갓 돌아와, 참절함을 이기지 못하여, 학사 추연 왈,

"소제 스스로 감(鑑)[804]이 어둡지 않음을 믿어, 사람의 상모 길한즉, 나중이 영화로울까 하더니, 이제 장씨에 다다라는 복선(福善)의 명응(冥應)[805]이 도상(道喪)[806]하고, 상격(相格)이 다 거짓 것이라. 소제의 상법(相法)과 지감(知鑑)이 그대도록 불명할 줄 알았으리까?"

태우 역탄 희허(噫噓) 왈,

"나의 헤아림이 또 너와 같아서 장수(嫂)를 처음 뵙던 날부터, 현제의 처궁(妻宮)이 복 됨을 깃거하고, 다복(多福) 영귀(榮貴)하시며 수한(壽限)이 장원하실 줄 알았더니, 문득 삼오(三五)도 못하여 세상을 버리실 줄 알았으리오. 이 전혀 우리 가운이 불행하여 변괴 층출(層出)한 연고라. 무엇을 한하리오."

학사 탄식 대왈,

"장씨의 시신을 형장과 소제 친히 본 바요, 입관 성복하매 소제 마지못하여 복제를 차렸으되, 그 상모를 생각하면 아마도 살아 있는 듯하니, 심기 허(虛)하여 그러한가 하나이다."

---

804) 감(鑑) : 지감(知鑑). 지인지감(知人知鑑). 사람을 잘 알아보는 능력.
805) 명응(冥應) : 눈에 보이지 않지만 신령과 부처가 감응하여 이익을 주는 일.
806) 도상(道喪) : 도(道)가 사라짐.

태우 답왈,

"장수(嫂)로써 별세치 않았다고 할진대, 이곳에서 칼에 찔녀 피 흐르는 시신을 장공이 가져 가 염빈(殮殯)[807]하였으니, 아무리 생각해도 살았단 말이 나지 않되, 그 상모가 복덕(福德)이 완전하던 바를 생각한즉, 만사 다 허사라. 너와 내 상법이 괴이하다."

정언간(停言間)에 하리(下吏) 열섬을 껴 들어와 계하의 부복하여, 초후의 전어를 고하니, 태우 곤계 듣는 말마다 해참(駭慘)하니, 태우 들어가, 초후 노하여 욕함을 고하니, 위·유 대경하여 섬더러 전어한 연고를 물으니, 섬이 울며 석부인 하던 대로 고하니, 유씨 경아를 불러,

"네 여차여차 한 말을 조부인께 한다?"

경아, 대왈,

"하씨의 거처 없음을 통완하여 조씨를 격동함이니이다."

태우 정색 왈,

"가치 않은 전어로 인친가와 화기를 상해오니, 무엇이 좋으리오. 소제는 실로 회답할 말이 없나이다."

위태 좋도록 초후를 보고 사죄하라 하니, 태우 더욱 불열하여 즉시 외헌으로 나가거늘, 유씨 경아의 망령됨을 책하여 앞뒤를 모른다 하되, 실로 동복일제(同腹一弟)[808]를 마저 해코자 함은 알지 못하더라.

설억은 오백 냥 중보(重寶)를 드리고 미인을 취할까 하였더니, 장씨 헛되이 죽음을 듣고 아깝고 애달음을 이기지 못하나, 사자(死者)는 살릴 도리 없으니, 제 은자나 찾아 다른 곳의 미인을 사고자 함으로, 값을 도로 달라 보채기를 날마다 그치지 않으니, 유씨 비영으로 하여금 온 가지

---

807) 염빈(殮殯) : 시체를 염습하여 관에 넣어 안치함.

808) 동복일제(同腹一弟) : 한 뱃속에서 나온 하나밖에 없는 동생.

로 달래여, 혹 벼슬을 하일 것이니 좋은 시절을 기다리라 하며, 혹 장씨보다 더 나은 옥녀를 얻어주마 하여, 천방백계로 핑계하여 은을 내어 주지 않으니, 억이 사람의 말을 혹하여 듣지 아니하고, 다만 은을 달라 보채기를 심히 하니, 비영이 차마 견디지 못하여 유씨께 묘랑을 주고 남은 이백냥 은자나 도로 주사이다 하니, 유씨 괴로이 여겨 이백냥 은을 내어 준대, 설억이 삼백냥을 마저 달라 보채기를 한결같이 하니, 위태부인이 자기 그릇 장씨를 죽여 설억에게 보채이니, 심히 불평하여 한 장 문서를 만들어 금년으로부터 삼년을 한하여 미인을 못 얻어 주거든, 고관정장(告官呈狀)[809]하여 받으라 하고, 자기 도서(圖署)[810]를 쳐 주니, 설억이 문서를 얻으매 잠깐 믿음이 되어 남양으로 돌아가니라.

위태 유씨 모녀를 대하여 왈,

"장씨를 노모 그릇 죽였거니와 조녀로부터 정·진·하·장 등을 다 서릇었으니[811], 이제 희천 형제 밖은 남은 이 없는지라. 어찌하면 쾌히 죽이리오."

유씨 왈,

"이제는 광천 등 없이함이 어렵지 않으니, 무릇 일이란 것이 신속함이 귀한지라. 존고는 묘랑이 여차여차 하는 때를 당하여, 쾌히 놀라지 마시고 대계를 이뤄 내소서"

태부인이 소왈,

"정씨년을 해하려 할 제 내 가슴을 상해왔더니, 그렇듯 또 상(傷)할진대 광천 등을 함정에 몰아넣음은 되려니와, 노모의 가슴이 남지 못하리

---

809) 고관정장(告官呈狀) : 관청에 소장(訴狀)을 내 고소함.
810) 도서(圖署) : 책·그림·글씨 따위에 찍는, 일정한 격식을 갖춘 도장.
811) 서릇다 : 거두어 치우다. 정리하다. 없애다. 죽이다.

로다.”

경애 낭소왈,

“대모는 아픈 것을 참으시고 대사를 그르게 마소서. 이같이 한 후는 광천 등이 ‘아홉 입’[812]과 ‘구리 혀’[813]가 있어도 발명이 어려우리이다.”

위흉이 점두하고, 차일 묘랑을 청하여 계교를 행할 새, 차일 마침 윤추밀 재종형 참정 윤한의 부인과 상서 윤단이 옥누항에 이르러 밤을 지낼 새, 단은 윤참정 한의 아이라. 참정은 연국(燕國)에 교유사로 나가고, 윤단이 형수 형부인을 모셔 임산 향리로 내려가, 추동을 지내고 올라오려 함으로, 옥누항에 이르러 사묘(祠廟)에 배현하고 숙모 위태부인께 하직을 고하려 함이러라. 태부인이 짐짓 형씨를 은근이 대접하여 한방에서 자기를 일컫고, 참정 부중 시비 사오 인을 침전에 숙직하게 하며, 태부인이 잠 없음을 일러 담소하니, 형부인이 비록 자고자 하나 어른이 깨어 말하고자 하는 것을 아니 대답지 못하여 수작하고, 태우 형제는 재종숙 상서공을 모셔 말씀할 새, 순참정이 윤상서를 청함으로, 순부가 지척이요, 금평후 정공이 또한 표형(表兄)의 집에 와 밤을 지내므로, 윤상서 야화하다가 오고자 하여 순부로 가매, 태우 형제 상서의 자질 삼종(三從) 등으로 더불어 다 잠을 깊이 들었더라.

---

812) 아홉 입 : 구구(九口). 입이 아홉 개 라는 뜻으로, 유창한 말주변으로 많은 말을 늘어놓는 것을 말함. ≒구구삼설(九口三舌).

813) 구리 혀 : ‘동설(銅舌)’의 번역어. 조선조 궁중악기의 하나인 ‘순(錞)’에 달았던 작은 방울 모양의 것으로, 이것을 흔들어 소리를 냈다. 여기서는 방울소리처럼 유창한 말주변을 뜻한다.

최길용

문학박사
전북대학교 겸임교수
전북대학교 인문학연구소 전임연구원

◉ 논 문
〈연작형고소설연구〉외 50여편

◉ 저 서
『조선조연작소설연구』 등 13종

현대어본 명주보월빙 5

초판 인쇄 2014년 4월 20일
초판 발행 2014년 4월 30일

역 주 | 최길용
펴 낸 이 | 하운근
펴 낸 곳 | 學古房

주 소 | 서울시 은평구 대조동 213-5 우편번호 122-843
전 화 | (02)353-9907 편집부(02)353-9908
팩 스 | (02)386-8308
홈페이지 | http://hakgobang.co.kr/
전자우편 | hakgobang@naver.com, hakgobang@chol.com
등록번호 | 제311-1994-000001호

ISBN 978-89-6071-388-8 94810
978-89-6071-383-3 (세트)

값 : 16,000원

이 도서의 국립중앙도서관 출판시도서목록(CIP)은 서지정보유통지원시스템 홈페이지(http://seoji.nl.go.kr)와 국가자료공동목록시스템(http://www.nl.go.kr/kolisnet)에서 이용하실 수 있습니다.(CIP제어번호: CIP2014014236)